あるくみるきく双書

田村善次郎・宮本千晴【監修】

宮本常一とあるいた昭和の日本

13

関東 甲信越③

農文協

はじめに

――そこはぼくらの「発見」の場であった――

「私にとって旅は発見であった。私自身の発見であり、日本の発見であった。書物の中で得られないものを得た。歩いてみると、その印象は実にひろく深いものであり、体験はまた多くのことを反省させてくれる。」これは『私の日本地図』の第一巻「天竜川にそって」の付録に書かれた宮本常一の「旅に学ぶ」という文章の一節である。これは宮本先生の持論でもあった。近畿日本ツーリスト・日本観光文化研究所に集まる若者の誰もが幾度となく聞かされ、旅ゆくことを奨められた。そして「どうじゃー、面白かったろうが」というのが旅から帰った者への先生の第一声であった。一生を旅に過ごしたといっても過言ではないほど、旅を続けた宮本先生にとって、旅は面白いものに決まっていた。それは発見があるからであった。発見は人を昂奮させ、魅了する。

この双書に収録された文章の多くは宮本常一に魅せられ、けしかけられて旅に出、旅に学ぶ楽しみと、発見の喜びを知った若者達の旅の記録である。一編一編は限られた村や町の紀行文であるが、こうして地域ごとに集めてみると、期せずして「昭和の風土記日本」と言ってもよいものになっている。

日本観光文化研究所は、宮本常一の私的な大学院みたいなものだといった人がいるが、この大学院は学歴も職歴も年齢も一切を問わない、皆平等で来るものを拒まないところであった。それだけに旺盛な好奇心と情熱をもった多様な性向の若者が出入りしていた。『あるく みる きく』は、この研究所の機関誌的な性格を持った月刊誌であり、所員、同人が写真を撮り、原稿を書き、レイアウトも編集もすることを原則としていた。編集者もデザイナーも筆者もカメラマンも、当時は皆まだ若かったし、素人であった。公刊が前提の原稿を書くのは初めてという人も少なくなかった。発見の喜び、感激を素直に表現し、紙面に定着させるのは容易なことではない。何回も写真を選び直し、原稿を書き改め、練り直す。徹夜は日常であった。素人の手作りからの出発であったが、この初心、発見の喜びと感激を素直に表現しようという姿勢、は最後まで貫かれていた。

月刊誌であるから毎月の刊行は義務である。多少のずれは許されても、欠号は許されない。特集の幾つかに宮本先生の古くからのお仲間や友人の執筆があるし、宮本先生も特集の何本かを執筆されているが、これらは欠号を出さず月刊を維持する苦心を物語るものである。

『あるく みる きく』の各号には、いま改めて読み返してみて、瑞々しい情熱と問題意識を感ずるものが多い。それは、私の贔屓目だけではなく、最後まで持ち続けられた初心、の故であるに違いない。

田村善次郎　宮本千晴

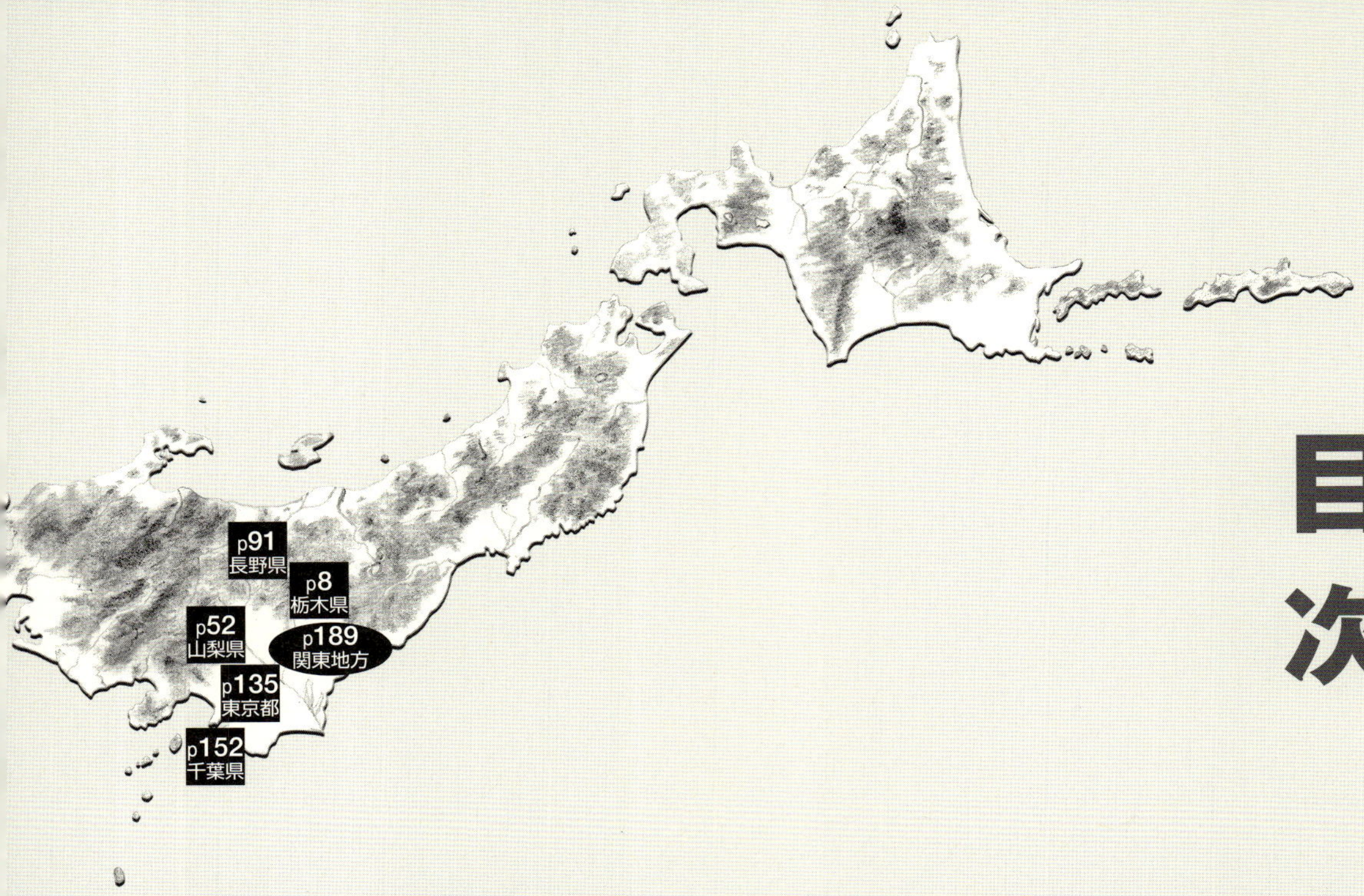
p91
長野県
p8
栃木県
p52
山梨県
p189
関東地方
p135
東京都
p152
千葉県

関東甲信越③ 目次

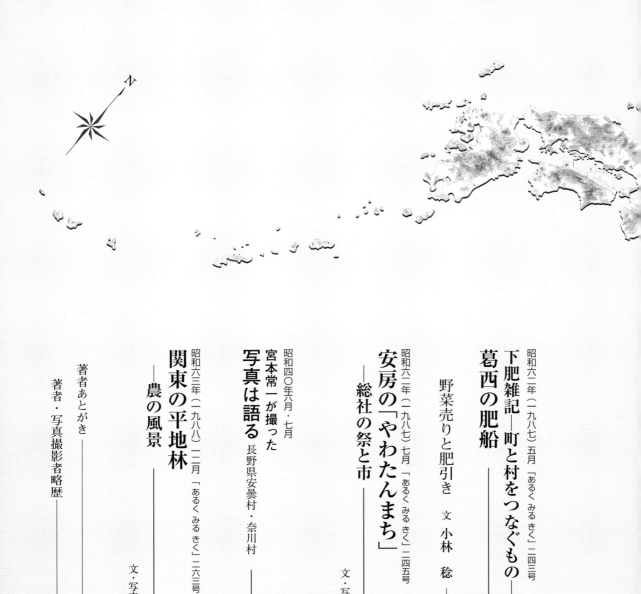

N

凡例

*この双書は『あるくみるきく』全二六三号のうち、日本国内の旅、地方の歴史・文化、祭礼行事などを特集したものを選出し、それを原本として地域および題目ごとに編集し合冊したものである。

*原本の『あるくみるきく』は、近畿日本ツーリストが開設した「日本観光文化研究所」の所長、民俗学者の宮本常一監修のもとに編集し昭和四二年（一九六七）三月創刊、昭和六三年（一九八八）一二月に終刊した月刊誌である。

*原本の『あるくみるきく』は一号ごとに特集の形を取り、表紙にその特集名を記した。合冊の中扉はその特集名を表題にした。

*編集にあたり、それぞれの執筆者に原本の原稿に加筆および訂正を入れてもらった。ただし文体は個性を尊重し、使用漢字、数字、送仮名などの統一はしていない。

*印字の都合により原本の旧字体を新字体におきかえたものもある。

*写真は原本の『あるくみるきく』に掲載のものもあれば、あらたに組み替えたものもある。また、原本の写真を複写して使用したものもある。

*図版、表は原本を複写して使用した。また収録に際し省いたもの、新たに作成したものもある。

*掲載写真の多くは原本の発行時の少し前に撮られているので、撮影年月は特に記載していないものもある。

*市町村名は原本の発行時のままで、合併によって市町村名の変わったものもある。

*収録にあたって原本の小見出しを整理し、削除または改変したものもある。

*この巻は森本孝が編集した。

一枚の写真から

宮本常一

ー杉皮を積んだ山地ー

栃木県栃木市出流《いずる》　昭和48年（1973）11月　撮影・須藤　功

山道をあるいていて、杉皮を見かけるとなつかしい。戦前の山道には、いたるところに杉皮が積みあげてあったし、杉の多い山村の農家の屋根は大てい杉皮で葺いてあった。杉皮を四枚も五枚も重ねて葺き、押えをしっかりしておけば雨の漏るようなことはなかったので、杉の多いところでは早くから杉皮を利用して屋根を葺くようになったのだと思う。

木の皮が屋根の材料としてすぐれたものであることに気付いたのは古いことで、日本の古い神社や宮廷建築などは早くから桧の皮を用いて葺いていた。これに対してやや身分の低いものは、木を細長い板にして、それで屋根を葺いた。榑板葺《くれいたぶき》がそれである。そうした様子は中世の絵巻物にたくさん見かけることができる。榑板で葺いた家は切妻造りが多かった。杉皮葺は榑板葺の延長として発達したものであろう。

同時にそれは、杉の植林と深いかかわりあいをもっていた。杉はもと天然に生えていた。それを伐って建築材として用いることが多かったが、近世に入ってからは城下町や宿場町の発達を軸にして小さな町場が発達し、建築材の需要が増大した。西日本ではそれを赤松材によって補っていたが、東日本では杉にたよった。杉はまた建築用材としてのみでなく、酒や味噌、醤油などを醸造し、醸造したものを各家庭へ配送するための桶や樽の用材としても必要であり、それらは老木を利用するよりも、四、五十年くらいの木の方が利用価値が高いため、人工造林も進んでいった。

さて杉を伐りたおして運ぶためには、山地から水の豊かな川まで出すのが大変な労作業であった。杉を伐りたおすと、梢の枝葉を残して他の枝葉を伐り落してしばらくそのままにしておくと、梢の枝葉の蒸発作用で幹の中の水分の抜けだすのが早い。一通り水分が抜けたところで杉皮をはぎにかかる。はいだ杉皮を幅二間ほどに敷きならべて、川のあるところまで道をつくる。中にくぼみをつけておく。この道をシュラという。その上を、皮をはいだ杉材をすべらせて川まで運ぶのである。実によくすべるもので、シュラを組むには手数はかかるが、運材にはそれほど労力はかからなかった。

さて川に落した杉材は、細い川ならば管流《くだ》しといって一本ずつ流して大きな川へ運び、そこで筏《いかだ》に組んで下流へ送ったものである。筑後川、球磨《くま》川、吉野川、那賀《なか》川、紀ノ川、熊野川、木曽川、天竜川、庄川、多摩川、米代《よねしろ》川などは筏の流送で名を知られた川であった。したがって、そういう川の沿岸には杉皮葺の民家が多かった。皮をはいですべりよくすることで川まで運びだすのに容易であり、木の中の水分を抜いておくことで筏に組んだときの浮力が大きかった。そして、人がその上に乗って操作しつつ川口まで運ぶことができたのである。

松は重く、容易に水分が抜けないので筏に組むことがむつかしかった。一つは皮のむきにくいことも原因したのであろう。そこで松を筏に組むときには、竹の束を筏の両側につけたものであるという。そういわれてみると、山間の松山の裾に竹藪のあるところが少なくない。

さて戦後、それも昭和三十年以後、林道が発達して杉材のほとんどは筏に組んで流送することがなくなり、トラック輸送にきりかえられてきた。そしてトラック積み場まで出すにしてもケーブルを使うようになった。すると杉はケーブルで運んだり、トラックに積んだりするために一定の長さに伐っておくことが必要であり、幹に疵をつけないように皮ははがずにそのままにしておくようになった。

昭和四十年以後、山地をあるいていても、杉皮を積みあげている風景を見かけることがほとんどなくなってしまった。と同時に、山間の家々も杉皮葺が目に見えて減ってきた。そして当世風のモダンな家に変ってきた。

山間の人たちにとっては、今の山林経営に見るような合理化は重労働からの解放につながるものとして、喜ぶべきことのようにもみうけられるが、一方多くの仕事がうばわれていった。杉の伐採を今も昔もかわらないとして、集材し、運材、管流し、筏流しにかけた多くの労力は必要なくなり、したがって山中に住む必要もなくなった。山中の村の過疎が進んできた原因の一つにこうしたことも見られるのである。そうして廃村に追いこまれていった例も少なくない。

山中で他の仕事にきりかえることができなかったのであろうか、ということも考えられないではないが、杉の植林が進んでくると、杉にかかわりあいをもつ仕事以外の仕事はほとんどなくなってくる。その上、奥深い山地の多くは国有林か大山林地主の所有地になっている。住民の持つ山はなにほどもなく、古くから労務者として木を伐ったり運んだりする仕事で生活をたてていたのである。

杉皮葺き屋根の民家　京都府北桑田郡（現京都市右京区）京北町　昭和62年（1987）10月
撮影・森本　孝

山地に残るような家は、それなりに残って生活の立つ道があった。世の中が移りかわるということは、どうしても誰かが犠牲にたたされるものである。何万、何十万という人々がそれぞれ悲痛な思いを胸にひめつつ、新しい職場を求めて山を下ってゆく。もともと山中でたくましく生きてきた人たちだから、何とか新しい働き場を見つけて明日への道をきりひらいてゆくであろうが、山間にいても安穏に暮せるような方法はなかったものだろうかと、山地をあるくたびに思うのである。

杉皮をはがなければならなかった林業、その杉皮を利用する住民。山は今もそこにあり、山には木が植っていながら、そこにかかわりを持つ人の生きざまは大きく変ってきた。そればかりでなく、新しくできた林道を利用する人たちもまるで変ってきた。それをもっとも多く利用すべき山林や山林労務とは何らかかわりを持たない人々が、木の植えられている山々を風景とし眺めるために通りすぎていくようになってきたのである。

私はただ風景を風景として見るだけでなく、一つの風景を作り出してきた人々が、自然とどのようにかかわりあってきたかに目をとめてみていただきたいと思う。原始林を除いて、日本の山地に人手の加わっていないところは一つもないと言っていい。それはそこに生えている木の大きさを見てもわかる。何回も何回も伐り、その後に生えた木で山は覆われている。山地に時間は無為に流れたのではなかった。

巴波川沿いにある麻問屋を営んだ横山家。主屋の向って右に麻蔵、左に家財蔵を備えている

栃木
河岸と宿場と問屋商人のまち

文・写真・図
谷沢　明

豊かなる毛野《けぬ》国
栃木へ

ここ数年来、関東を歩き、まちの成り立ち、まちとむらの関わり、まちの人びとの暮らしなどを探る作業をつづけている。歩くなかで、まちがどのような役割をもっていたかを多少とも知りたい、と思ってのことである。

ひと口に関東といってもその範囲はじつに広く、一都六県（東京、神奈川、埼玉、群馬、栃木、茨城、千葉）にわたっている。それは、かつての関八州《かんはっしゅう》（武蔵《むさし》、相模《さがみ》、上野《こうずけ》、下野《しもつけ》、常陸《ひたち》、上総《かずさ》、下総《しもうさ》、安房《あわ》）を受け継いだ広がりである。

地図をひらいて関東地方をながめると、中央に日本最大の面積をもつ関東平野が広がり、南と東に黒潮あらう太平洋の大海原をひかえ、北と西に高竣な山地がそそり立っている。

関東から北の奥羽地方へは、奥州街道や陸前浜街道で白川《しらかわ》関、勿来《なこそ》関を経て、さほど険しい道を通らずに行くことができる。ところが、東海、甲信越地方にかけては、山をよじ登るかのような険しい峠道がつづいている。関東の境にある東海道箱根峠、中山道碓氷《うすい》峠、そして日本海の越後方面への三国《みくに》峠は、いずれも険しい難所として知られたところであった。

今度の旅は、関東平野の北部、なかでも栃木県西部から群馬県東部にかけての足尾《あしお》山地山麓にかけて足をすすめた。山麓には東から、栃木・佐野《さの》・足利《あしかが》、渡良瀬《わたらせ》川を越えると太田《おおた》・伊勢崎《いせざき》・桐生《きりゅう》といったまちがある。こうした栃木県から群馬県にかけての両毛《りょうもう》地帯とも呼ばれる地域は、古くは「毛野《けぬ》」とよばれた土地であった。「毛野」は、五世紀半ばになると渡良瀬川をはさんで上毛野

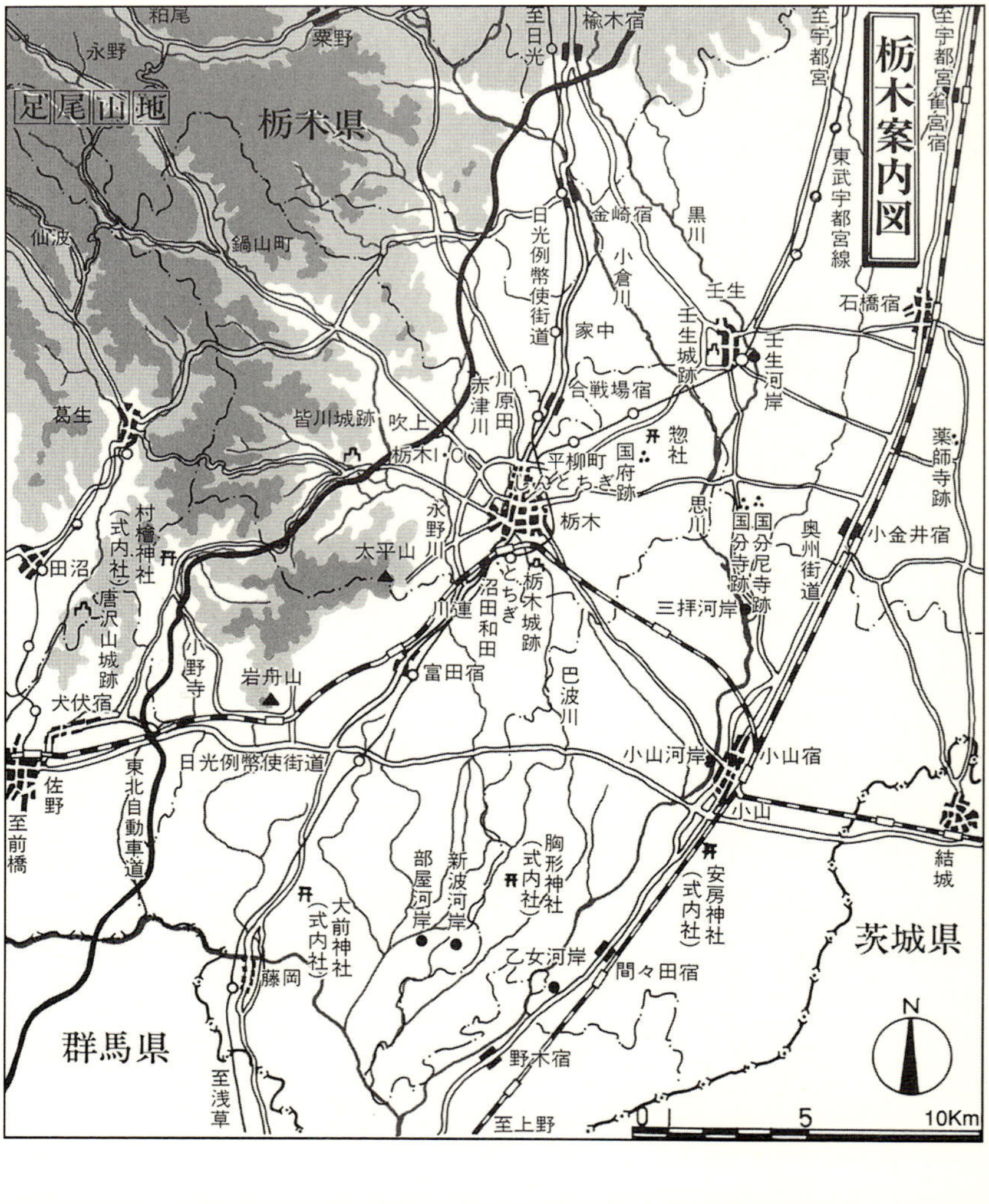

水田の中の杜はかつての国府正庁の跡。今は宮野辺神社がある

下野国二の宮惣社は室の八島明神とも呼ばれる

国（群馬県）、下毛野国（栃木県）に分かれた。さらに七世紀半ばになると、「毛」をぬいて上野《こうずけ》国、下野《しもつけ》国とよばれるにいたった。

「毛野」とは、毛人《えみし》（蝦人）の住む地という意味があった、と解釈されている。両毛地帯には、おびただしい数の古墳群が点在していることなどから、そこは古代人の生活の舞台をなした、ある豊かさをひめた土地であったことが想像される。

　足尾山地山麓のまちを、あるときは東京から日帰りで、あるときは一泊旅行であちこち巡り歩いた。なかでも栃木へは、いくたびとなく足をはこんだものである。栃木には、私の所属する日本観光文化研究所同人の笠原昭二さんがお住いで、上京の折には研究所に立ち寄られ、また研究所の所員が栃木に行くときにはそこでお世話になる、といった親しいおつきあいがつづけられている。私もそんなご縁でいくたびか笠原さんを訪ねたことがあり、しぜん栃木のまちに親しみがわき、身近に感じるようになっていた。

　ところで、関東のまちをどこか一つ選んで調べてみたいと思ったとき、まず頭にうかんだのが栃木のまちであった。

　栃木市の概略を述べると、人口は八万六千八百余人（県内第五位）で、北東に県都宇都宮市、南西に人口第二の絹織物で知られた足利市をひかえ、南東に交通の要衝小山《おやま》市が位置している。これらのまちは宇都宮から小山をへて東京へ向かう国道四号線、また、小山から足利をへて前橋へ向かう国道五十号線によって結ばれている。栃木はこの国道筋からはずれているものの、市街の西に新しくできた東北自動車道がとおり、市街地の数キロ西にインターチェンジがつくられている。市街地の南に前橋と小山を結ぶ国鉄両毛線と東武日光線の栃木駅があり、東武鉄道の快速を利用するとわずか一時間二十分で東京浅草と結ばれている。

今日の栃木市の中心地は、明治二十二年の町村制施行のときに、江戸時代の栃木宿をもとに栃木町となったところである。そして昭和十二年に市制が施行され、昭和二十八年から三十二年にかけて、東を流れる思《おもい》川流域の平野部の農村や、栃木北西の山麓を流れる永野川支流域の山村十一ヵ村を合併して今日の市域が形づくられた。

まち歩きに先だち地図をながめると、栃木市街の東に国府・惣社《そうじゃ》（栃木市）、国分寺跡・国分尼寺跡（国分寺町）といった古代の下野国の中心地を思わせる地名や史跡が目についた。この下野国の要がどんな場所に置かれていたかをひとつの風景として身体で感じとってみたい、と思って第一歩はその土地に足を向けてみることにした。

栃木から壬生《みぶ》へぬける街道を東に向かった。平柳《ひらやなぎ》町までは市街地の家並みがとぎれることなくつづいているが、そこを過ぎると、あたりは緑一面の田園風景にかわった。その広がりの中にケヤキや雑木の屋敷林に囲まれた大ぶりな農家が点在する。また、それらの家が十数戸あつまって小さな集落をなしているところもある。

こうした水田の中に屋敷林で囲まれた農家がある風景は、関東平野を歩くとよく見かける。この屋敷林は、関東のからっ風をさえぎるために植えられた。あてもなく広がる大地に、人びとが暮らしの場を築こうとするとき、屋敷林に何らかの安らぎを求める気持があったにちがいない。

平柳町から数キロ東に行くと、惣社の杜が見えてきた。惣社は、古代下野国司が幣帛《へいはく》を奉幣した神社である。惣社に参ったのは夏の盛りで、杜の木立からセミしぐれが降りそそいでいた。

惣社の境内は広く、参詣客はほかに一人もおらず、閑散としていた。その忘れられたような静まりは、ごくありふれたむらの鎮守といった風情であり、この神社に下野国二の宮の格式が与えられていたとは、想像しがたい思いがした。惣社の表参道は、南に向かってまっすぐのびている。自動車道から横道を境内にはいったため、南にのびる道が表参道であることに気づくには多少時間がかかった。境内で地図をひろげると、この表参道から三キロ南に国府の跡がある。そのことから、ようやくそこが表参道であることに気づいたのである。

平安中期に編纂された『延喜式《えんぎしき》』には、式内社は下野国に十一座、上野国に十二座あり、足尾山地山麓の桐生から栃木にかけて十一座の神々が鎮座している。この十一座の神々の位置を五万分の一の地形図においていくと、ほとんどが利根川中流及び支流域にある。さらに地形を細かく見ていくと、低地あるいは低地と台地・丘陵・山地の境に位置していることに気づく。

利根川は上越国境の山地に源を発し、関東平野を北西から南東にゆるやかに流れる川である。この大河には、栃木県では鬼怒《きぬ》川、思《おもい》川、巴波《うずま》川をはじめとする幾多の水脈が注いでいる。これら河川の流域には、川がおしだす土砂の堆積でできた肥沃な沖積低地がシワのようにめぐらされ、沖積地にはさまれて洪積台地がゆるやかな丘をつくっている。

ところで、惣社は、別名「室《むろ》の八島《やしま》明神」ともよばれ、次のような歌がある。

　くるる夜は衛士《えじ》のたく火をそれと見よ
　室の八島も都ならねば　藤原定家

「室の八島」は、東国の歌枕としてその名を知られ、平安の昔から多くの歌人によって歌に詠まれていた。

ここでいう「島」とは、むろん海や湖の中の島ではない。おそらく河川の氾濫原の中にある微高地が「しま」とよばれたのであろう。「八島」に象徴されるような多くの「しま」（微高地）が低地の中に点在する、そうした原風景が歌枕から目にうかんでくる。

治水技術が未発達な古代において、氾濫をくりかえして河川流域の定まらぬ利根川下流域に比べて、こうした土地条件にある北関東の地は、人が住み、川を治めて稲作を営むのにふさわしい土地であったにちがいない。毛野の「毛」という文字には、「稲の穂の実り」という意味があることから、「毛野」とは稲の実れる野、ともとれなくもない。

下野国府跡は、思川西側の地にある。惣社に参ったあとに国府跡を訪ねると、付近に古国府《ふるこう》という人家十数戸の集落があり、今もその小字名をとどめている。古国府の数百メートル西の水田の中にポツンと小さな杜が見える。行ってみると、宮野辺《みやのべ》神社というささやかな社が祀られていた。そこがかつての国衙《こくが》の正庁が置かれたところであることは、付近の水田の発掘調査で確認されている。

正庁跡から風景を眺めると、南になだらかな平野が広がっている。目では確かめられないが、地形図をみると、南に一キロ行って二メートル下る程度のゆるやかな勾配の等高線がはいっている。そんな平坦な広い大地が南に果てしなくつづく地に、国府が置かれたのであった。

下野国分寺跡は、国府跡から思川をわたった東二キロの微高地にあり、さらにそこから数百メートル東に国分尼寺跡もあった。

訪ねてみると、国分寺跡は雑木林におおわれていた。林の中を逍遥すると、一人の少年がうずくまり、熱心に何かを拾い集めている姿に出会った。少年に近づき、手にしたものを見せてもらうと、それは古い布目瓦のかけらであった。地面をみると、林の中に国分寺の瓦と思える破片が、あたり一面にちらばっていた。

このような豊穣な土地を周囲にひかえ、古代下野国の中心から少し山麓に寄ったところに、栃木のまちが形づくられたのである。

太平山へ登る

栃木市街地の南西に太平山《おおひらさん》（三四三メートル）の山なみがせまり、おだやかな稜線を描いている。標高はさほど高くないが、先に歩いた惣社あたりの平野からも、山容がじつによく目につき、どこか心にのこる山である。

山の上から平野の広がりやまちの風景を見たい、と思って太平山に登った。参道入口に、栃木駅前からのバスで十数分たらずで着いた。麓から山頂の太平山神社に向けて、先が見えないほど長い石段がつづいている。石段

太平山は栃木周辺の人々にとって親しい存在である。頂上には太平山神社が祀られ、奉納物も多い

栃木商人をはじめとする近郊の人びとに篤く信仰された太平山神社には、明治初年栃木船積問屋・船方中、古河講中により奉納された同じ形の鈴がかかっている。中央の船積問屋・船方中の鈴だけが東京でつくられている

の両側に、季節はずれのアジサイが青紫の花をつけていた。梅雨時は、さぞ美しい道であろう。

参道登り口付近に、珍しい建築様式をした六角堂があり、うす暗い堂内に虚空蔵《こくうぞう》尊が祀られていた。虚空蔵尊は、知恵を授ける菩薩として信仰を集めている。また、養蚕守護の信仰があって、ここに参る近在の人びとも少なくない、という。

この虚空蔵尊は、連祥院《れんしょういん》が祀ったものである。連祥院は、太平山にあった般若寺《はんにゃじ》の本坊である。般若寺は、明治元年の神仏分離まで太平山神社の別当職《べっとうしき》を務めた天台宗の寺である。そこは、上野寛永寺《かんえいじ》の直末《じきまつ》で日光輪王寺《りんのうじ》とも関わりをもち、寺中四カ寺の支院をもつほどの勢力をほこっていた。ところが今は、連祥院一院がのこっているにすぎない。

途中休むことなく石段をかけ登ったせいか、思いのほか息がみだれた。神社も間近である。目の前にそそりたつ朱塗りの随神門《ずいしんもん》を仰ぐと、軒裏の垂木《たるき》が傘をひらいたように扇型にひろがり、両脇に門守《かどもり》神の木像が安置されていた。

ひと息ついて随神門の裏にまわると、仁王像が置き忘れたかのように、ほこりをかぶっておさめられている。太平山は、神護景雲三年（七六九）にひらかれたと伝えられる山で、江戸時代までは神仏混淆であった。この随神門はもとは仁王門であったことに、その時代のなごりが感じられた。

山頂に祀られた太平山神社の社殿前に、文化三年（一八〇六）に奉納された青銅鳥居が建っている。鳥居には、栃木町・片柳新田・嘉右衛門町《かえもんちょう》・造酒屋中、栃木町干鰯《ほしか》屋中、栃木古着屋中といった商人仲間や、栃木の上町連中、中町連中、下町連中のほか、周囲のむらの名がぎっしり刻まれていた（上町、中町、下町は、現在の栃木市の万町《よろずちょう》、倭町《やまとちょう》、室町《むろまち》にあたる）。

栃木のまち中にも神明宮という大きな神社があるが、奉納物の数は太平山神社の方がはるかに多い。それは、広い地域のさまざまな人びとの、この山によせる篤い気持の表れであるように思えた。

　太平山では八月一日の八朔《はっさく》に祭りがおこなわれる。戦前はこの夜、人びとがゴザを背負って山に登って一夜をあかした。そして、境内ではサーカスや芝居もかかるほどの賑わいをみせた、という。八朔は節供のひとつであり、徳川家康が江戸に入府した日にあたっている。とくに関東地方ではこの日を祝うところが多く、こうした行事の一端からも江戸とのつながりが感じられる。昔は、八朔の夜にこの山に登った若い男女が暗闇で愛をささやきあい、夫婦の約束を交した、ともいう。祭りの場は男女の出会いの場でもあり、それが見合いの場ともなっていた。

上　太平山から見た明治期の栃木のまち。今日の栃木市街の広がりと比べると実にこじんまりまとまり、周囲には水田が広がっている（栃木市・片岡写真館提供）
下　太平山頂から見た栃木市街（昭和60年）。水田も今や市街地化している

　太平山神社境内からの眺めは格別で、栃木市街や郊外のむらが一望できる。南東に古代の嬥歌《かがい》で名高い筑波山《つくばさん》（八七六メートル）がうっすらかすんで見える。四十数キロ離れた筑波山まで、視界をさえぎるものが何もない。山の上から眺めた景色から、改めてこの関東平野の広さを実感する。

　栃木市街地は、平野の山寄りに南北に長く楕円形の広がりをみせている。いくつかのホテルやスーパーマーケットを除いてさほど高い建物もなく、落ち着いた佇まいである。この楕円形をしたまちの中心を、南北に一筋の街道がのびている。それは、江戸時代、京都の朝廷から例幣使《れいへいし》が日光東照宮に向かった日光例幣使街道である。この街道は、南西は太平山麓の富田《とみた》を経て佐野に通じ、北は合戦場《かっせんば》を経て鹿沼《かぬま》方面へつづいている。

「手のひらに入ってしまうようなまちですね…」

　いっしょに登った榊原貴士君がつぶやいた。かれは研究所の仲間で、ここ数年来、ともに関東のまち歩きをしている。

　東京で生れ育ったかれにとって、それは新鮮な驚きであったようにみうけた。東京で高層ビルに上ってまちを見ても、ただあてもなくビル街や住宅地が広がるだけで、ここが私のまちだ、とその範囲をとらえるのは難しい。ところが、この栃木のまちは、まちの端から端まで、歩いてもたやすく行けそうなほど、こじんまりまとまっている。

　太平山神社の南に、謙信平という展望台がある。ついでにそちらにも足をのばしてみた。謙信平からは空気が澄みわたると、遠く秩父の連山までも見えるというが、あいにく訪れた日には見えなかった。

謙信平は、桜の名所でもある。付近には茶店が六軒並び、木影に思い思いに縁台を出していた。縁台に腰をおろすと、さわやかな風が吹きぬける。汗ばんだ身体に心地よさを覚える。

花の季節ではないが、何組かの家族連れが楽しそうに弁当を広げていた。ついその光景にさそわれて、太平山名物のダンゴ、タマゴ焼きを注文して、少し早めの昼食をとることにした。ダンゴはともかく、タマゴ焼きが名物になっているのは、どこかほほえましい。茶店の娘さんがお盆にのせて運んでくれたタマゴ焼きは、ダシ汁に味醂、砂糖、醤油を加えて、ぶ厚く焼いたもので、一人では食べきれぬほどの分量があった。

ごくありふれたタマゴ焼きがどうして名物になったのか、と茶店の人にたずねてみた。昔、夜鳴きする鶏は火事や災難を招くといわれ、その鶏を太平山神社に放つ習わしがあった。この鶏の産んだ卵を参詣客に出したのがはじまりである、とのこたえであった。

謙信平の展望台までは、栃木の街中から自動車で十五分も走れば着くことができる。そして日曜日ともなると、憩いの場所として大勢の人が訪れている。

平野で暮らす人びとが山を訪れるのは、そこで英気を養うという意味あいをもつであろう。古来、この山が霊山として仰ぎ見られたのも、ひとつには、そんな人間に不思議な力を与えるものを山がもっていた、と考えられていたからにちがいない。

平地に住む人びとと山との関わりあいは、このように、今なお綿々と生きつづけているのである。

巴波《うずま》川の流れと河岸

栃木を訪れて巴波川に沿った川べりの小道を歩くと、川岸の柳の枝がしなやかにゆれ、ここちよい秋風が身体を吹きぬけていく。災天下、平野のむらを巡った夏の旅は、一、二ヵ月前のことであった。小道から見上げた澄みわたった空の高さに、移りゆく季節が感じられた。

この秋の旅では、腰をおちつけて栃木のまちの成りたちを探ってみたい、と考えていた。夏に買い求めた歴史の本をひらくと、栃木のまちは皆川氏によりつくられた、と書かれていた。

泉町、嘉右衛門町の商家の屋敷裏には巴波川が流れ、土蔵が目につく

皆川氏は、平将門を討った藤原秀郷を祖と仰ぐ豪族である。永享元年（一四二九）、長沼五郎秀宗の子・氏秀が、栃木市街地から数キロ西の皆川町に山城を築き、皆川氏を名のったのがはじまりである。そして五代広照が、天正十九年（一五九一）、皆川の城から栃木に移って平城を築いて、城下町として今日のまちのもとがつくられた。ところが、慶長十四年（一六〇九）にはその城も取り壊され、栃木の城下町としての短かい歴史は幕をとじた。

のちに、栃木は幕府直轄の天領となるが、以後、いくたびとなく天領支配、領主支配をくりかえした。そして、宝永元年（一七〇四）、足利の戸田長門守の領地となって明治にいたった。江戸時代の栃木は、巴波川の河岸《かし》、日光例幣使街道の宿場としての性格を帯び、商人が活躍をみせた。

巴波川の川岸でたちどまり、澄んだ川を見ると、鯉がゆるゆる泳いでいた。また、川面をアヒルがすべるようにして泳いでいく。川べりでは、私のほか何人かが鯉や鳥の動きにみとれ、ひとときをすごしていた。まるで時間がとまったかのようなのどかな光景である。

常盤橋《ときわばし》を渡って西に向かうと、市役所の横に木造の古風なペンキ塗りの洋館が建っている。これは大正十一年に栃木町役場として建てられたものである。そこは、昔の栃木県庁が置かれたところで、周囲に堀がめぐらされ、「県庁堀」の名がのこっている。県庁は今日では宇都宮に置かれているが、明治四年から明治十七年にかけて栃木に県庁が置かれており、一時期は県政の中心となっていた。

県庁の跡に建てられた旧栃木町役場は大正時代の洋館

栃木にはこの旧町役場をはじめ、病院や教会堂などモダンな建物を多く見かける。それは、栃木県庁が置かれるなど開化のいぶきが早い時期にとりいれられたからかも知れない。

常盤橋のたもとに、両側に凝灰岩（鹿沼の深岩石《ふかいわいし》）の石蔵《いしぐら》を備えた古風な家がある。入口に大正期の瓦斯燈《がすとう》が掲げられている。この家は横山郷土館で、館内に麻問屋の資料が展示されている。横山家は、幕末、水戸藩士が栃木へ移り住んで麻問屋をはじめ、財をなした家である。そして、明治三十三年、栃木共立銀行を興した。向かって右側の石蔵が麻蔵である。中にはいってみると、それまでの日本の家屋とはちがった洋風の小屋組みがつかわれている。店舗は、一つの家で麻問屋と銀行をやっていたため、半分が畳敷きの帳場、半分が板張りの洋間となっている。洋間には、天井からシャンデリヤが吊るされている。こうしたところに、大正期の気分が感じられる。

幸来《こうらい》橋から巴波川橋にかけて、川に沿って長さ百数十メートルにおよぶ黒塀がつづいている。にぶく黒光を放つ数々の土蔵が、塀から見えがくれしている。その重々しい色あいからは、江戸の人が黒塀を粋と感じたように、どこか関東人の色彩感覚の好みが感じられる。

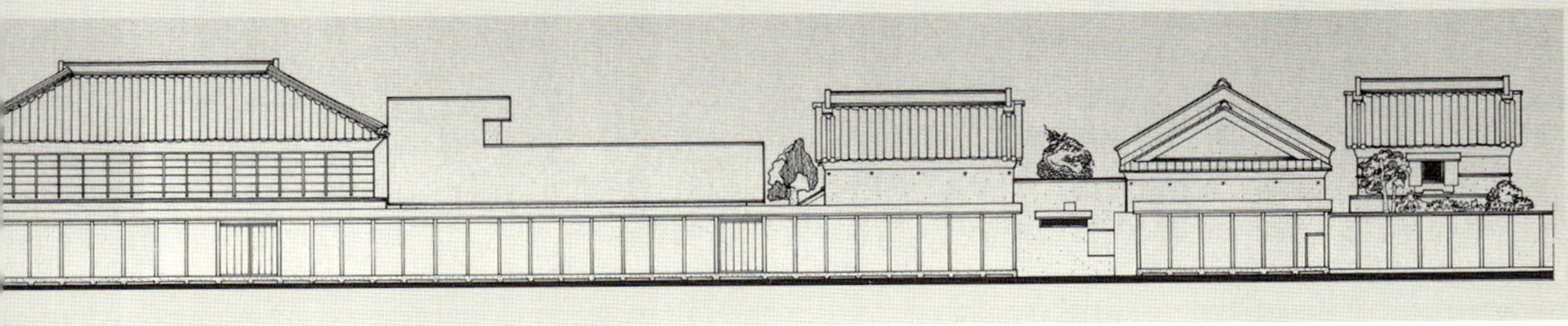

周囲の山林から切り出された木材は筏に組まれて巴波川を下り、江戸深川の木場に運ばれた（栃木市・片岡写真館提供）

その大きな屋敷は、塚田記念館である。館内に当時の問屋の暮らしをしのばせる什器類が数多く展示されている。塚田家は、巴波川中流の迫間田《はさまだ》（小山市）より栃木に出て、弘化年間（一八四四～四八）から木材回漕問屋を営み、野州材を筏にくんで江戸の木場へ運んで財をなした家である。

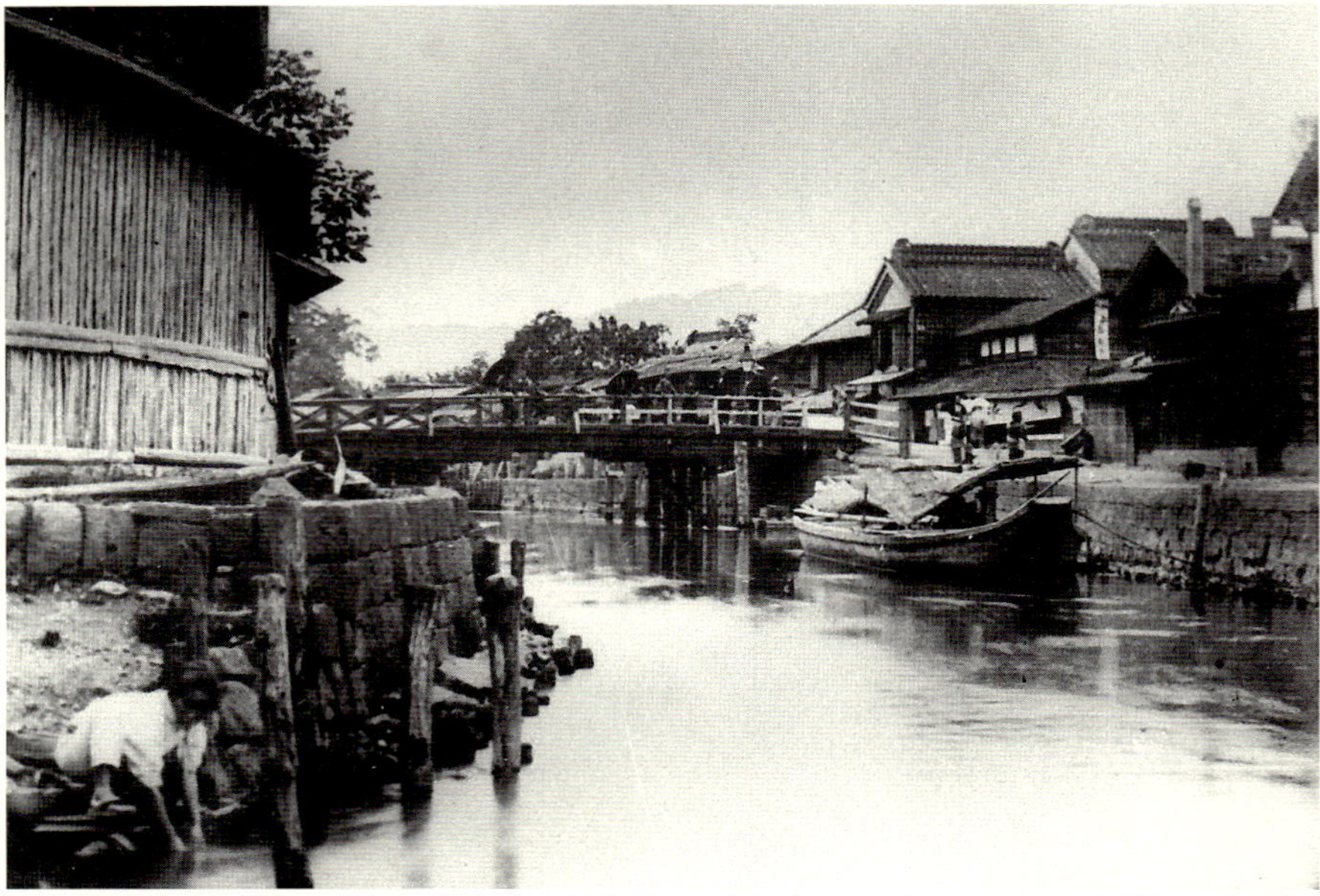

巴波川には河川交通が発達し、都賀舟が航行した。舟のうしろに見えるのが幸来橋。明治20年頃撮影（栃木市・片岡写真館提供）

巴波川は栃木市郊外川原田《かわはらだ》の鹿島神社御手洗沼に源を発する川で、思川と永野川の中間を南に流れている。そこには五十俵～百数十俵積みの「都賀《つが》舟」が、下流の部屋《へや》河岸（藤岡町）や新波《にっぱ》河岸（藤岡町）まで行き交った。また、それらの河岸で三百俵積みの「高瀬舟」に物資を積み替え、渡良瀬川、利根川を下り、関宿《せきやど》で江戸川にはいって江戸へ向かっていた。栃木から江戸までは約

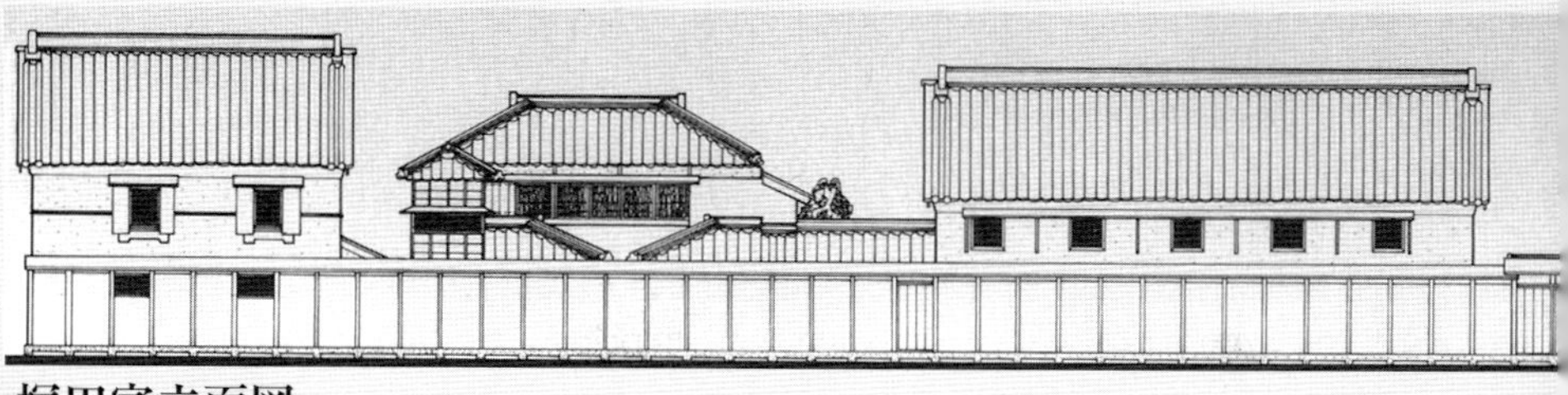

塚田家立面図

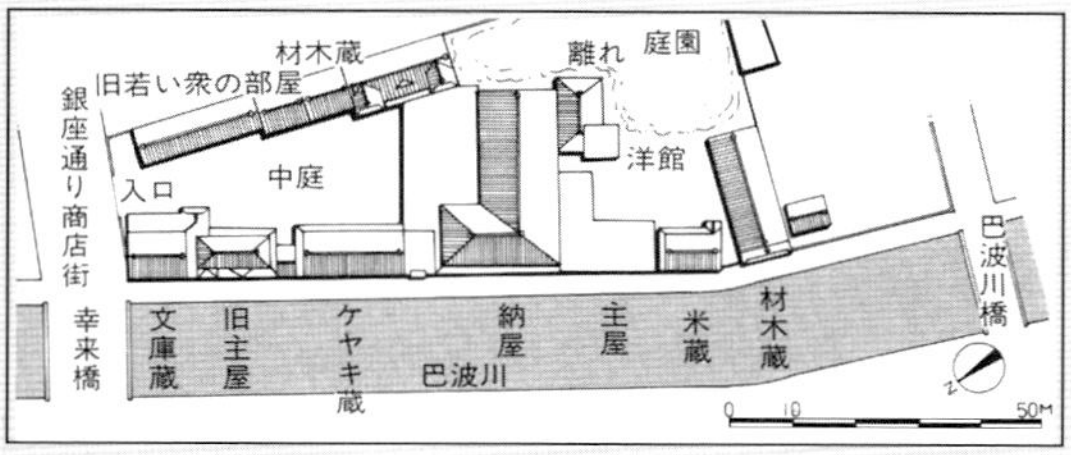

塚田家配置図

■栃木は「蔵のまち」である。巴波川に沿って商家の土蔵が並んでいる。左の写真は木材回漕問屋の塚田家の土蔵の一部

四十三里（一七二キロ）の距離で、舟で江戸までたいてい三日かかった、という。

栃木の海抜を地図で調べると意外と低く、わずか四、五十メートルにすぎない。蛇行した川で江戸まで延長約百七十二キロあるから、川の勾配は約三千八百分の一という計算になる。ごく大まかにいうと、川に沿って一時間歩いても、下流が一メートル少し下がるだけで、じつにゆるやかな勾配であることがわかる。

しぜん、そこを流れる水の流れもゆるやかになる。河川交通が発達したのは、そのゆるやかな流れがあったからにちがいない。それは巴波川ばかりでなく、ほかの関東平野の河川にも共通しており、沖積平野を流れる川の特徴であった。そのことが、関東平野の水上交通を発達させたのである。

栃木に河岸《かし》がひらかれたのは、日光東照宮造営の資材が巴波川をさかのぼり、栃木へ陸上げされたのがはじまり、とされている。また、東照宮ができたのち、元和三年（一六一七）に大法会が営まれるが、この物資もやはり栃木に陸上げされ、そこから陸路を日光へ運ばれていった。大量の資材や物資の運搬には、舟の便が適していたのである。

河岸の中心は幸来橋界隈で、川の東側が栃木河岸、西側が片柳河岸（湊町）である。やや川上に平柳河岸（平柳町）、川下に沼田和田《ぬたわだ》河岸（沼田和田町）といった小さな河岸もあった。河岸について古いことはわからないが、幕末の安政元年（一八五四）の記録によると、栃木河岸六軒、片柳河岸四軒、平柳河岸一軒、あわせて十一軒の船積問屋が記されている。巴波川舟運により、江戸から塩、砂糖、古着《ふるぎ》、鬢付油《びんつけあぶら》などが運ばれ、栃木からは付近のむらむらの年貢米や木材などが江戸に運ばれていた。

古老の話によると、この船積問屋の一軒、仁科屋利右衛門の子孫が昭和四十年頃まで幸来橋の西側に住んでいた、という。屋敷跡は徳田雑穀店になっていて、大きな土蔵が一棟のこっている。この土蔵は仁科屋が建てたもので、「日光御用蔵」とよばれている。

日光東照宮の御輿渡御祭「百物揃千人武者行列」には先導供奉《ぐぶ》として猿が出ていた。その猿引き頭が、栃木に住んでいた。猿引き頭は家康の霊柩を久能山から日光へ改葬する際も先導したといわれ、その株を仁科屋が引き継いだ。そして、仁科屋は日光神領の物資を扱うようになった。日光神領の諸物資を一時保管したのが、この

巴波川は栃木と江戸を結ぶ大動脈で舟運が栄えた。しかし、その賑わいは遠い昔のこととなり、静まりかえった水面には土蔵が影をおとしている

「日光御用蔵」である。

栃木の船積問屋からは、先に参った太平山神社に鈴が奉納されている。拝殿に同じ形をした大きな三つの鈴が掛っているが、真中の鈴に、「野州栃木町船積問屋中、上川船方中」と奉納者が刻まれている。上川《かみかわ》とは、巴波川のことである。銘文を読むと、古河《こが》講中奉納の左右の鈴は、関東における古い歴史をもつ鋳物のまち佐野天明《てんみょう》でつくったものであることがわかる。ところが、真中の鈴には、「東京大門通釘屋四郎兵ヱ作」と製作者の名があり、東京からもってきたものであることが明らかになる。

左右の鈴は明治二年十二月、真中の鈴は翌三月の奉納である。このわずかな時期のずれ、製作地のちがいはなぜだろうか。それぞれに奉納しようと思っていたのが、偶然三ヵ月のちがいになったものか、それとも申し合わせて奉納するつもりが何かの事情で三ヵ月のずれが生じたのであろうか。はたまた、栃木の問屋、船方中がほか二つの鈴の奉納の動きを知り、むこうをはって、とり急ぎ鈴をつくって奉納したものであろうか。

栃木の問屋・船方中が明治初年に東京で鈴をつくったのは、栃木と江戸との交流を考える上でたいへん参考になる。鈴を奉納した明治初年には鉄道はまだなく、江戸が東京に改まっても、川による交通はつづいていた。鈴一つ運ぶくらいは、さして難しい話ではない。なぜ東京に鈴を注文したかは、製作期間や取り引きの関係なども考えあわせてみないと何ともいえないが、隣まちの佐野の鋳物屋をとびこして、直接東京につながっていることに面白さを覚える。

また、奉納時期が遅れた栃木の鈴が、二つの鈴をおしのけるようにして最も場所のよい真中に納まっているのも何か意味ありげである。そこには、問屋中・船方中の勢力の一端がのぞいているようにも思える。

物資の運搬方法は、明治になるとしだいにかわっていく。明治十八年に東京・大宮間を東北本線が開通し、明治二十一年には両毛鉄道が栃木を通るようになった。そして、明治末期になると、余命を保っていた舟運は、ほとんど姿を消していった。

明治末年生まれの古老に栃木の船積問屋の消息をたずねても、仁科屋を除いて記憶にのこる家はない、との答えしかかえってこなかった。幕末十一軒を教えた船積問屋も、早い時期に姿を消していったのであろう。

船積問屋が軒を並べ、荷物の積み下しで賑わったであろう栃木の河岸も、今はみるかげもなく静まりかえり、川底にはびこった藻が水の流れにゆらいでいた。

日光例幣使街道の宿場

栃木では、古い町並みをのこす万町に宿をとった。この宿は、昔の麻問屋の屋敷跡に建てられた七階建ての今風の建物である。朝起きて七階の窓をあけはなち、部屋に新鮮な空気をいれる。そして、太平山や筑波山をひととき眺め、地図を広げてその日歩く道筋を、同行の榊原貴士君と打合せをするのが日課であった。

窓の下に、黒瓦におおわれた栃木の家並みが広がっている。まちの中央を、日光例幣使街道が南北にはしっている。早朝のまちは、眠ったような静けさにつつまれ、

栃木市のまちなかを通る日光例幣使街道。背後の山は太平山

■右の地図は大正初年に栃木町が発行した、「栃木町市街図」（縮尺4800分の1）を参考に製作したもので、当時の市街地の広がりがよくわかる。当時の栃木の市街は日光例幣使街道に沿った万町、倭町、室町を中心に広がりをみせている。当時の官庁は、今日の巴波公園の場所に郡役所、栃木第一小学校の校庭に町役場があったことがわかる。裁判所、警察署、税務署は今日と同じ位置であるが、倭町にあった郵便局は万町に移されている

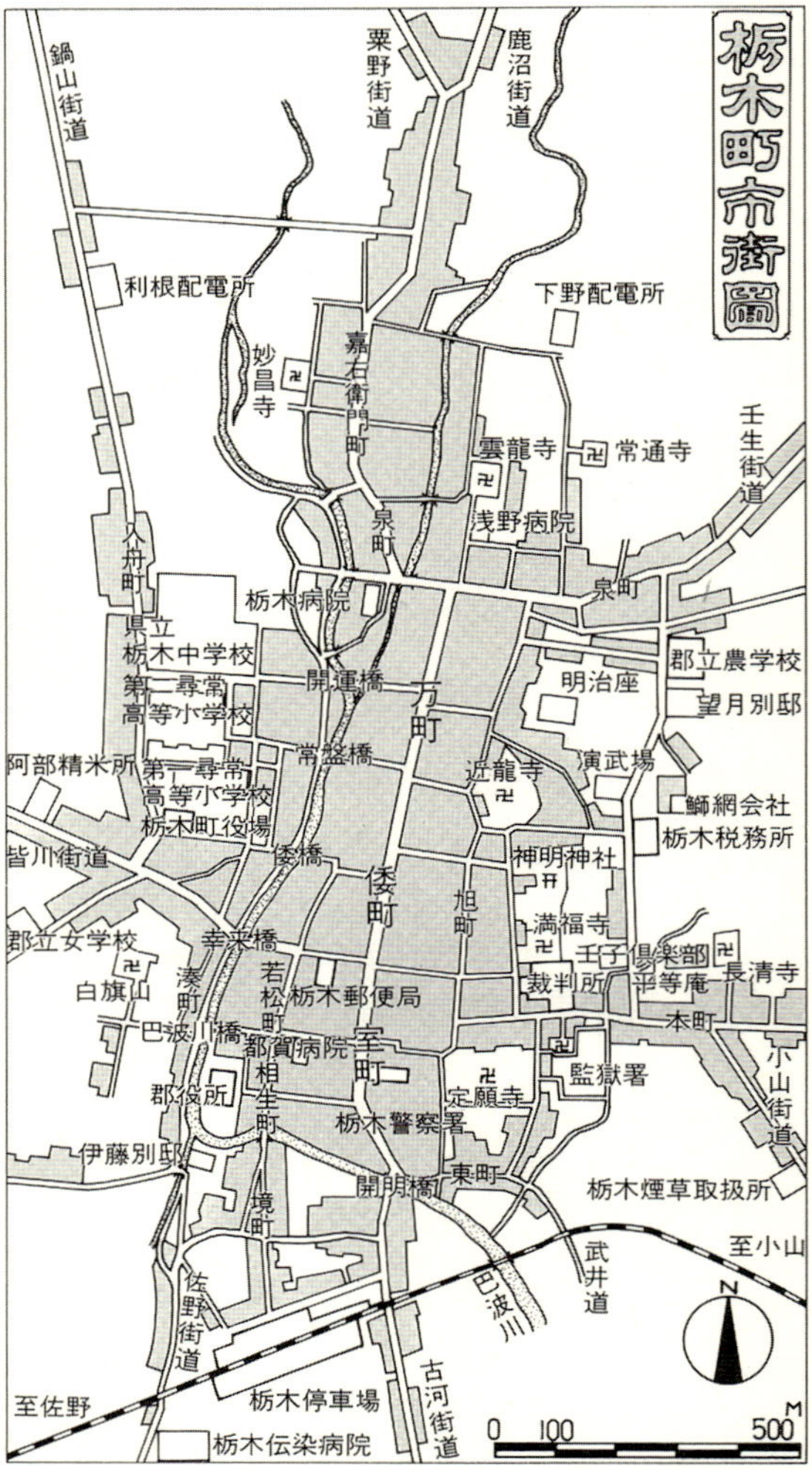

人通りもまばらである。街道の幅は十数メートルもあろうか。両側に商店街のアーケードをつくり、車道は大型自動車がゆったりすれちがえるだけの広さがある。

街道沿いの屋敷は、道から奥深くのびている。街道に面したところが店舗で、その裏が住まい、さらに奥に土蔵や物置などがつづいている。

この黒い瓦におおわれた街道沿いに地割りされたまちが栃木の骨格になっていることは、ひと目でわかった。その街道に沿って歩き、まちの姿を探ってみよう。

栃木の中心になるまちは、北から万町、倭町、室町の三町で、約一キロにわたりこの三町がつづいている。これらの町名は明治になってつけられたもので、江戸時代までは、北から上町、中町、下町とよんでいた。思いおこせば、夏、登拝した太平山神社の青銅鳥居に栃木のその古い町名が刻まれていた。

上町と下町の土地の高さは微妙にちがっており、上町がやや高めになっている。街道は、万町の北端と室町の南端で曲っている。昔は、この南端の曲り角に木戸が設けられていて、木戸の内側が日光例幣使街道の栃木宿であった、という。

日光例幣使街道に沿って歩くと、ぶ厚い壁に黒々と漆喰が塗られた古風な店蔵造《みせぐらづくり》の店舗がアーケードの商店街のところどころにのこっている。店蔵造とは、店舗を土蔵造にした火災防止を目的としてつくられた建物であ

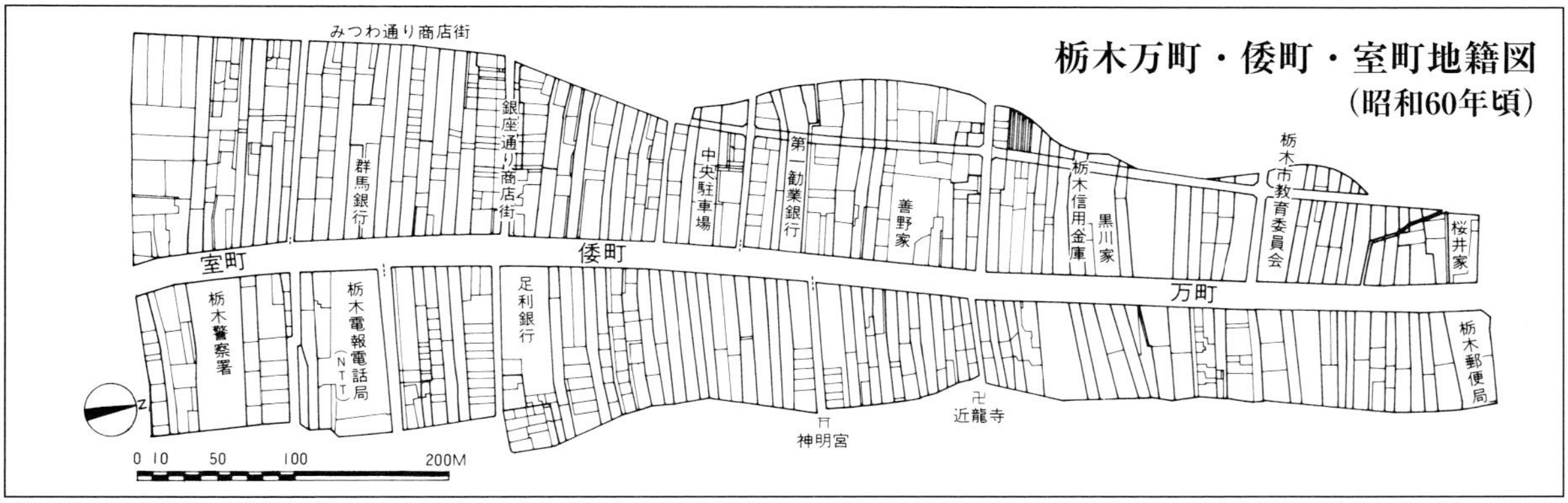

栃木万町・倭町・室町地籍図
（昭和60年頃）

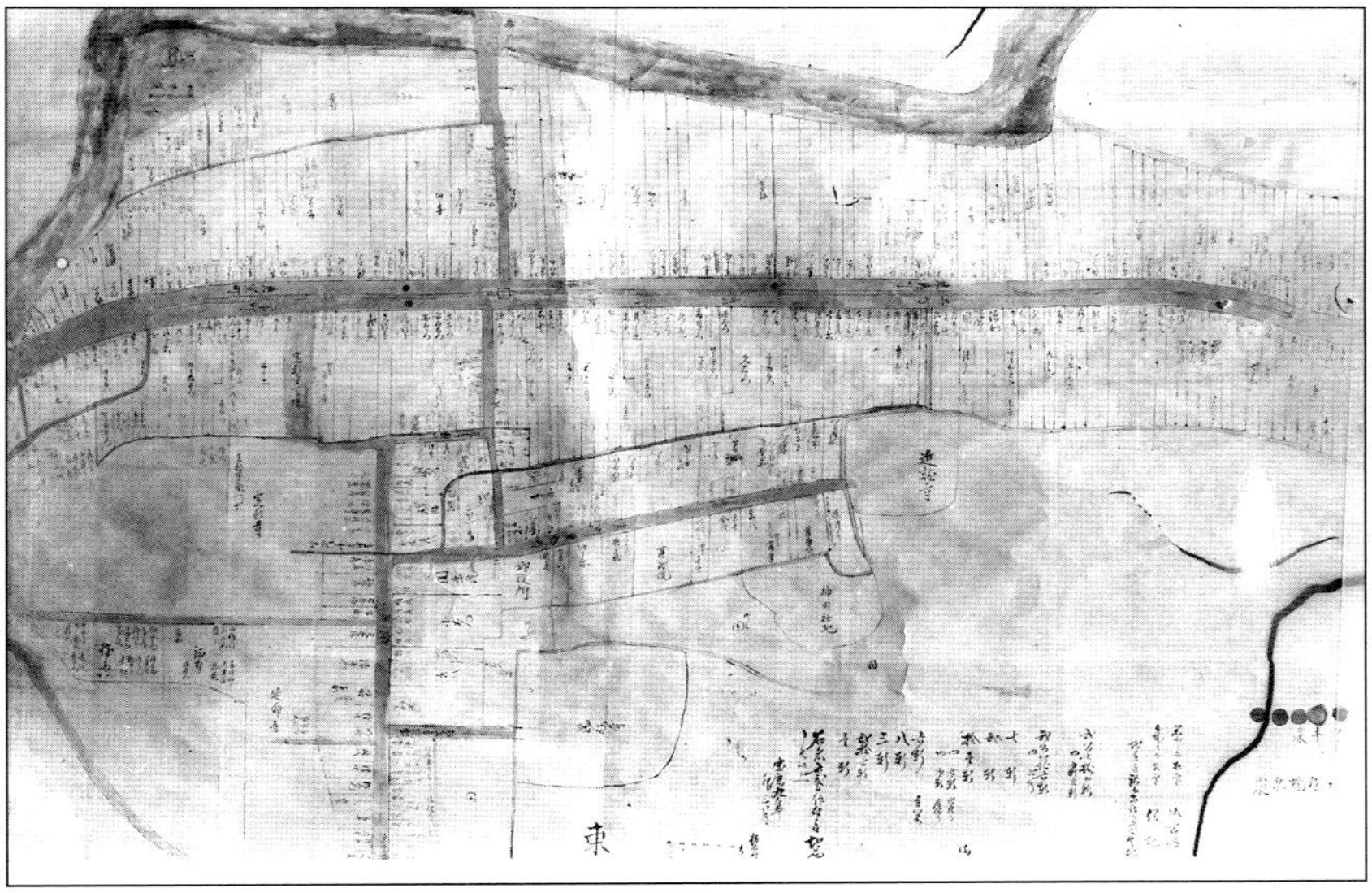

■写真は宝暦9年（1759）の栃木の地図である。日光例幣使街道には北から上町、中町、下町の3町があり、街道の東裏を近龍寺の南へのびるのが裏町、定願寺の北を東へのびるのが横町である。道の真中には川が流れているが、万町の北側で西に曲がった川は今日の地割りにその跡をとどめる。
また、室町の南側で東に曲がった川は、今も現にのこっている。万町の北端が鍵の手に折れ曲がる部分には蛭子社が祀られている。巴波川には幸来橋と開明橋の2つの橋がかかるのみである。
一方、地割図によると、現在の日光例幣使街道に沿った地割りも当時の地割りを基本的に受継いでいることがわかる。屋敷の奥行は万町の北側が最も短くて約45m。最も長い部分は倭町で、140m余りある

る。間口は、小さな家だと三間、大きな家になると七間くらいまで、さまざまな規模の店蔵がみられる。いずれも二階建ての堂々としたつくりで、一階はあけはなちになり、両脇に厚さ四、五十センチもあるぶ厚い腰壁がまわっている。また、二階には重厚な観音開きの扉などがついている。

　店蔵造を数えてみると、万町だけでも二十棟は見あたる。しかし、倭町、室町と栃木駅に近づくにつれて、町並みに新しい建物が混じり、店蔵造の数は少なくなる。そのような町並みの姿から、万町に古風をのこす旧家がどっしり根をおろしていることがわかる。多少高みを帯びた旧上町が、家を構えるのによりふさわしい場所であったのではないか、ということが想像される。

　栃木のまちにのこっている店蔵造は、今日ではだいぶ改造がなされている。二階の外観を看板で覆い、内部を新建材でぐるりととりまいている建物が少なくない。そのような店にはいると、新しい商売にふさわしい構えに改めようとしている苦労が伝わってくる。

　まちを歩いて不思議に思ったことのひとつは、店蔵と裏の住まいの行き来をとざす形で店舗の改装をしている家

が意外に多い、ということである。店と奥とがつながっていないと不便であるし、また風通しも悪い。

　なぜそんな改造をするのかを調べてみると、そのような建物のほとんどが貸店舗であることがわかった。そして、そのような店舗の横には申し合わせたように木戸があり、店とはちがった姓の表札がでていた。じつは、そちらが奥に住んでいる店舗の家主であった。

　関東地方の町家は、ふつう、店舗とふだん暮らす住まいを別棟で建てている。別棟といっても屋根部分のことだけであり、屋根から下の間取りはひとつづきである。そのような建築構造も、貸店舗の利用をさかんにさせている理由のひとつではないか、と思われる。

　また、屋敷内の土蔵を改造して、これを店舗として利用した家もところどころで見かけた。とくに路地に面した土蔵の利用が多い。私が見た限りでは、土蔵を利用した喫茶店、レストラン、呑み屋、アンチックな家具販売店、アパートなどがあった。気をつけて見ていくと、ほかにもいくつかの利用例が見つかるかもしれない。

　日光例幣使街道は、京都と日光を結ぶ道である。信濃の碓氷峠を越え、倉賀野《くらがの》宿（高崎市）までは中山道をたどり、それより分かれて上毛の山麓を東に向かっている。そして、足利市梁田《やなだ》で渡良瀬川を越えて佐野、栃木を経て、今市《いまいち》で江戸と日光を結ぶ日光街道と合流して東照宮までつづいている。

　この街道が日光例幣使街道とよばれるのは、京都の朝廷から東照宮大祭に幣帛《へいはく》を奉納する勅使が通ったことに由来する。

　奉幣使が制度化されたのは、朝廷より東照宮の宮号が宣下された十一年後の正保四年（一六四七）のことである。そして、そのときから栃木は、宿場としての歴史がはじまる。それは、河岸としての歴史がはじまった三十年後のことである。

　明治初年の栃木のまち中を通る例幣使街道の光景は、

明治10年頃の日光例幣使街道沿いの栃木の町並み。街道の真中には小さな川が流れていた。川には石橋がいくつもかかり、洗い場もつくられ、石で護岸されているのがわかる（栃木市・片岡写真館提供）

明治17年頃には、川は道の両脇に移されている。街道には荷馬車が往来し、ガス灯も見られる。栃木に街灯が灯ったのは明治６年のことで、旧栃木宿に36基たてられた。明治18年頃撮影（栃木市・片岡写真館提供）

明治二年に栃木県で最初に写真館をひらいた片岡如松が撮影した写真でしのぶことができる。片岡家は今も如松から数えて四代目の惟光さんが、室町で写真館をつづけている。笠原昭二さんの紹介で写真館を訪れると、惟光さんは快く数々の写真を見せて下さった。

その写真を見ると、明治初年には、例幣使街道の真中に川が流れていた。この川の水は、宿場であった当時、おそらく、防火用水として、また馬の飲料水としてつかわれたものであろう。なお、惟光さんの伝え聞くところによると、昔はその水で米をといだり、野菜を洗ったりした。また、明治の初め頃まで、川にはウナギがたくさん泳いでいた、ともいう。

この宿場の中を流れる川は、明治十七年頃に道の両側を流れるように改修された。それは、片岡家所蔵の別の写真から読みとることができる。

当時の街道の幅は意外に広く、写真に写った道の両側の家はずいぶん離れて建っている。この道幅が近年家をたちのかせて広げたものでないことは、古い店蔵造の商家が道の両側に建っていることからもわかる。その写真を見て、改めて昔の道の広さを知ることができた。おそらく宿場であった当時、道の両側に馬をつなぎ、馬にじゃまされずに人びとが通行できる幅をとっていたものであろう。

中山道木曽路や東海道の場合、宿場の道幅はこれほどまで広くはない。このように道幅を広くとり、真中に川を流すまちのつくりは、関東平野から東北にかけての宿場で比較的多く見られた。すべてのまちがそうだとはいえないが、このことひとつとってみても関東平野のゆったりした広さが感じられる。

宿場時代のなごりがどこかにないものかと思って、再びまちを歩いた。日光例幣使街道の栃木宿であった範囲の表通りには、現在四軒の旅館、ホテルがある。そのうち万町にある瓦屋根の古い構えの旅館が江戸時代からつづく家であった。

しかし、のこりの三軒はいずれも明治以降に栃木にやってきて宿屋を営んだ家で、現在は三軒ともホテルになっている。三軒のうち一軒は最近できたホテルであるが、あとの二軒がやや古い。

　その一軒は、明治初年に栃木に県庁ができると、いち早くこの地に移り住んで料理屋をはじめ、ウナギの蒲焼を名物とした。幕末まで栃木の人びとは、ウナギは太平山の虚空蔵尊のお使いとして口にしなかった。幕末に栃木にやって来た水戸天狗党の人が初めてウナギを食べた、という話が伝わっている。そして、しばらくしてこの料理屋がウナギの蒲焼を売り出した。いちど蒲焼を食べてみるとなかなかの味であるということで、しだいに土地の人も味をおぼえて、ウナギを食べるようになった。そしてこの料理屋は、のちに旅館も兼ねるようになった。

　もう一軒は、日光例幣使街道合戦場宿で娼家をやっていた家が、街道がさびれると、建物ともども栃木に移り、旅館をはじめた家である。

　宿場は、荷物の継立《つぎたて》をする問屋場を中心に、大名の泊る本陣《ほんじん》や脇本陣があり、これに加えて一般の旅人が泊る旅籠《はたご》が建ち並び、茶店があるといったのが江戸時代の姿である。そして明治になると、旅人相手の旅籠は、客商売の料理屋などにかわったりすることもみられた。宿場の歴史をもつまちは、どこかなまめかしい雰囲気が漂うものであるが、どうも栃木は様子がちがっている。

　また、まちに店蔵造が多いのも、宿場町といった様相からかけ離れている。旅籠として建てた家はたいてい二階屋で、二階を旅人が泊る部屋とするため、風通しの悪い店蔵造にすることはしない。また、栃木の店蔵以外の建物を見ても、二階を客室にしたような家は見あたらない。

　さらに、栃木のように一軒の家で三つも四つも土蔵をもった家が建ち並ぶということは、私の見た限り、宿場ではめったにありえない。ゆきすぎる旅人相手に生業をするため、富を蓄えた家が家財蔵をつくる程度で、蔵のない家も少なくない。

　栃木宿は宿駅の制度として、いちおう人足二十五人、馬二十五匹を常備し、本陣は中町の長谷川四郎三郎が務めるように定められていた。ところが脇本陣はとくに決っておらず、栃木宿の東にある定願寺や近龍寺の寺院をあてたり、土地の旧家が必要に応じて務めるといった具合であった。

　日光例幣使の一行はふつう五十人前後で、佐野と鹿沼に宿をとり、栃木では昼食だけですますことが多かった、という。また、参勤交代の大名が日光例幣使街道を通行することはなかった。制度として宿駅が定められはしたものの、宿場としての機能は、まちを成りたたせる上でさほど重要ではなかったのではないか。そのことが、栃木の町並み景観に現われているように思われる。

　文化二年（一八〇五）の記録によると、栃木宿の旅籠はわずか七軒にしかすぎない。その頃の栃木宿の人家は、少し前の天明七年（一七八七）に七四三軒を数えており、旅籠はわずか一％にしかすぎなかった。同時期の宿場内旅籠の割合は、中山道の宿場平均十一・七％、東海道の宿場平均五・七％である。それらに比べると、栃木はごく低い割合である。さらに、栃木宿の旅籠は、いずれも小さなものであった。記録には、次のように記されている。

はたごやの儀平日ハ小売物、酒屋並そば、うどんな
ど売申候もの旅人有之節ハ泊りをいたし候

栃木は、宿場ではあったものの、宿屋専業で暮らしをたてることがむつかしい様子が伝わってくる。

麻問屋と蔵のまち

栃木は、どのような性格をもったまちであったのであろうか。今日、目に映るまちの姿は、江戸、明治、大正、そして昭和と時代が重複したもので、それが現在の栃木の町並み景観を形づくっている。

漠然と目にはいってくるまちの様子を頭で整理しようと思っても、歩けば歩くほど、見れば見るほど、頭の中が混乱してしまう。まちの姿を地図に描くことによって頭の中を整理することができないか、と思った。そして、市役所に行き、一軒一軒の輪郭の出ている二千五百分の一の地図と、地割を書いた地籍図を手にいれた。この地図をもとに、店舗、住まい、土蔵のあり方や、建物の新旧を調べたら、多少とも栃木を理解する手がかりが得られるのではないか、と思いつつ作業をはじめた。

栃木には高層のホテルが三軒ある。その屋上に上らせてもらうことができるのではないか、と思って大きな地図と画板を片手に、フロントにうかがいをたてた。このような目的でホテルを訪ねる人はあまりいないのか、はじめはどう応対しようかとホテルの人はとまどいをみせた。が、趣旨を話すと、快く屋上にあげてもらうことができた。なかには、親切にもいっしょに屋上まで上り、風景を指さしながらこと細かに観光案内をして下さる係の人までいた。

屋上からは、栃木のまちが手にとるようにわかる。地上からは見えなかった屋敷の奥まで俯瞰でき、屋上の柵から身をのり出してしまうほどの興奮を覚えた。目の前に並んだ獲物をどれからつかまえようか、そんなワクワクする気分である。

まちには、多数の土蔵がある。約九十軒の家が並ぶ万町だけでも、七十棟あまりの土蔵を数えることができた。屋敷が駐車場になったりして取り壊された土蔵を含めると、盛時は、さらに多くの土蔵が並んでいたにちがいない。

栃木は、「蔵のまち」といわれている。最初それは、巴波川沿いの塚田家の蔵の並ぶ景観をさすものと思っていたが、もっと別の意味あいがある、とそのときに私ははじめて気づいた。

なかでも古い家が集中しているのは万町であることが、俯瞰したまちの姿から改めて確認できた。ホテルの屋上から下りて万町を中心にまちを歩いた。そして、家々の屋号、昔の職業、いつどこから栃木にやってきたかの聞き取りをして、さかのぼれる限りのまちの姿を追ってみた。

本来ならば、万町九十余軒すべての家で話を聞くべきであるが、屋上からめぼしをつけた古い構えの家と、明治生まれのお年寄りのいる家を選んで訪ね歩き、そこで隣近所の様子も併せて聞いていった。見知らぬ家に何の前ぶれもなくとびこむのは、はじめは勇気がいる。が、まちの様子が少しずつわかってくるにつれておもしろさが先だち、しだいに足どりも軽くなっていく。小さなま

日光例幣使街道万町の町並み。家々の屋敷は街道に沿って短冊状に地割りされ奥深くのびている。屋敷に土蔵が多いのは栃木が問屋町として繁昌したことを物語る。この一角は旧麻問屋寿屋界隈。屋敷奥には稲荷社の屋根も見える

栃木万町の商店配置図（昭和60年頃）

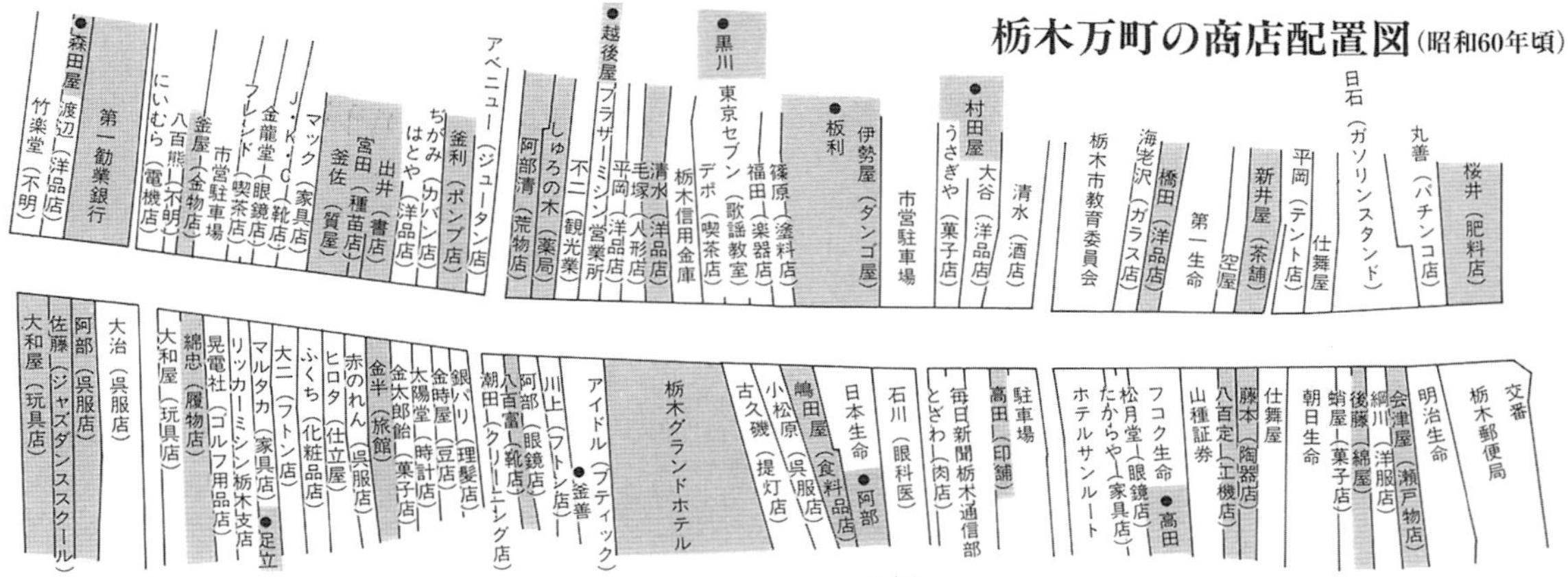

●印は屋敷裏に引っこんだ仕舞屋《しもた》。［網掛け］は大正時代以前からつづいている家。
屋号のある家は屋号を、ない家は姓を記載

■万町には間口20mをこえる屋敷が6つある。最も大きなのが質屋を営んでいた近江商人の釜佐で、屋敷には８棟の土蔵が残っている。この他、昔の面影を残す屋敷には、麻問屋を営んでいた黒川家、肥料屋をおこない大地主となった板利などがあるが、街道の東側の大きな屋敷には郵便局やグランドホテルが建ち、あるいは駐車場とかわり、昔の姿は残っていない。家々の屋号や昔の職業を聞いて、大正時代の家並みの復元をおこなってみると、3割の家がつづいていることがわかる。しかし多くの家は商売替えをし、あるいは仕舞屋《しもたや》として屋敷裏に引っこみ、街道に沿った店舗を人に貸して栃木に住みつづけるといった感じである

栃木万町の屋号と職業（大正時代）

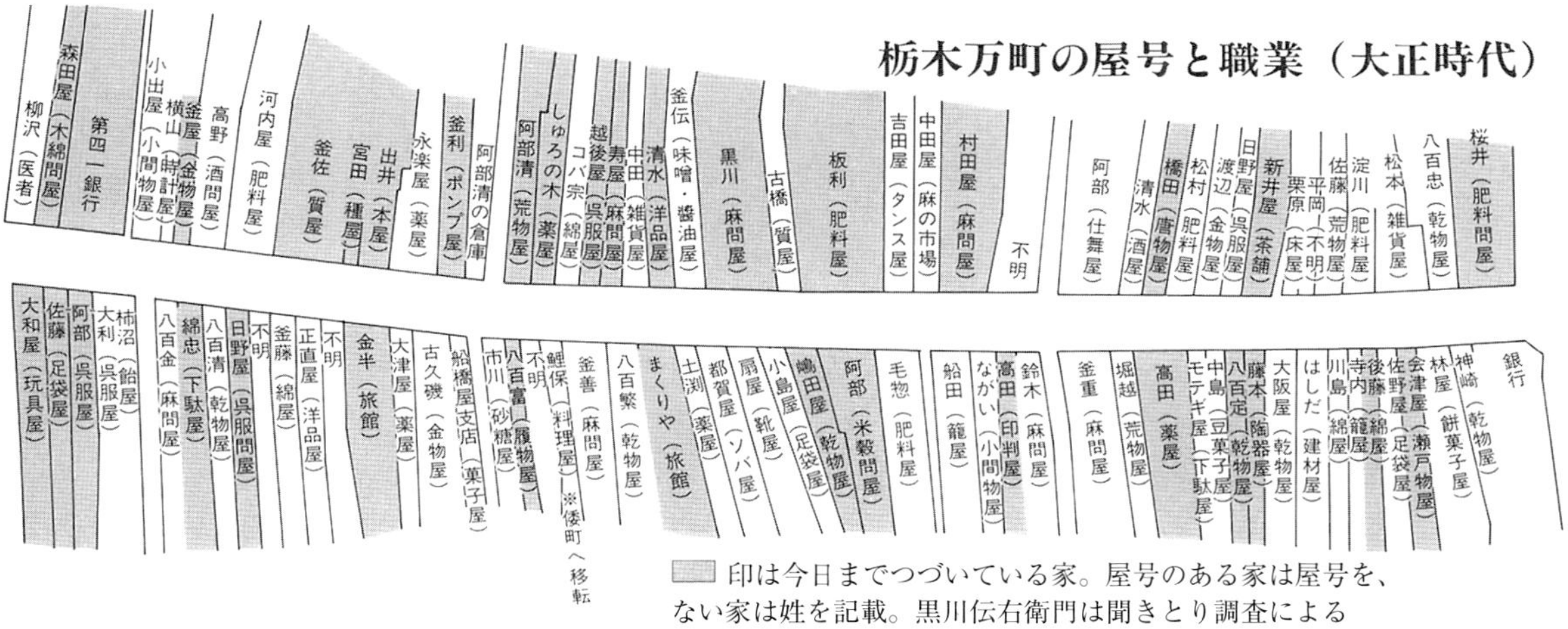

▒印は今日までつづいている家。屋号のある家は屋号を、ない家は姓を記載。黒川伝右衛門は聞きとり調査による

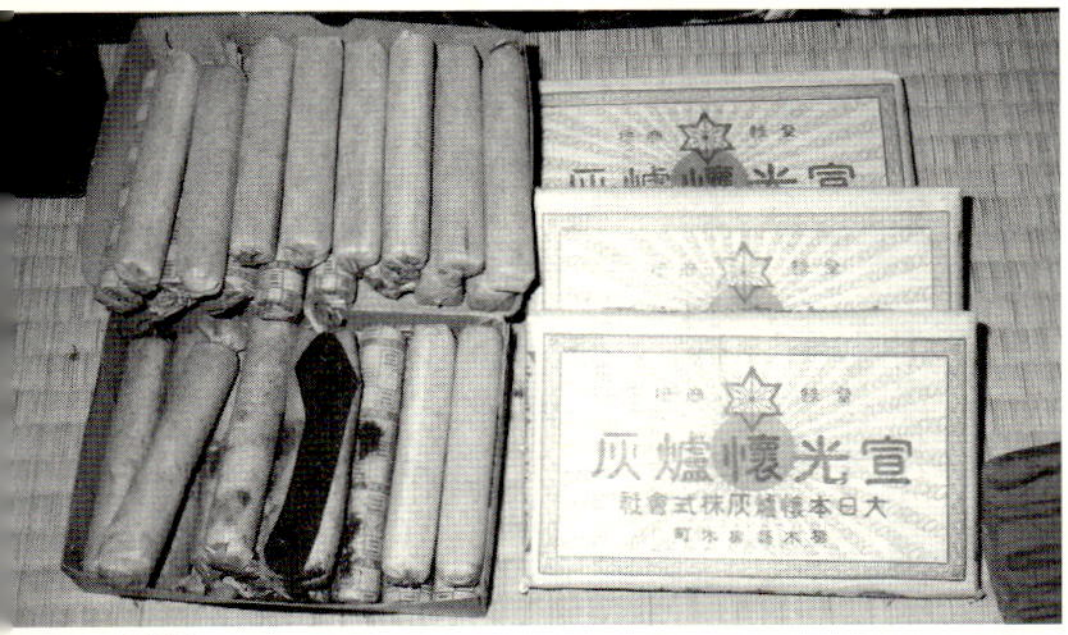

麻幹《おがら》からつくった懐炉灰は栃木名産のひとつであった

かつて栃木の主要な産物であった麻は、下駄や草履の芯縄としても使われた

ちにもかかわらず、話を聞くのにまる一日かかり、最後の家を訪ね終えたときには、陽はとっぷり暮れていた。

　万町の表通りの九十余軒の家のなかで、大正時代以前からつづいている家は約三割の三十余軒あった。のこりの約六十軒は、いずれもそれ以降に栃木にやって来た家である。大正時代以前からつづく家の中で江戸時代初めに栃木にやって来たという家が二軒、また江戸中期からつづく家が数軒、そして明治前後から万町で商売をはじめたという家が十数軒あった。倭町、室町を調べていないので旧栃木宿全体についてはどのような割合になるのかわからない。

　とにかく、万町だけでも、大正時代以前から今日までつづく家が三割あるという事実だけは確かめた。その割合は、むら社会と比べると、まち場は栄枯盛衰を激しくくりかえしているということをあらわしているともいえるし、一方、見方によってはまち場で半世紀以上も同じ土地に住み続けている人がこれほどまでいるということにも驚きを覚える。

　というのは、私はこれと同じ調査をかつて瀬戸内の港町（岡山県下津井《しもつい》）でおこなったことがある。その港町は江戸時代に北前船《きたまえせん》の寄港地として栄えたところであるが、今は漁村にかわり、商店はほとんどなくなった。それとともに、九割の住民が入れ替わっている。

　この瀬戸内の港町は、寄港する廻船から物資を仕入れて中継的な商売する人びとを中心にまちが成りたっていたが、明治になって船が沖を素通りするようになると、しだいにさびれてしまった。それが住民の激しい交替をもたらしたのである。

　ところが栃木の場合、それほど激しい住民の交替をみせていない。栃木のまちは、周囲に農村をひかえていたことが大きな強みになっていたのではないか。もっと多くのまちと比較してみないとこの数字のもつ意味は明らかにならないが、およそ、そんな見方ができはしないだろうか。

　栃木万町の大規模な家で最初に目についたのは、もと麻問屋をやっていたという家々である。それらの中には、重厚な店蔵や屋敷の裏に多くの土蔵をもった家が何軒かのこっている。大正から昭和にかけて、栃木には十軒の麻問屋があり、そのうち七軒までが万町に店を構えていた。今日、いずれの家も麻問屋をやめているが、今も栃木に住みつづけているのは、黒川家、巻島家（村田屋）、平岡家（寿屋）、伊藤家の四軒である。黒川家と巻島家は商売をやめて、しもた屋になった。平岡家は洋品店、伊藤家は不動産屋に商売替えをしている。以前は、釜重、鈴木家、八百金という麻問屋があったが、今は栃木を離れた。釜重の跡は私たちが泊った宿泊施設に、鈴木家の跡は駐車場に、八百金の跡には別の商売の人がはいっている。

麻は栃木県の特産物である。大正末期、県内の大麻の作付面積は全国の半分を占めるにいたり、昭和十六年には、それまでの作付面積最大の五千ヘクタールに及んだ。大麻が多く植えられたのは、栃木市から鹿沼市にかけてであり、栃木市では、吹上《ふきあげ》、赤津《あかつ》、国府《こう》、家中《いえなか》といった市街地北郊のむらが麻作地帯として知られた。

麻問屋の店先の土間に積みあげられた製品。このような麻問屋も旧栃木宿では見られなくなった

麻がこの地に植えられた歴史は古く、『延喜式』をみると、下野の貢納物として麻があがっている。木綿が普及する以前、麻は、葛・藤・科《しな》などの植物繊維とともに布の原料として使われ、衣類が織られていた。また、麻縄・漁網・下駄の芯縄、あるいは畳表・丈間《じょうま》の縦糸、さらに壁の苆《すさ》としての利用もあった。

栃木周辺のむらでは、農村の副業として麻の加工業もうまれた。川原田や家中では麻縄をない、皆川や小野寺（岩舟町）では丈間づくりがさかんであった。また明治二十年代にはいると、下駄の芯縄づくりが周囲の農村で広くおこなわれ、麻幹《おがら》を利用した懐炉灰《かいろばい》の製造も興った。

麻問屋では麻を生産者から仲買人をつかって買いあつめ、それを千葉県や三重県の漁網生産地に送った。また、岡山県や広島県などの畳表の産地に出していた。麻問屋は買い集めた原料を付近の農家にもっていき、そこで下駄の芯縄などを内職でつくらせ、それを集荷して各地に送っていた。

麻問屋を営んだ家の中で最も古くから栃木に住んでいるのは、黒川伝右衛門家である。黒川家がいつ麻問屋をはじめたかは明らかではないが、もとは皆川家の家臣であり、皆川家の没落とともに商人になったのが慶長十二年（一六〇七）であった。現当主の伝右衛門さん（明治四十年生まれ）で二十一代目をかぞえる。

また、今は栃木を離れたが、釜重も大きな麻問屋のひとつであった。この家は、栃木から十数キロ東の薬師寺（南河内町）の出身で、初代は寛政年間（一七八九～一八〇一）に亡くなっていることから、二百余年の歴史を

上右　土蔵の一部は家具屋が店舗として利用
上中　黒川家の蔵の一部は喫茶店に模様がえ
上左　蔵を利用した呑み屋
下左　神明宮参道に並んだ蔵は麻問屋八百金が建てたもの。アパートとして利用されている

もっている。釜重は、麻以外にも魚肥、干鰯《ほしか》をあつかっていた。黒川家が麻以外に、栃木県特産物である干瓢《かんぴょう》の問屋を兼ねていたように、大きな問屋はこのようにいくつかの商品をあわせてあつかっていた。そして、釜重から釜利という家が分かれて、醸造業を営んだ。釜利は商売替えをして今日にいたったが、本家は栃木を離れた。

麻問屋で昔の構えをのこす家は、八百金である。今は家主がかわったが、神明宮参道の左手にひときわ大きな店蔵を構え、路地に沿って土蔵が並んでいる。その土蔵が今日、アパートとして利用されているのも、いかにも蔵のまち栃木らしい光景である。

土蔵には家財道具をいれるものと、商品を保管するものがあるが、栃木のまちには家財蔵はもちろん、商品を保管する土蔵がじつに多い。そして、そうした家並みから、栃木は問屋商人のまちとして成り立っていたのではないか、という思いを深くする。

栃木に移り来た商人

まちを歩いて話を聞いていくうちに、関東以外の土地から栃木にやって来て商売をはじめた家が何軒かあることも明らかになった。まちは、多様な経歴をもった人びとが寄りあつまってつくられるものである。話を聞けば聞くほど、そのことを実感する。

万町の最北端に広い間口を構える肥料屋の桜井源右衛門家は、奈良県桜井市から来た家である。肥料をあつかうようになったのはさほど古くはないが、栃木に来た歴史はじつに古く、現当主の源右衛門さん（大正十三年生れ）で十九代を数える。

桜井家はもと武士で、江戸初期に日光東照宮の御用商人として関東に下った。油を搾《し》め、それを東照宮に納めるのがこの家の生業であった。江戸時代にはいると、荏《え》油にかわって菜種《なたね》油が、油煙が少なく光も明るいということで灯油として広く利用されるようになった。油を搾った菜種粕が肥料として利用できることから、桜井家は油屋を営むかたわら肥料屋も営んだ。そして明治になると菜種粕以外にも目をつけて、北海道方面から大豆粕や鰊〆粕《にしんしめかす》を、あるいは房総から干鰯をさかんに仕入れていた。そして戦後は油屋をやめて、肥料屋のみで暮らしをたてるようになった。

肥料屋は、万町のほかに、日光例幣使街道栃木宿の北に発達した嘉右衛門町にも多かった。栃木周辺の農村では、すでに元禄年間（一六八八～一七〇四）頃から田の肥やしとして干鰯が利用されており、肥料問屋はその時期栃木でもっとも早く株仲間をつくるにいたった。そして明治期になってもますます繁栄したとみえ、太平山神社に明治二十六年に奉納された大額には肥料商組合十八人の名を見ることができる。

肥料屋が多いということは、栃木のまちが周囲の農村と密接な関係をもっていたことを物語っている。栃木の後背地は日光例幣使街道や壬生街道ぞいの平地のむらをはじめ、足尾山地の山塊にわけいった永野川上流の鍋山《なべやま》・永野、小倉川上流の粕尾《かすお》（粟野町）、秋山川上流の葛生《くずう》・仙波《せんば》（葛生町）と谷筋奥深くまであり、広いふところをもっていた。そして、それらの地を栃木の商人は商圏としたのである。

このほか栃木には近江（滋賀県）から移り住み、金融業や醸造業で大をなした商人もいた。

万町に大きな屋敷を構えて質屋を営む善野佐治平家は、近江商人の一人である。屋敷には、家財蔵や質蔵をあわせて八棟もの土蔵が並んでいる。なかでも天保期（一八三〇～四四）につくられた質蔵は、棟が三棟並びの建物で、みるからに豪壮である。

これらの土蔵は、やはり黒漆喰でなめるように磨かれており、左官技術の粋を思わせる。屋敷にこれほどの土蔵があると、その手入れもさぞたいへんであろう。聞いてみると、このような大店は、昔は専門に出入りする左官職人をかかえていた、という。大工や植木屋をかかえていたということは、ほかでもよく聞くが、左官までかかえていたとは、いかにも「蔵のまち」にふさわしい話である。

また、土蔵の一棟は幕末の安政の飢饉のとき、まちの人びとに仕事を与えるために建てたもので、「おたすけ蔵」とよばれている。このような時期に工事をすると、費用が安あがりになる。「おたすけ蔵」という名は、一つの救済事業として普請をしたことを物語っている。そして、そのようなところに、むら豪農がもっていた役割と同様に、まちの豪商のもっていた社会保障的な役割がうかびあがってくる。

善野家は、屋号を釜佐という。佐治平さん（明治四十二年生まれ）で九代目である。釜佐の本家は釜喜で、下町（室町）に住み、善野喜兵衛を代々名のった。釜喜にはもう一軒の分かれがあり、釜伊の屋号で中町（倭町）に住み、こちらは善野伊兵衛を襲名した。

善野家一族の墓は近龍寺にあり、本家の墓には「江州守山住人善野氏釜屋喜兵衛」と刻まれている。本家の釜喜が栃木に来たのは、元禄十二年（一六九九）といわれる。そしてほどなく、弟が釜佐として分かれ、何代目かに釜伊が分家した。釜伊の初代は文政七年（一八二四）に六十八歳で死去していることが墓碑からわかる。

釜喜は味噌・醤油の醸造業をおこない、蓄えた富で質屋も営んでいた。また、釜佐とともに脇本陣を務めた名家であった。一方、釜伊は呉服太物《ごふくふともの》問屋で大をなした。ところが釜喜は大正期の恐慌で没落し、また釜伊は戦後家運が傾き、いずれも栃木を離れた。釜喜の屋敷跡には今は栃木電報電話局が建ち、釜伊の屋敷跡は中央駐車場にかわっている。いずれも、それほど広い屋敷をもつ家であった。

また、東北方面から栃木に来た商人もいた。万町の北はずれで瀬戸物屋を営む会津屋は、屋号が示すように福島県会津から来た商人である。瀬戸物が並ぶ棚に囲まれた店先で話を聞きながら、売られている品をみわたすと、隅に置かれている漆器が目についた。今では、主要な商品ではないが、明治十年に栃木に来て店を構えたときは会津名産の漆器が主な商品であった、という。そして、会津屋は時代とともに食器全搬をとりあつかうようになっていった。

近龍寺にある釜喜の墓。江州守山住人と、出身地が刻まれている

なお会津屋が栃木に出て来た明治初期には、近郊のむらから次男、三男が栃木のまちにやって来て、問屋に混じって町はずれなどで小売などの商いを営むことが盛んにおこなわれていた。そして、そのような形で栃木に住みついた人も少なくない。

栃木のまちのはじまりは、日光例幣使街道の宿場、河岸のまちであることにはちがいないが、その後のまちを成りたたせる上で、商業活動が大きな意味をもっていた。「蔵のまち栃木」のイメージは、問屋商人のまち栃木であったからこそ生まれたものであろう。

まちは、周囲の農山村と関わりをもちながら、むらの生産力の向上にともなって発達していくことを教えられる。むらがまちを必要としてまちを育て、さらに、まちがむらを育てる、といったくりかえしがたえずおこなわれてきた、といえよう。そして、よそからやって来たさまざまな人びとがしだいにその動きに加わり、人びととの交流の輪をおし広め、新しい時代を築いていったのではないだろうか。

神明宮の末社からまちを見る

栃木のまちは、日光例幣使街道の東と西でだいぶ様子

肥料問屋桜井家の屋敷には肥料を運んだトロッコの線路がのこる

質屋を営んだ釜佐は近江商人の一人であり、屋敷の奥には３棟並びの質蔵が建っている

がちがっている。道の東側の家並みは、ゆったりとして緑が多い。それは、社寺の杜や空閑地が東側に集中しているからである。

　万町の宿の窓から家並みを眺めると、近くに大きな鬼瓦をのせた近龍寺《きんりゅうじ》の甍《いらか》がそびえ、緑につつまれた神明宮《しんめいぐう》の杜が広がっている。また少し離れて満福寺《まんぷくじ》の瓦屋根が優雅なソリをみせ、定願寺《じょうがんじ》の銅板葺きの屋根がおちついた色あいでまちにとけこんでいる。地図を見ると、定願寺の南に延命寺《えんめいじ》という寺もある。栃木は、まちの東側を社寺で固めたようなまちのつくりである。

　杜のすがすがしさに誘われて、神明宮に参った。参道は日光例幣使街道から東に入る細い路地で、左手に、昔、麻問屋を営んでいた商家の土蔵の白壁がつづいている。鳥居をくぐってすぐの参道の脇に、店先に千歳飴《ちとせあめ》を吊るした菓子屋、フィルムの宣伝の幟をはためかせた写真館があり、ささやかながらも門前の構えをみせている。

　神明宮の主神は天照皇大神で、皆川氏の所領であった時代の応永十年（一四〇三）、はじめは神明宿（今の神田町）に勧請《かんじょう》された。だれがどのようないきさつで勧請したかは明らかでないが、この両毛地区には足利市梁田御厨《やなだみくりや》をはじめ、中世にはいくつかの伊勢神宮の神領があることからして、この地と伊勢との深い結びつきがその時期からあったことは確かである。なお神明宮が現在地に移ったのは、皆川氏が栃木城を築く二年前の天正十七年（一五八九）のことであった。

　神明宮境内に、万町、倭町、室町の六基の山車《だし》をいれる倉庫が建っている。秋の神明宮の祭礼に五年に一度出る山車である。コンクリートの山車倉庫ができる前には、山車は町内の商家の倉にそれぞれ保管していた、という。

山車の出る祭りは、ちょうど今年の昭和六十一年がその年にあたっていたが、あいにく私はこの目でその祭りを見ていない。しかし、写真で祭りの様子をみると、豪華絢爛たる山車が出た大通りは人波で埋まっており、栃木市民がこの祭にかける熱気が伝わってくる。

関東では、山車が出る祭りがほかにもいくつかある。たとえば、秩父の夜祭りは、山車の華やかさで有名であるが、たいていそのような祭りは町人が力をもった地でおこなわれている。やはり栃木も江戸時代から町人が力をもったまちのひとつで、その経済力がこのような祭りを生みだしたのではないだろうか。

神明宮本殿は千木と鰹魚木が屋根にのった神明造である

神明宮拝殿の脇に、浅間宮《せんげん》、蛭児大神《ひるこ》、淡島大明神《あわしま》、須賀《すか》神社、琴平《ことひら》神社、少彦那命《すくなびこなのみこと》、大己貴命《おおなむちのみこと》が合祀された社がある。これらの神々は、もとは境内末社として祀られていたが、境内に結婚式場が建てられた際に一ヵ所にまとめられたものである。

私は神社に参る際に、できるかぎり末社や摂社《せっしゃ》を見るようにしている。そこから、庶民のさまざまな願いが伝わるからである。蛭児大神は商売繁盛を祈る神として商人に、また淡島大明神は婦人病に霊験あらたかとされ、女性に多く信仰をされている。末社のひとつの須賀神社は土地の人からテンノウサンとよばれて、篤く信仰されている。須賀神社には、「応永十年祇園牛頭天皇」と墨書きされた古い棟札がのこっており、神明宮が今の神田町に勧請されたのと時期を同じくして祀られたことがわかる。

須賀神社の祭りは、七月二十一日から一週間にわたっておこなわれる。戦前は、祭りの日に、参道の両側にたくさんの露店が並び、とれたてのトウモロコシを焼く香ばしい匂いが境内にたちこめ、その中をユカタがけの人びとが夕涼みをかねて参拝に出かけた、という。そして氷水などを食べながら境内でおこなわれる芝居や浪花節に興じ、夏のひとときをすごした、という話を聞いた。

須賀神社の祭りは、牛頭天王《ごずてんのう》の力により悪霊を鎮める、という性格をもっている。それは、御霊《ごりょう》信仰のひとつである。御霊とは、この世にうらみをもって非業の死をとげた人の霊をいう。昔はその霊がたたって疫病などをもたらす、と信じられていた。そこで、この御霊を鎮めるために祭りが執り行われた。御霊を鎮める祭りは、人が密集し、ひとたび疫病がおこると多くの死者を出しやすいまち場でおこなわれることが多かった。また、祭りの時期も病気のおこりやすい夏の季節に集中している。

神明宮の秋の祭礼では五年に一度山車が出る。写真は日光例幣使街道を行く明治期の山車（栃木市・片岡写真館提供）

笠に金毘羅大権現と浮き彫りされた神明宮の石造大常夜燈

末社の琴平神社も篤く信仰されていた。境内には背丈の倍ほどもある石造大常夜燈が置かれ、笠に「金毘羅《こんぴら》大権現《だいごんげん》」の文字が浮き彫りされている。そしてこの常夜燈は石でつくられた象の上にのっており、基壇に、「運航安全」「五穀豊穣」のふたつの祈願の文字と、数えきれぬほどの奉納者の名が刻まれている。奉納された年は、文化十四年（一八一七）である。

　讃岐の金毘羅大権現の信仰は、海に生きる人びとを中心に、江戸時代半ば、奥州から九州にいたる津々浦々に広がりをみた。また、さまざまな職種の人びとの信仰を得ていた。讃岐《さぬき》の金刀比羅宮《ことひらぐう》には、各地から寄進された石燈籠をはじめ多くの奉納物がある。そして栃木からも船積問屋が金刀比羅宮境外の丸亀《まるがめ》街道口に石燈籠を奉納している。ほかにも、栃木周辺の日光街道に沿った宿場からも多くの並び燈籠があがっている。

　神明宮境内の常夜燈に刻まれた文字からすると、金毘羅大権現は、豊穣をもたらす神として信仰されていたことがわかるが、もうひとつは、運航安全が大きな意味をもっていた。先にも述べたが、栃木は河川交通により江戸につながっており、おそらくそうした川舟の運航安全を祈ったものであろう。そして、農民と河川交通に携わる人びとが、ともに力をあわせて常夜燈を奉納していることにも、まちとむらの結びつきをみることができるのではないか。

定願寺と上野寛永寺

神明宮から南にゆくと、ほどなく天台宗定願寺に着く。門前にしもた屋が並んでいる。これといって目をとめる建物もなく、静かな佇《たたず》まいである。定願寺は栃木駅から二キロ南西の川連《かわつれ》にあった阿弥陀堂を起こりとし、天正年間（一五七三〜九二）、皆川氏によりこの地に移された寺である。

山門を見上げると、凝った彫刻がほどこされていることに気づく。獅子頭《ししがしら》はくねくね曲線を描き、蟇股《かえるまた》は複雑な彫りもので飾られている。

この山門は、「日光宮様御成門《おなりもん》」ともよばれている。日光宮様とは、日光輪王寺門主のことである。輪王寺門主は、日光街道を通って日光と江戸の東叡山寛永寺を年に三度往復するのが恒例であった。日光街道から離れた栃木のまちにこのような御成門がつくられたのは、門主がこの寺にお成りになったことがあったからであろう。

本堂右手にある不動堂の扉は、彫刻で隙間なく埋めつくされている。彫刻師が執拗に彫りつづけた、といった感じの扉である。

社寺の建築がこのように華麗になったのは、さほど古いことではない。建物が彫刻で華やかに飾られるのは、桃山時代になってからである。そして、江戸時代にはいると、日光東照宮に代表されるような彫刻ずくめの建築が普及する。

それは、建築の各部に用いる木材の大きさの割合が決められ、建物の造形に工夫を加える余地が少なくなり、それにかわって彫刻に力をいれるようになったことによる、と解釈されている。

そんな彫刻ずくめの建物の代表が、霊廟建築であろう。日光東照宮をはじめ、各地の大名によってつくられた霊廟は、大名の権勢を人びとに知らしめる必要があった。そのため贅《ぜい》をつくし、一見人目を驚かすような手のこんだ小細工が好まれたのである。

また、日光東照宮は、幕府作事方《さくじかた》により建てられた。老中《ろうじゅう》の支配下におかれた作事奉行のもとに、近江や紀伊の人が大棟梁として任命され、かれらが同郷出身の職人を引きつれて日光にやって来た。これらの人びとは、豪

定願寺の不動堂の扉には凝った絵様彫刻がほどこされている

華絢爛たる桃山末期の建築を建てた系統であり、その技術の一端が東照宮に受け継がれていった、とみることができる。

定願寺山門は、文化六年（一八〇九）、不動堂は文化四年の建物である。また神明宮で見た金毘羅大権現の石造常夜燈も文化三年の奉納であるし、太平山神社の鳥居も文化十四年の奉納である。さらに、太平山神社にはほかにも天保から弘化期（一八三〇〜四八）にかけての青銅常夜燈や吊燈籠が多数奉納されている。

このように、建物、石造物、青銅の鋳物全般にわたって、共通して凝りに凝った造形が見られるのが、十九世紀前半の特徴である。そして、その時期に今日、目にする奉納物の多くがつくられている。

それは農村がそれまでになく豊かになり、商品の流通がすすみ、まちの商人も潤った時代と重なっている。そしてその経済力によって、人びとが意気盛んに社寺に奉納物をあげ、ますますの繁盛を願っていったのではないか、と思えてくる。成功したものがその勢力を示すためには、奉納物に贅をつくすことが求められたにちがいない。そこでひとつの手本になったのが、江戸初期の徳川幕府やその支配のおよんだ大名が意識した豪華さではなかったのだろうか。私には、そのように思えてならない。

定願寺境内には池があり、小さな島が築かれ、弁財天《べざいてん》が祀られている。弁財天というと関東では上野不忍池《しのばずのいけ》や江の島を思いうかべるが、むろんそんなに大きな弁天堂ではない。弁財天はもともと河を神格化したものであるが、音楽や技芸を司るカミとして信仰されている。人びとは、そこで芸事の上達を願った。また弁財天は、七福神のひとつとして福徳を与えるものとして庶民に信仰されている。ところが、定願寺の弁財天はどこかとりすました感じであり、庶民信仰の匂いがしない。

定願寺は、天台宗の寺であることを先にふれた。栃木

天台宗定願寺は上野寛永寺の傘下にはいっていた

駅から約一キロ東の城内町にある円通寺《えんつうじ》が定願寺の本寺で、さらに円通寺は茨城県の黒子《くろこ》・千妙寺《せんみょうじ》を通じて江戸の寛永寺に属していた。

この境内の池と弁財天のあり方を見て頭にうかんだのは、寛永寺が上野の不忍池に弁財天を祀ったのを手本にしたのではないか、ということであった。定願寺の弁財天は、「朝日弁財天」とよばれている。鰐口《わにぐち》を見ると、朝日屋栄蔵と奉納者の名が刻まれている。おそらく、その人が大きな力をもっていて、いつの時代か寺と相計ってつくったものであろう。弁財天の周りにまちの人びとが一体となって寄進した奉納物が見られず、形だけをまねて弁財天を祀ったような気配が感じられる。それが、とりすました印象を与えるのであろう。

本堂の前に、見覚えのある常夜燈が一対立てられていた。笠に六つの蕨手《わらびて》がつき、葵の御紋がはいり、竿はゆるいふくらみをもった円筒状で、「有徳院殿尊前」と刻まれている。有徳院というと、八代将軍吉宗のことである。吉宗の霊廟は寛永寺にあるが、もとは、その霊前に大名が奉納した常夜燈ではないか。

その常夜燈は、昭和三十六年に定願寺の塀を修理した際、境内整備の記念として寛永寺から払い下げをうけたものである、という。寛永寺は幕末の戦火で堂宇を焼きはらわれ、明治維新を迎えると、徳川幕府の保護がなくなり寺域はしだいに狭められていった。そして、常夜燈も寛永寺境内で場所を変え、あるいは各地の末寺に移転されていく。さらに、民家の庭先の置物となる場合すらあった。

そのひとつが、ここ定願寺に置かれている。この常夜燈をどんな気持でもらいうけてきたかはわからないが、徳川家の力をひめた寛永寺への意識が何らかの形でごく最近まで、この栃木に根づいていたことは確かである。

上野寛永寺から払い下げをうけた常夜燈

近龍寺の中の庶民信仰

日光例幣使街道から浄土宗近龍寺へ向かう路地には、そば屋、呑み屋、雑貨屋、そして銭湯が並んでいる。そこは、表通りとはひと味ちがった庶民的な表情をしている。

路地を寺に向かって歩くと、正面に本堂の大屋根がそびえ、境内に呑龍堂《どんりゅうどう》、観音堂《かんのんどう》、秋葉堂《あきばどう》の三つの御堂が建てられている。この寺は、応永二十八年（一四二一）、河原宿に称念寺として建てられたのをはじまりとし、天正十六年（一五八八）、やはり皆川氏により現在の場所に移された。

三つの御堂の中でとびぬけて大きなのが呑龍堂で、屋根に、ふつりあいなほど大きな鬼瓦がのり、漆喰で固められている。このような屋根は、寺院に限らず、栃木の商家をはじめ広く関東の寺院・民家に見られるが、その大げさな姿はどこか滑稽である。関東平野は風の強いところで、農家の屋敷は防風林で囲まれている。屋根を重々しくつくるのは、強風に吹きとばされないようにとの意識が根にあり、それが、一つの造形となってあらわれている、とみることができはしないか。

呑龍堂は呑龍上人を祀った御堂で、土地の人から、「子育《こそだて》呑龍さま」として親しまれている。呑龍信仰の中心になるのが、群馬県太田市の大光院《だいこういん》である。大光院は新田義重を祀る寺で、徳川家康が義重の追善供養のために建てた寺である。徳川家は新田氏を先祖とするため、幕府は大光院を重くみて、寺領三百石が与えられていた。

呑龍上人は、武州岩槻《いわつき》の生まれで、十五歳のとき、江戸の芝増上寺で源誉上人の門に学んだ人である。やがて、家康の信任をうけて、慶長十八年(一六一三)、大光院の開山として太田に来住した。呑龍上人五十八歳のときである。

当時、貧困のために、生まれてくる子どもをやむなく間引きせざるをえない家もあった。呑龍上人はこれを嘆き、寺の維持に与えられた寺領三百石の大半をさいて、生活に困る人びとに子どもの養育費として分け与えていた。そして、その徳がしのばれて、のちに「子育呑龍さま」として祀られるようになった、という。この呑龍信仰は、群馬、栃木、埼玉県などに広がりをみせるが、それは浄土宗の寺院をとおして信仰がひろめられていったようである。それが栃木のまちにも見られるのである。

呑龍さまの縁日は、毎月八日である。私が参ったのは、ちょうどその縁日の日であった。山門には直径二メートルもある大きな赤い提灯が吊るされ、御堂にも数々の提灯がさがり、縁日の気分をもりあげていた。

私も子どものすこやかな成長を願い、わずかではあるが賽銭を入れて、頭を下げた。頭を上げると、彩色された呑龍上人の木像がゆらめくロウソクの灯にうかびあがって見えた。

参拝を終えて境内でひと休みしていると、訪れた人びとが、麻の綱をひいて鰐口をならして祈っていく。お年寄りにまじって子連れの婦人を多く見かけるのも、呑龍信仰が今に生きている、という感を深くする。参詣客は呑龍さまに参ったあとに、申しあわせたように両隣の観音堂と秋葉堂の前で手をあわせている。また門前の雑貨屋の縁台に花が並んでいるが、縁日には、この花を買い求めて境内にある先祖の墓参りを兼ねる人も少なくない。

境内でお参りに来たお年寄りから話をうかがった。近年、参詣客は少なくなったが、戦前の呑龍さまの縁日は、参詣客で境内が埋まるほどであった。この人出をあてこんで露店もでるほどの賑わいであった、という。

呑龍堂の右横の朱塗りの小さな建物は、観音堂である。堂前に、「普門品供養」「念佛供養」と刻んだ常夜燈が一対、上町講中により奉納されている。風化した石を静かに見つめていると、法華経普門品《ふもんぼん》(観音経)や念仏を唱えた人びとの祈りの声が聞こえてくるかのような気分にとらわれる。観音堂は、いかにも浄土宗の寺らしい優しさにみちたたたずまいをしている。

観音堂に吊るされた鰐口には、「奉供養子育観世音菩薩」と細い文字で刻まれていた。この観音さまも、呑龍さまと同じような子育ての信仰があったことがわかる。そして鰐口に刻まれた奉納者名に、「上町二丁目中」とあった。

　観音堂は、栃木のまちのある地域の人びとが共同で守っていたことが、常夜燈や鰐口の銘文から伝わってくる。また、満福寺にも子育観音、定願寺には子育地蔵がそれぞれ見られる。かつては生れた子供がすべて無事に成長することは稀であった。それだけに、我が子の無事なる成長を祈る気持が強かったのであろう。

　呑龍堂の左横の白壁の建物は、秋葉堂である。疫病とともに人家の密集しているまち場で最も恐れられたのが火災であった。火災に対しては古峰原《こぶがはら》（栃木県）や三峰《みつみね》山（埼玉県）のお札を門口や扉に貼って戒めとしたが、火伏せに霊験あらたかな秋葉大権現を遠州（静岡県）の山奥よりはるばる勧請することもおこなわれた。栃木のまちには秋葉堂のほかに、延命寺に愛宕堂があり、そこにも火伏せの神を祀っている。さらに定願寺の不動尊も、火伏せに霊験あらたかな仏として信仰されている。

　秋葉堂の鰐口は嘉永五年（一八五二）に奉納されたもので、「火災消除町内安全」と願文が刻まれている。この秋葉堂がいつ祀られるようになったかは、鰐口奉納の年だけではわからない。あるいは、そのころに大きな火災があったのではないかと思って、栃木の火災の歴史を調べてみた。

　すると、栃木は江戸時代のおわりに、あわせて四回の大火にみまわれていることがわかった。最初は弘化三年（一八四六）、二回目は嘉永二年（一八四九）、三度目は文久二年（一八六二）に大火があり、最後は同じ年に水戸天狗党の浪士によりまちが焼かれている。秋葉堂の鰐口が奉納されたのは二度目の火事の三年後のことであり、あるいは秋葉堂建立につながるかもしれない。さらに、秋葉堂は火がまわらぬように土蔵造になっている。そのことからも、大火の恐しさがまだ頭からぬけきらぬ時期に建てられたのではないか、という思いを深くする。

　火災に対して、どの家でも細心の注意をはらっていた。しかしひとたび火災がおこると、家々が軒を接しているまち場では、類焼の恐れがあった。火災には個人の家がそれぞれ気をつけるばかりでなく、まちとして火を出さぬよう気を配る必要があった。

　秋葉堂の鰐口にも、「上町二丁目中」と奉納者名が刻まれている。地域の人びとがともにひとつのカミを共同で祀ることにより、防火の大切さを確認しあっていたのではないのだろうか、と思える。

　それぞれの家庭の願いをかなえるため、また安全に暮らしてゆきたいと願って地域の人びとが結束していった姿が、この境内の片隅の御堂から伝わってくる。そんな庶民の願いが、寺をささえる大きな力にもなっていたのではないだろうか。

時の流れにつれて　まちは変わる

まちは、時代とともにかわっていく。交通体系や商業のありかた、また周囲の農村の人びととの暮らしのたて方がかわると、それにあわせてまちの姿はかわっていく。

　栃木の街道沿いの家では、昔の問屋が奥に引っこんでしもた屋になり、貸店舗で新しい商いをする人が、ヤドカリのようにはいり込んできた。そのようなことによっ

庶民の篤い信仰を受ける近龍寺呑龍様の縁日は毎年８日。右側は観音堂

て、まちの姿は、一部に古い姿をのこしながらかわっていった。

なかには、古い家を取り壊して、跡地が駐車場になったり、鉄筋コンクリートの建物が建っていったところも少なくない。郊外の農家に自動車が普及すると、買物客の駐車場がないと、まちは商店街として成りたたなくなる。とくに地方都市において、今、そのことが大きな悩みとなり、屋敷跡がつぎつぎに駐車場にかわっている。それに伴い、町並みはしだいに歯のぬけたような姿になっている。

栃木で古い家を取り壊して新しいビルにかわったところをみると、万町というごく限られた地域をとってみても、ひとつの傾向があらわれている。そこには生命保険会社などの支店、営業所などのビルが多く建てられている。これは、まちの姿の大きな変化のひとつではないだろうか。それまで地元の人間が営んでいた問屋や商店にかわり、大都市に本社のある大きな資本をもった会社が地方に進出し、支店や営業所を網の目のようにはりめぐらしていく。それが、町並みに大きな変化をもたらしていく。

また、もっともかわったのは、まちをとり囲む郊外である。それまで田んぼが広がっていたまちはずれにバイパスがつくられると、新しい道路の周りがすさまじい勢いでひらけていく。広い駐車場をとったスーパーマーケット、郊外レストラン、パチンコ屋がつぎつぎに建てられ、表に人目をひく看板を出し、夜になるとネオンサインを輝かせている。そうした郊外の店は、構えひとつとってみても、従来の伝統にとらわれぬ思い思いの姿をしており、商売のしかたも旧来の店とはちがっている。そして、新しい店が郊外に建ち並ぶことにより、従来のまちなかの店も変化を余儀なくされる。

ところが、一見して表面はかわったように見えても、いぜん昔ながらの姿をのこす部分もある。栃木のまちを高い建物の上から見おろすと、町割りは思いのほかくずれていない。昔のまちに新しい商売がくいこみはするものの、その骨格はほとんどかわっていないのである。

それは、あとから栃木にやって来た店が別の場所にいくつかの新しい商店街をつくったからである。日光例幣使街道から幸来橋にかけての横町にのびた銀座通り商店街や、街道と巴波川にはさまれた裏通りに発達したみつわ通りは、今日、表通りにも増す賑わいをみせている。そして、あとからやって来た店が大通りに面した古い町割りの土地を分割して店を構えることがなかったため、栃木の古いまちは昔の町割りをのこし得たのであろう。

また、関東平野では、十数キロごとにそれぞれ商業の中心地としてまちが形成されている。そのため、ひとつのまちが巨大にふくれあがる必要がなかったことも、栃木に古い町割りをのこす理由となっているのではないのだろうか。

まちを実際に歩くだけでなく、地図を見つめることによっても、まちとむらのおおよその関係はわかってくる。栃木、佐野、足利、桐生、伊勢崎などの市街地を中心にそれぞれコンパスで円を描いてみると、半径約八キロ（二里）でほぼ周囲の農村をおおいつくす形になっていることに気づく。

ひとつのまちが背後にどれだけのむらを控えていたかを知りたいと思い、明治二十年頃の地図にこの半経八キロの円を描いてむらの数をあたってみた。明治二十年前後に参謀本部陸軍部測量局で製作した地図には、人口を五段階に分けて村落と宿駅市街が記号化されてのっていて、今日の行政区分とはちがった「むら」が適格に把握できる。

この作業を栃木を中心とした半径八キロ圏で試みると、人口千から五千の宿駅市街が三、人口千から五千の村落が十四、人口五百から千の村落が二十五、人口五百以下の村落が四十七という数になった。あわせて八十六の村落が周辺に控えていたことになる。

これと同じ作業を佐野と足利でくりかえしたら、佐野は宿駅市街が六、村落があわせて七十七、足利は宿駅市街が四、村落があわせて七十三となった。このほか関東平野北部のいくつかの地域をあたってみても、たいていは周囲に七十から八十前後のむらを控えているという結果がでてきた。このことから、北関東では七十〜八十のむらがひとつのまちを成り立たせていた、といえるであろう。

ところで、周囲のむらがまちから八キロ圏でひらがっているということは、むらからしてみると、遠くても八キロ歩けばたいていどこかのまちに行けるということになる。八キロは歩いて二時間の距離で、半日あったらまちに出て用事をたして帰ってくることができることになる。北関東のまちは、たいていそのようなところにできている。同じような作業を関東平野南部、あるいは関西の大阪平野などで試みていくと、どのような結果があら

高い建物から商家の屋根を見おろすと、街道に沿って古い家が並んでいることがわかる

われるかわからないが、それはまちのあり方を大づかみにとらえる最初の作業としてはかなり有効な方法ではないかとも思える。

栃木のまちは、江戸時代、河川交通の河岸、街道の宿場、そして問屋商人が集まり、交通、経済の中心として成りたっていた。関東平野のまちを見ると、このほか政治の拠点や手工業で成り立っているまちもあるが、栃木のように、ひとつのまちがいくつもの性格を兼ね備えたところは少ない。河岸は河岸だけ、宿場は宿場だけといった成り立ちのまちが多いのである。そのような単一機能のまちは、周囲の農山村を広く引きつけるには力不足であるが、栃木のように多様な要素で成り立っている比較的大きなまちもまた、その周辺に対する吸引力はそれほど大きくなりえなかった。

その原因の一つに、やはり関東平野という大きな広がりがあったからではないだろうか。それは、栃木だけのことではない。仮に、関東平野において、一大吸引力をなす拠点となるべくところを求めるとすれば、江戸・東京以外に考えられないのである。

交通機関の発達によってまちの役割は大きくかわってきた。栃木の人に現在どの範囲まで仕事に出かけるかをたずねてみると、職種にもよるが、百キロ圏までは商圏と考えている、という答えがしばしばかえってくる。そして百キロを越えると往復時間が仕事をする時間より上まわるため、足をのばすことをためらう、という。

百キロ圏は自動車で片道二時間の距離である。そして、それはおもしろいことに、時間距離でちょうど徒歩時代の八キロ圏（二里圏）とも共通する。

この新しい行動半径が、さらに、通信の発達による情報の速度の速まりが、徒歩二時間圏内にあるまちの役割を大きくかえはじめている。

北関東のまちとひと口にいっても、ともに江戸・東京の影響を強く受けはしたものの、まちの成り立ちや歴史の重なりはさまざまである。時代の流れにより古いまちの姿に新しい要素が加わる。そのくりかえしが過去いくたびもおこなわれ、今後もつづいていく。

豊かな毛野国に育まれ、着実なあゆみをみせた栃木のたたずまい、まわりの風景は、今後どのようにかわっていくのであろうか。

日光例幣使街道を歩いて

文・写真■榊原貴士

●例幣使の通った道

両毛山地の裾野に散在する栃木《とちぎ》や佐野《さの》、太田《おおた》などの町を当初訪ねた折、「例幣使街《れいへいしかい》道《どう》」の名を度々耳にした。

調べてみると、江戸時代、京都の朝廷は徳川家康をまつる日光東照宮の例大祭（毎年旧暦四月十五日～十七日）に幣帛《へいはく》を奉ずる奉幣勅使《ほうへいちょくし》を差遣わしていた。これを日光例幣使といい、参議に列せられている公卿が任命されるのが慣例で、正保四（一六四七）年以来、慶応三（一八六七）年まで実に二百二十一回、一度も欠かすことなく派遣され続けたという。その例幣使が通った道筋が例幣使街道だった。

例幣使街道は江戸時代の文献によると「日光例幣使道」と呼ばれており、中山道の倉賀野《くらがの》宿（群馬県）の追分より、佐野、栃木を経て楡木《にれぎ》宿（栃木県）の追分までを指している。が、一般には日光街道と合流する今市《いまいち》までと受けとられている。

例幣使は毎年旧暦四月一日京都を出発し中山道を下り倉賀野の追分より例幣使街道に入り、そこから四泊五日かけて四月十五日に日光に着いた。翌十六日午前中に東照宮に奉幣をすませると、帰りは日光街道より江戸に出て、東海道を通り、約十五日かけて京都に戻る行程をとるのが普通だった。

その後、栃木の町を調べてゆくと、例幣使街道が町の成り立ちと深く関わっているのが徐々にわかってきて、今度は栃木以外の例幣使街道の宿場にも興味がわいてきた。そこで、昨年（昭和五八年）の秋、三泊四日の予定で例幣使街道の宿場を幾つか選んで歩いてみた。

●碓氷峠より

まず、中山道を下る旅人の関東への入口とでもいえる、中山道の旧碓氷峠に登ってみた。旧軽井沢から峠までのつづら折れの坂道は、曲る度に、思わず息をのむほど紅葉が美しかった。

峠に鎮座する熊野神社は、那智宮が長野県側、新宮が群馬県側、中央にある本宮はちょうど県境上にあった。いかにも県境の峠の神社らしい。

近くの見晴台からは、妙義《みょうぎ》山のギザギザと尖った岩峰群、雲をかぶった浅間《あさま》山などの山々が眼前にそびえ立ち、はるか彼方には関東平野が広大な海のようにひろがってみえた。標高約千三百メートルのこの峠に登ってみて、ここが中山道往来の旅人達にとって最大の難所であったことが実感できた。京都の盆地で育った例幣使の眼に、峠からのぞんだ広大な関東平野の風景はどの様に映ったのであろうか。

軽井沢からは電車で高崎へ戻り、一泊し、翌朝高崎から電車で中山道の倉賀野に向かった。

例幣使街道の起点。倉賀野の追分

●中山道倉賀野宿

中山道の倉賀野宿は街道に沿って家並みが続く細長い町だ。歩いてみると連子格子の残る家、間口の割に奥行がある縦長な敷地を持つ家、背後に土蔵のある家など思っていたより宿場町の名残りがあった。

宿場町では街道に面した家々の間口は一般的に狭かった。そして奥行が深いのが普通であった。江戸時代の宿場の家は義務として、幕府公用荷物の輸送を果さねばならなかった。その輸送にあたる役を伝馬役といったのだが、その負担の軽重は家の間口の大小で割り当てられた。自然、役の負担を軽くするために間口を小さく構えたもので、そのかわり奥行はずっと深くとっていたのである。倉賀野もそうした町割りが、今に残っていたのである。倉賀野の町はずれまで行ってみると、道が二筋に分かれていた。ここが中山道と例幣使街道の追分、すなわち分岐点だった。

追分には、高さ約四メートルもあろうかという常夜灯が残っていた。正面に「日光道」右側面に「中山道」とある。道標の役割をも果しているのである。文化十一（一八一四）年の建立で、寄進者の中には、雷電為右衛門・鬼面山与五衛門・市川団十郎・松本幸四郎などの江戸の力士や歌舞伎役者の名前もきざみこまれている。常夜灯手前の道標には、

正面に、

従是　右　江戸道
　　　左　日光道

とあり、裏には、

南無阿彌陀佛

とあった。ここが例幣使街道の起点である。

●玉村宿から五料宿の関へ

倉賀野から次の玉村《たまむら》宿までは一里十八町ある。歩き始めると街道沿いの農家の背の高い樫の木の生垣が目についた。上州名物のからっ風はよほど強いのかも知れない。

玉村宿は幕末の大火で宿場の大半が焼失したとのことで、当時の面影はほとんど残っていなかった。が、例幣使街道の中では比較的大きな宿場であったらしい。かつて玉村宿からは惣社《そうじゃ》（前橋市）、八木原《やぎはら》、渋川《しぶかわ》と通り、三国《みくに》峠を越えて越後にぬける三国街道の脇往還が通じていた。しかも、中山道経由の三国街道を通るより一里以上近道であったため玉村宿を利用する旅人はかなり多かったのであろう。

玉村宿は、例幣使街道としては、例幣使一行が最初に泊る宿であった。泊る日付も例年四月十一日と決っていた。ついでながら例幣使の一行は前夜は、中山道の坂本《さかもと》宿に泊っている。それは日光到着が四月十五日と定められていたからで、日光の到着日から逆算して泊る宿場を決めていたからである。したがって、玉村の次は四月十二日天明《てんみょう》宿、十三日鹿沼《かぬま》宿、十四日は今市宿に泊るのが、通例になっていたのである。

その玉村から一里十八町先の五料《ごりょう》宿は、例幣使は通過するだけだったが、街道の重要地であったようで、街道唯一の「関」が設けられていた。

関の跡に行ってみると、当時の関所の門の礎石二基と井戸が残っているだけだった。関跡の横の商店の方から玉村町の教育委員会が出したというパンフレットをいただいた。それによると、例幣使一行は五料の関を六ッ半（午前七時頃）に通過し、利根川を渡ったとある。前夜の玉村宿をかなり朝早く出発したのであろう。

普通、例幣使の一行は御警衛組頭《ごけいえいくみがしら》、衛士《えじ》、史生《ししょう》、地下官人《じげかんにん》等の随員を伴い、五十人くら

●日光例幣使道の宿と里程●

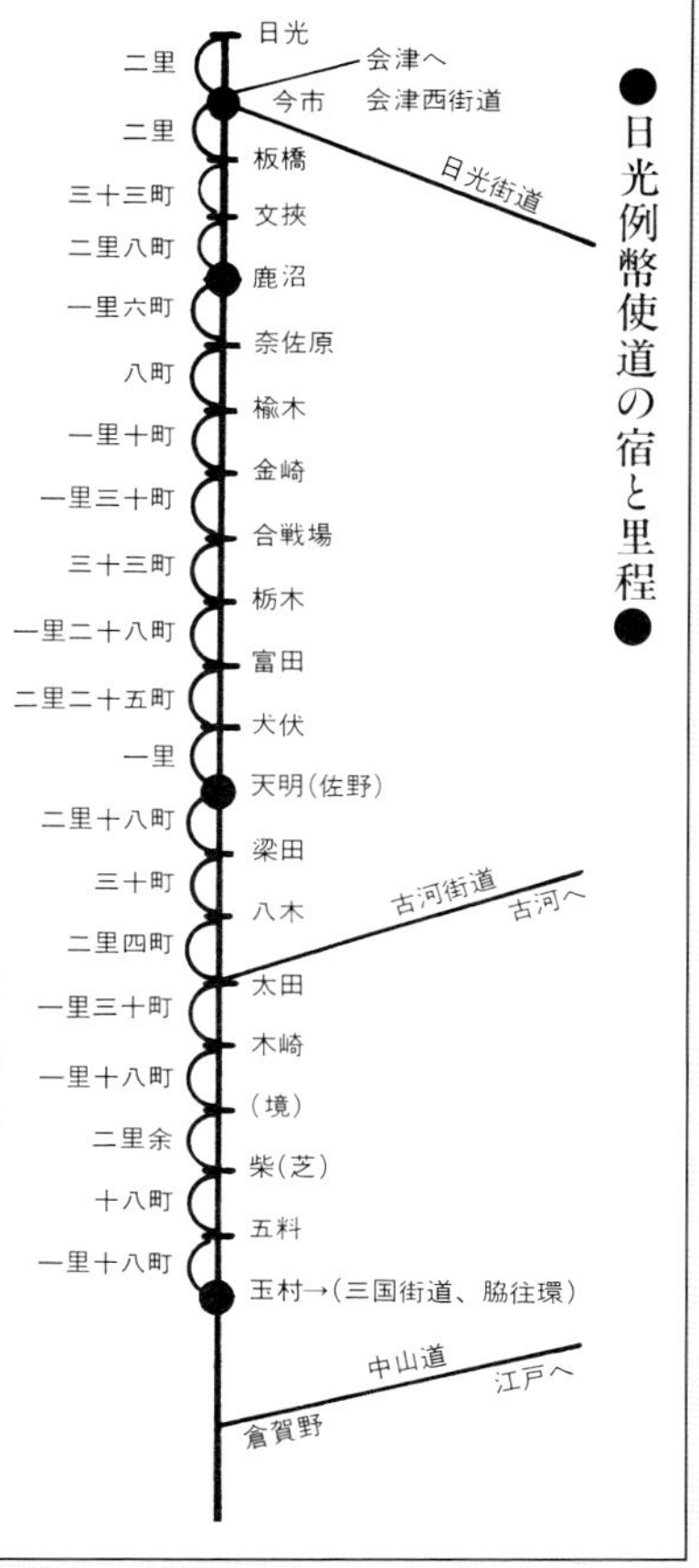
＊●印は例幣使の宿泊地
＊里程は『五街道細見』（岸井良衛編）による

玉村宿に残るワラ屋根の家

いであった。その通行の際、五料宿の助郷村近在十八カ村から人足三百三十人、馬十疋が動員されている。また、家康の神忌にあたる年は、例幣使のほかにも多数の宮、門跡、公卿達が参向したらしく、文化十二（一八一五）年家康の二百回忌の年は、三月二十五日から四月十二日にかけて約五十人もの公卿達が五料の関を通行している。このような時は近在の百姓達の負担は大変なものであったにちがいない。

●柴宿と例幣使の旅

五料宿から川幅約五百メートル程の利根川をはさんだ対岸が柴《しば》宿であった。柴宿には文化十一（一八一四）年の記録によると、百一戸の戸数があり、うち十軒が旅籠屋であったという。

川岸からやや街道を入ったところに枝ぶりのいい老松がのぞいている家があった。そこがかつて本陣を勤めた家である。本陣当時の建物はなくなっていたが、多くの古文書が残されているという。

柴宿の本陣を例幣使は小休止や昼食に利用していた。今でもその家には例幣使が小休料の代わりに残していったという色紙や短冊などが保存されているらしい。

例幣使には大納言、中納言などと、身分としては徳川御三家に匹敵するほど格式の高い公卿が任命されたが、高い官位の割に、収入は千石以下の者が多く、経済的には苦しかった。そこで経費を節約するために、色紙、短冊、扇などに揮毫し、宿泊料等に代えることが多く現金はほとんど使わなかったのである。それどころか、下賜品と引き替えに沿道の人々から、長芋、竹の子、鶏卵、煙草など土地の名産品を受け取っている。

また、東照宮で新しい金の御幣の奉納をすませた後は、旧幣を細かくきざみ、細片を一つずつ紙に包み、表に「東照大権現様御神体」と書いて、帰路の江戸で諸大名に配布し、初穂料としての金品を受け取っていた。さらには、例幣使や公卿達は道すがら人々から入魂金《じっこんきん》と称する金品を半ば強引にとったらしい。たとえば、駕篭に乗った時に「相談せんか、相談せんか」などと言って、駕篭をゆすったもので、相談に乗らないと自ら駕篭から落ちてみせて担ぎ方が悪いとごねてみたものらしい。あらかじめ入魂金を下役などに渡しておけばそういうこともなく、大過なく勤めを果せたものだという話も伝わっている。例幣使や公卿の通行は沿道の人々にとって、迷惑な面もあったのである。

ただし、人々から金品を巻きあげるだけでもなかったようで、文化十三（一八一六）年の四月十二日に、日本各地の霊峰を巡り歩いた野田泉光院が柴宿の次の境《さかい》宿で例幣使の通行を目撃した記録を残しているが、それによると、例幣使は「（略）御輿中より御包物道々御散しに付男女群集し拾い候事也」とある。たぶん、御供米を散いていたのであろう。御供米は天皇の食膳に供された御下がりを洗って干したもので、それを五粒ずつほど、十六弁の菊の御紋のある紙に包んだものであった。万病に効く妙薬として道中筋の人々は有難くおしいただいたものらしい。八万包もの御供米を持参した例幣使もあったことが松浦静山の『甲子夜話』にみえている。

境町下武士の旧道に残る一里塚

●木崎、飯盛女の宿

この日の宿場めぐりの中で印象深かったのは木崎《きざき》宿であった。もっとも宿場当時の面影は残っていなかったが、

「男通ればニッコリ笑う、女通れば石とって投げる……」

と木崎節に歌われた「色地蔵」などが残っていたからである。なんとも可愛いらしい顔の地蔵様であった。

この地蔵様は木崎宿に多かったという飯盛女《めしもりおんな》達の信仰を受け、「色地蔵」と呼ばれるようになったらしい。

江戸から明治のはじめにかけての木崎宿には、常に百人程の飯盛女がいたという。飯盛女とは宿場の娼婦をさす。木崎の飯盛女には越後出身の者が多く、特に蒲原《かんばら》地方の娘が多かった。蒲原平野は現在でこそ、我国有数の稲作地帯であるが、当時は貧しい農家が多かったのである。明治になって、乾田化が進むまでは、胸まで水につかって田仕事をしたものだと聞いたことがある。

そんな越後蒲原出身の娘達が歌っていた故郷の歌「新保広大寺節《しんぼこうだいじぶし》」や「蒲原口説《かんばらくどき》」から木崎節が生まれた。

木崎節の口説きに、

越後蒲原ドス蒲原……新潟女衒に
お手々をひかれ
三国峠のあの山の中……やっと着
いたが木崎の宿よ……
五年五カ月五五二十五両
永の年季を一枚紙に
封じられたはくやしくないが
知らぬ他国のペイペイ野郎に
二朱や五百で抱き寝をされて
美濃《みの》や尾張《おわり》の芋掘るように
五尺からだの真ん中ほどに
鍬も持たずに掘られた
くやしいな

という文句がある。

越後からきた飯盛女の心のうちがよく表われていて、胸を打つものがある。

飯盛女の中には、この地で果てた者もたくさんいたらしく、木崎宿周辺の墓地には「越後国蒲原郡某村」と刻んだ墓石が、今も多く残るという。

木崎の飯盛女に信仰された色地蔵

●太田宿と天明宿の本陣

太田で泊り、翌朝からは東武伊勢崎線で福居《ふくい》駅までゆき、そこから八木《やぎ》宿、梁田《やなだ》宿と歩いてみた。

太田は以前にも訪ねたことがある。その折、本陣の建物の一部（書院）が残っていたことを思い出してたずねてみたところ、火災にあったらしく、焼け焦げた柱ばかりが残る無残な姿に変っていた。

それでも、街道を東に少しいった所に、享和三（一八〇三）年建立の石の道標が、小さな地蔵堂の中にあった。一見しただけでは道標の存在に気がつかない。近づいてよくみると、正面に

右　たてばやし　こが道
左　日光道　やきさの駅

とある。道標からやや行った所が、館林をへて茨城県の古河へ通じる追分にあたる。

道標の裏面には、

「ひとすじに出れば安き法の旅　今なすわざぞ後の世の道」

と道歌がきざみ込まれていた。悟道の教えは味わい深いものがある。

渡良瀬《わたらせ》川に面した梁田宿は安政二（一八五五）年の記録によれば、飯盛旅籠屋が二十九軒あり、女が男より七十一人も多かった。それは八木宿も同様で八木や梁田は飯盛女の多い宿場であったらしい。舟運の盛んな頃は近くの猿田《やえんだ》河岸には舟問屋も多く、かなりにぎわったともいう。

渡良瀬川の渡しは大雨の降った後など、しばしば川止めになったが、例幣使は、たとえ川止めになっても川を渡る特権を持っていたため、梁田宿は通過するだけで、対岸の川崎に渡り、川崎天満宮に参拝し、その後野立《のだて》を行い休憩したものだと伝えている。

天明宿は今回の旅で訪ねることが出来なくて、後日訪ねてみた。例幣使街道は佐野の町の市街を東西につらぬいており、その中程が天明宿だった。

追分には地蔵様や道標があった（太田）

例幣使が参拝した天明宿の朝日森天満宮

天明宿は古くは佐野氏の城下として町割りされたらしく、鍵の手状に折れ曲る道が多い。例幣使街道も町の東端で大きく北へ折れ曲っていた。

例幣使一行が玉村宿の次に必ずといってよいほど、宿泊した松村本陣は天明宿の真ん中にあった。例幣使一行は、まず町の西端にある朝日森天満宮に参拝し、それから松村本陣に投宿したものだった。

その松村本陣は、文化十（一八一三）年当時の復元図でみると、部屋数十七、畳数七十五、建坪は約九十坪程である。建坪に限っていうと、他の例幣使街道の本陣の建坪が六十坪前後であったことから比べてみると、最大規模の本陣であったことがわかる。そこで、他の主要街道の最大規模の本陣建坪を、児玉幸多著、『宿駅』で調べてみると、東海道鳴海《なるみ》宿の六百七十六・五坪、中山道大宮宿の九百八十四坪、日光道越ケ谷宿の八百九十八坪、甲州街道横山宿の三百九十五坪、奥州道大田原《おおたわら》宿の三百八十一坪とあった。天明宿の松村本陣よりはるかに規模が大きいことがわかる。

つまり、全国的にみれば松村本陣は最小規模の本陣にしかならないのである。他の例幣使街道の本陣などがいかに小規模なものであったか容易に想像できる。数百人を超える大名行列の通行があった街道と比べてみると、三月末から四月中旬にかけて、例幣使や公卿達の五十人程度の行列が集中するだけの例幣使街道の本陣は、それほど大きくなくても間に合ったのである。

松村本陣跡を訪ねてみると、今はそこに大きなパチンコ店が建っているだけだった。

●合戦場から楡木宿へ

栃木で泊り、貸自転車を借りて合戦場《かっせんば》、金崎《かなさき》、楡木宿をたずねてみた。

合戦場の名は大永三（一五二三）年栃木城主皆川宗成と宇都宮忠綱の合戦があったことにちなむ地名だそうだが、私には別な響きがあった。栃木の町でお年寄りから、合戦場にはかつて遊女屋があり、栃木の町の人々もずいぶん遊びに出掛けた、という話を耳にしていたからである。

だから私には話にきく遊女屋のにぎわいぶりが、いかにも合戦場という勢いのいい地名にふさわしく思えたのである。

合戦場は、現在は東武日光線の合戦場駅周辺に商店街があるくらいで、例幣使街道の沿道はすっかりさびれていて、かつて飯盛旅籠屋だったと思われる連子格子の古い二階屋が目についただけであった。

合戦場の次の宿である金崎では、街道沿いに古く大きな門構えで、黒板塀や大谷石の塀のつづく、まるで武家屋敷のような家々が並んでおり、狭い間口の家々が街道に沿って密集する宿場のイメージはなかった。金崎をすぎると街道は田んぼの中を走っている。しばらく行くと、大型トラックが列をなして停車している大型パチンコ店があった。中に入ってみると作業着姿のドライバーらしい人が多い。街道を往き来するドライバーにとって、そこは一息いれられる、かつての茶店のような存在になっているのかも知れない。

楡木宿の手前で「日光例幣使街道」は、日光街道の小山《おやま》～新田《しんでん》間から分かれて壬生《みぶ》

追分からみた楡木の町、道が広い

壬生通りとの合流点、楡木追分の道標

を経由してくる「壬生通り」と合流している。厳密には「日光例幣使街道」はここで終り、以降、楡木～今市までは日光壬生街道となるのである。その追分の道標には日光から下ってきた旅人のためのものであろうか、

　右　中仙道
　左　江戸道

とある。

　楡木は街道に沿って、上町、中町、下町と家並みのつづく長い宿場町だった。下町、上町の端には、かつて木戸が設けられていて、各々「下の木戸」「上の木戸」と称されていたという。「下の木戸」の鍵を管理していた「錠前屋」という屋号のある家が今も残っていると聞いて探してみたが、わからなかった。

●鹿沼宿から今市へ

　翌日、栃木から電車で鹿沼、今市、日光へと一気に移動してみた。

　快速電車に乗って右手の窓をみていると、東武日光線がほぼ例幣使街道に沿って敷設されていることがわかった。昨日みた宿場の裏側がみえるのである。宿場の裏側には、田んぼが広がり耕作地となっている。

　家並みがとぎれると田んぼと道と草しかみえない。所々に農家がでてくる。家を囲むように森があり、大谷石のような石を用いた土蔵がみえる。昨日、自転車で一日がかりでまわった宿場が次から次へと現われては消えていった。たった二十分程で新鹿沼《しんかぬま》駅に着いてしまった。

　鹿沼に入ると、例幣使街道は町の南端で内町通りと田町通りの二筋に分かれ、北端で合流していた。元禄年間（一六八八～一七〇三）と推定される鹿沼宿絵図にも内町通り、田町通りと二筋の道があり、道の中央に堀が流れ、宿場はずれには木戸もある。鹿沼は幕末頃家数は八百戸を超す大きな宿であり、例幣使も毎年四月十三日は鹿沼へ宿泊することが多かった。

　内町通りでは栃木宿ほど多くはないが、店蔵造りの商家や土蔵が目についた。一軒の店蔵を真ん中でしきり、別の商売をしている家もあった。江戸時代の鹿沼近郊の産物は麻、蒟蒻《こんにゃく》、煙草、茶、紙が主であった。麻・煙草・茶などの商品化されたものは火や湿気にきわめて脆《もろ》いものである。生産物の集散地で問屋も数多くあり、人家も密集していた鹿沼では、栃木同様、土蔵や店蔵は不可欠だったのである。

　新鹿沼から快速電車で二十分程で、下《しも》今市《いまいち》に着いた。

　今市は日光街道、例幣使街道（正確には楡木宿よりは日光壬生街道となっているが）、会津西街道の合流地である。例幣使街道は町の東端にある「追分地蔵尊」で日光街道と合流していた。追分地蔵尊は高さ二メートルもある大きなもので驚かされたが、付近の人々には二十三夜様としても信仰されているという。

　旧宿場であった町筋に入ってみると、店蔵造りの店舗や、造り酒屋などが、やや古めかしい姿をみせているくらいで、アーケードを付けた商店街に、すっかり変っている。裏へ回っても古い家はあまり残っていない。町の北側を通る細い道は、表通りより人通りが多く、大衆食堂やスナック、惣菜屋などが並び、かえって活気がある。

　今市の町中をつらぬく街道の中程から会津西街道が北へ分かれ、また、町の西端にある瀧尾神社からは日光街道が延びている。いずれも見事な杉並木が続いていた。二年前〔昭和五七年〕の統計だが、日光街道には五千六百四本、例幣使街道には七千四百九十一本、会津西街道には千百三本の杉があるという。毎年百五十本程の杉が落雷や自動車の排気ガスで枯れ、年々、減る傾向にあるらしい。

　例幣使街道の旅としては楡木、あるいは今市までで充分なはずであった。が、杉並木に誘われるように、つい、ふらふらと日光行きの電車に乗った。どこまでも続いていると思われるように長く、そしてたんたんとした杉並木を窓外に眺めつつ、ふと、歩いてきた例幣使街道は、ほとんど勾配のない平坦な道であったなと思った。また、例幣使の派遣が止むと、栃木などを例外として、多くの宿がさびれていることも思われた。例幣使街道の宿は例幣使と共におこり、また、衰退していったのではないかと思えたのだった。

丘陵上に建つ郷原集落の畑越しに下城の集落を望む。桂川（相模川）に注ぐ鶴川流域沿いの下城にはわずかだが平地がひらけている

甲武国境の山村・西原に「食」を訪ねて

文・写真　賀曽利 隆

1 西原《さいはら》への道

雑穀の村

今年（昭和六一年）の五月中旬、私は、山梨県西原に行った。西原は、山梨県北東部に位置し、現在の行政区分でいうと、北都留《きたつる》郡上野原《うえのはら》町西原になるが、かつては西原村として一村を成していたところである。

私が西原に足を運ぶようになって、すでに数年がたつ。西原に目を向けたのは、ここでは未だに多種の雑穀類が栽培されているからである。

日本の文化を「食」を通して探ろうと、私たちの日本観光文化研究所で、一〇年ほど前に「山地食文化」というテーマを立てた。

山地にこだわったのは、平地の村に比べ、はるかに伝統的な食文化が山地の村には残されているであろうと考えたからである。

その「山地食文化」というテーマのもとで焼畑農耕や、狩猟、山菜・木の実・キノコ類の採取をおこなっている村をいくつか訪ね歩き、私自身の目でその実際を見てきた。

はじめのうちは、特にこれといったポイントももたずに何でも見てやろうという見方をしていたが、やがて、日本からまさに消え去ろうとしている雑穀類に注目し、今も栽培している村をみつけ、そこをフィールドにしようと思うようになった。

雑穀類というものが、研究テーマのひとつの切り口になりはしないかと期待したからだ。というのは、現在、日本人の主食となっている米以前を考える場合、雑穀類は欠かせないものなのである。

何度も足を運べるようにと、東京周辺に、フィールドを探した。秩父《ちちぶ》盆地周辺や丹沢《たんざわ》山地周辺の山村を歩きまわったが、いずれもわずかにアワやキビがつくられているだけで、これは、というフィールドをみつけられなかった。それだけに、西原に一歩足を踏み入れて、種々の雑穀類を目にした時の、私の驚きといったらなかった。

「日本にも、まだ、こんなところがあったのか！」

昭和五四年の秋のことだった。

村の中を歩いていると、あちらこちらで雑穀の畑を目にした。とはいっても、それらは一畝（約一〇〇平方メートル）、二畝という猫の額ほどの狭い畑ではあったが、まるで、雑穀類の展覧会のように、穂を伸ばした各種雑穀が栽培されていた。雑穀類の穂が黄色く色づいている風景は、私に稲穂のひろがる風景とはまた違う、しみじみとした稔りの秋を実感させてくれた。

アワの穂は、ふさふさと頭を垂れ、黄金色に輝いていた。

キビの穂は、稲穂に似てだらんと重そうに穂先が垂れ下っていた。

ヒエの穂は、キビとは逆に、穂先を空に向けていた。

モロコシは、一見するとトウモロコシにそっくりだが、丈の高い茎の先端にトウモロコシとはまったく違うもじゃもじゃっとした穂をつけていた。

アフリカのサバンナ地帯が原産で、日本からはすでに消えてしまったのではないかといわれるシコクビエもあった。シコクビエの穂は、指をすぼめたような形をしていた。

それらの収穫も見た。雑穀類はアワ、キビ、ヒエ、モロコシ、シコクビエと種類は違っても、すべて、穂の下を鎌で刈り取る穂刈りなのである。それら雑穀の穂を軒下にぶらさげたり、莚《むしろ》に広げて干したりしている光景は、

「雑穀の村」

を、強烈に私に印象づけた。

日本で古来から栽培されてきたアワ、キビ、ヒエ、モロコシ、シコクビエと、これだけとりそろえてつくっているところは、日本でも他にはほとんど例をみないであろう。

「よーし、決めたぞ！」

と、その時以来、私は西原に足を運んでいるのである。

鶴川に沿って

西原への玄関口は、国鉄中央本線の上野原駅である。駅に降り立つと、さわやかな五月の風がほほをなでる。上野原周辺は、桂《かつら》川の両岸に河岸段丘が見事に発達したところで、ホームからは、まるで地学の教科書から抜け出たような、対岸の三段、四段となった階段状の地形が見られる。それぞれの段丘面には家々がかたまっており、周囲には田畑がある。ひとつの独立した生活空間を感じさせる景観である。

改札口を出て、急な階段を登り、駅前広場に出る。広場とはいっても、上野原駅前自体も桂川左岸の狭い段丘面にあるので、バスが回転するのがやっとの広場である。駅前広場に立って見上げると、段丘崖の急な斜面に駅前旅館が建っている。

西原には、富士急バスに乗っていくのだが、本数は一日に六本と限られている。私が乗ったのは、駅前八時二一分発の一番のバスである。通学の高校生を乗せ、立錐の余地もないほど満員になったバスは、段丘上にある上野原の市街地に向け、段丘崖の急坂を登っていく。

まもなく、平坦な台地が目の前に開ける。堀割りになった中央高速道路をまたぎ、甲州街道（国道二〇号線）沿いに細長く延びる市街地に入っていく。

上野原は、甲州街道の重要な宿場として発展をとげ、江戸時代後期には、二五〇余軒もの商家が軒を連らねたという。その名残をとどめるかのように、何軒か見られる土蔵造りの商家が目を引く。

ここはまた、早くから郡内《ぐんない》機業の一中心地として栄

甲州街道の上野原付近で合流する鶴川（手前）と桂川（写真左側）。中央本線は桂川の河谷に沿って走る

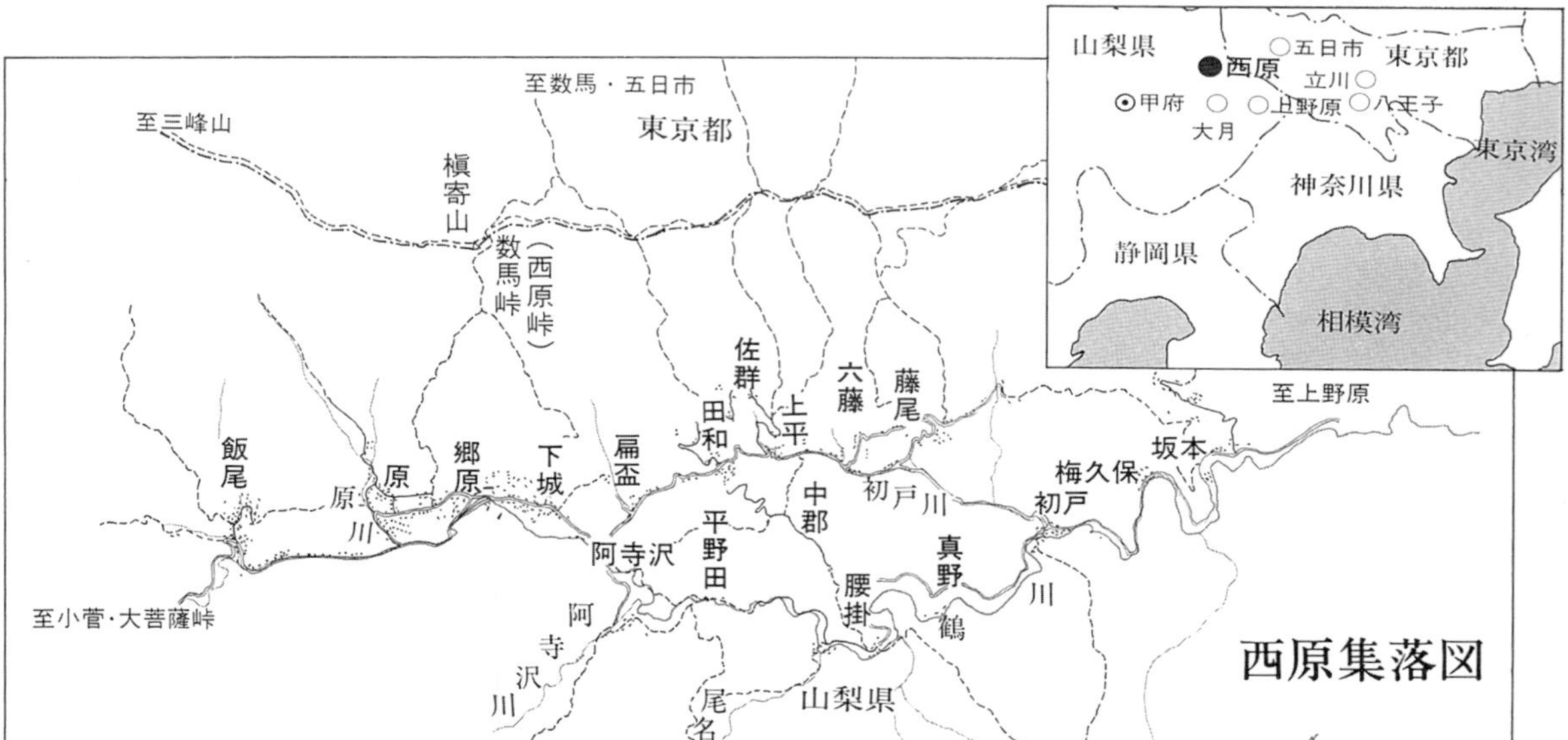

旧宿場町の上野原には数軒の土蔵造りの家が残っていた

え、谷村《やむら》（現都留《つる》市）とともに絹市が立ったところでもある。今でも製糸工場が何軒かあり、町を歩いていると、カタカタと糸車のまわる音が聞こえてくる。なお、郡内地方とは、山梨県の東部地方を指す呼び名で大菩薩《だいぼさつ》峠―笹子《ささご》峠―御坂《みさか》峠を結ぶ分水嶺で、甲府盆地を中心とする国中《くんなか》地方と分けられている。郡内地方と国中地方は、甲州を二分しているのである。

上野原の町中《まちなか》で高校生が降りてしまうと、車内はいっぺんに空《す》き、乗客は私を含めて三、四人しかいなくなってしまう。市街地を通り抜け、甲州街道と分かれて上野原の町の出口、西原の方から見れば町の入口にあたる新井《あらい》を通り、やがて、桂川の支流の鶴川にかかる橋を渡る。

鶴川は、クラクラッと目まいをおぼえるほど深い谷をつくつている。まるで、スパッと斧で断ち割ったようだ。この橋の上から飛び降り自殺をする人がつづいた。それを防ぐために、橋の欄干の上にさらに何本かの鉄線と有刺鉄線が張られている。

西原は、この鶴川のずっと上流に位置しているのだ。

バスは鶴川の谷沿いの道を走る。狭く曲りくねった道。対向車とすれ違うたびに、冷やっとする。右手に見える青空を背にした山なみは、甲武国境の山脈。山の向こうは、東京都檜原《ひのはら》村になる。

五月の山々は、新緑がまぶしい。萌木《もえぎ》のやわらかな緑と、植林されたスギやヒノキのかたい緑が、まるでパッチワークのように入り混じっている。それに色どりを添えるかのように、ヤマフジやヤマブキが咲いている。

棡原《ゆずりはら》に入る。棡原も西原とおなじように、かつては一村を成していたが、昭和三〇年の町村合併で上野原町の一部となった。ふた昔ほど前には、しばしばマスコミにも登場し、長寿村として脚光を浴びたことのあるこの山村も、今では、年寄を残して五〇代、六〇代の働き手が先に死んでしまうケースが多くなり、長寿村も色あせてきた。

その理由として、雑穀食や麦食が米食に変り、それまでほとんど食べなかった肉類を盛んに食べるようになったという食生活の変化や、かつては、どこに行くのにも歩いたものが、今では、隣の家に行くのにも自動車を使うといった生活環境の変化があげられている。

バスは、棡原のいくつかの集落を通り過ぎていく。鶴川のV字谷はいよいよ深さを増し、谷の両側の山々は垂直に近い角度でそそり立っている。

初めて西原に行った時のことを思い出す。バスがこのあたりまで来た時、あまりにも深山幽谷の地に足を踏み入れたので、

「ほんとうに、この奥に人が住んでいるのだろうか」

と、心配になったほどである。それほど、谷も山も深い。

この道では、崖崩れがひんぱんにおきる。いつ来ても、どこかで工事をしている。危険だからといってバスが通れず、歩いて西原に入ったこともある。

山の中腹に位置する藤尾。道は等高線に沿って、走っている

西原に入る

上野原駅前を出発して五〇分、峡谷を抜け出て、バスは初戸《はど》という停留所に止った。わずかに開けた小空間に、二〇戸ほどの家々が寄り添っている。ここからが旧西原村。初戸とは、いかにも村の入口らしい地名ではないか。

初戸の、立っているのが容易でないほど急傾斜の畑では、コムギが勢よく穂を伸ばしている。オオムギの穂も目に入る。麦類とまるでセットにでもなっているかのように、エンドウマメが赤紫や白い花をつけ、家まわりの畑では、ナノハナが咲いている。

初戸では、元気な声を張りあげて、保育園児が五人、おばあさんや母親の見送りを受けてバスに乗り込んできた。車内は、急ににぎやかになる。

初戸を過ぎると、バス道路は鶴川本流を離れる。六藤《むそうじ》、上平《わったいら》、佐群《さむれ》入口《いりぐち》という停留所に止るたびに、保育園児が一人ずつ乗ってきた。

車窓からながめる西原の山々は、大部分が植林されたスギやヒノキで覆われている。西原の全面積は三六七一ヘクタールあるが、そのうち二九五三ヘクタールが山林で、すべて民有林である。山林の面積は八割を越える。ただし、民有林とはいっても、大半は、大山林地主の持山で、終戦後、山を持つ家が増えたが、それでも西原全戸の三分の一あるかどうかである。

林業は、たしかに西原を支える主要な産業なのだが、近年の木材価格の低迷や、木材需要の落ち込みにより、林業の現状は苦しい。それに追い打ちをかけるかのよう

山の中腹を通る西原への道は、豪雨などでしばしば崩れる

に、今年の例年にない春先の大雪で、樹齢二、三〇年のスギやヒノキが次々に折れた。車窓から見える植林の山のあちこちに、折られた先を白く見せたまま、まるで槍先を天に向けるかのように立つスギやヒノキ……。その光景は、何とも無残である。

緩やかな峠の上に拓かれた田和の集落。手前の南側斜面には畑を作り、北側の斜面には植林がなされている

なお、私は冬にも何度か西原に足を運んでいるが、雪に降られたことは一度もない。寒さの厳しい西原だが、雪は少なく二、三〇センチも降れば大雪なのである。

ゆるやかな峠を越える。

峠上の集落は、田和《たわ》という。峠の語源にはいくつかの説があるが、西日本では、峠のことを「たお」とか、「たわ」といい、東日本にも大垂水《おおだるみ》峠とか大弛《おおだるみ》峠といった峠名があり、ともに山の鞍部《あんぶ》をいいあらわす「たわみ」、もしくは「たわむ」からきているのではないかといわれている。西原の田和も、峠をいいあらわす「たわ」からきている可能性もある。

峠の田和で一人、峠を下った扁盃《へはい》でさらに三人の保育園児が乗り、バス道路が再び鶴川の本流と出会う下城《しもじょう》で、園児たちは降りた。そこに、保育園があるのだ。

下城には、旧西原村時代、村役場があった。現在でも、上野原町役場の西原支所があり、警察の駐在所や農協事務所、小学校、中学校、ガソリンスタンド、雑貨店、酒店、理髪店、旅館、食堂などがバス道路沿いに並び、西原で唯一の町といえるような集落になっている。

下城で、再び、ガランとした車内にとり残された。

下城は、ごく小規模な盆地状の地形になっている。が、平地はほとんどない。道路沿いの家なみの背後は、ゆるく傾斜する畑で、見上げると、かなり山の上にまで家々が点在している。しかし、鶴川の対岸の山には、家は一軒もない。対岸は北向きの斜面になり、山は一面にスギやヒノキが植林されている。

バスは鶴川の河畔から、山裾の台地に上る。郷原《ごうばら》を通り、次の原《はら》で私はバスを降りた。

中郡から見る下城の集落。集落の向こうの山並が落ち込んだ箇所が鶴峠

中郡から佐群を見る。背後の山なみは、甲武国境の山々

バスは、原から先は再び鶴川の河畔に降り、鶴川に沿って西原の最奥の集落、飯尾《いいお》まで行っている。さらにその先、道は鶴峠を越えて小菅《こすげ》村へとつづいている。

2 峠道と山上の道

開けた山村

バスで通ってきた初戸、六藤、上平、田和、扁盃、下城、郷原、原のほかに、西原の集落としては、甲武国境の山脈の中腹に位置する藤尾《ふじお》、佐群《さむれ》があり、鶴川本流と支流にはさまれた島状の山塊の上に中郡《なかむれ》があり、初戸と下城の間の鶴川沿いには、真野《まの》、腰掛《こしかけ》、平野田《ひらのだ》、阿寺沢《あてらざわ》があり、さらに飯尾がある。これら西原の集落は、初戸、川通《かわどおり》、藤尾、田和・上平、扁盃・下城、郷原、原、飯尾の八地区に分けられている。川通には中郡、真野、腰掛、平野田、阿寺沢が含まれ、藤尾には六藤が含まれる。西原の世帯数と人口だが、合計すると世帯数は三八六世帯、人口は一三三一人ということになる（昭和六一年四月三〇日現在）。

標高一〇〇〇メートル前後の山々に囲まれた西原は、バスで通ってきた上野原に通じる道のほかに、周囲をとりまく山なみを越える峠道が何本もある。自動車交通が全盛となった現在では、それら峠道の大半は草に埋もれてしまっているが、かつては峠道が交通路の主流であり、峠を越えて広範な地域と結びついていた。

西原と他地方をつなぐ峠道を、次にあげてみよう。

三頭山《みとう》（一五二八メートル）を最高峰とする甲武国境の山脈の向こうは、東京都檜原村だが、昔から西原と檜原の交流は密で、西原の藤尾から檜原の数馬《かずま》へ、田和・佐群から数馬へ、下城・郷原から数馬へと、数馬に通じる数馬峠（数馬側では西原峠と呼んでいる）や、同じく、檜原の笛吹《うずしき》に通じる笛吹峠など西原―檜原間には何本もの峠道が開けていた。

これらの峠を越えて、西原から檜原へ嫁入りする光景がよく見られたものだという。

「檜原の女は、いい着物を着て、化粧もしているけど、ブッチャケた顔しているからなあ。それに比べると、西原の女はボロを着ていても、いい顔をしている」

西原の男たちはそういっているが、他村への対抗意識を差し引いても、なるほど、西原には美人が多い。おまけに、西原の女は評判の働き者なので、

「西原の女を嫁に」

と、もらい手が多かったのにちがいない。

明治期あたりまでは、西原と五日市の結びつきは強かった。西原から数馬峠や笛吹峠を越えて檜原から五日市へと炭を出し、木材を出していた。スギ、ヒノキ、サワラなどの桶材や、屋根材としてのスギ板も出していた。五日市には炭問屋や材木問屋があり、また、五と十の日には市が立って山方と里方の産物が取り引きされた。

西原から鶴峠（八八五メートル）を越えると、小菅村の中心地の川久保に出る。この峠道は、今は舗装された自動車道になっている。

ところで、甲州街道の裏街道ともいえる青梅《おうめ》街道は、古くは川久保を通っていた。その当時の青梅街道は、東京の新宿で甲州街道と分かれ、青梅、氷川、川久保を通

り大菩薩峠を越え、塩山《えんざん》から甲府《こうふ》へと通じていたのである（なお、現在の青梅街道は大菩薩峠の北の柳沢峠を越えている）。

西原の酒屋は、明治期には鶴峠を越え、大菩薩峠を越えて、塩山の造酒屋から酒を仕入れていた。その当時、大菩薩峠には荷渡所があったという。塩山の造酒屋は、峠の荷渡所まで馬で酒樽を運び、伝票をつけて置いておく。それを西原から馬で取りに行くのである。酒樽の受け渡しは伝票だけで、人は立ち合わなかった。そして、一年に一度か二度、造酒屋の番頭が集金にやってきた。峠には無人の長兵衛小屋があり、戦前までは、荷渡所の石囲いと朽ちた用材が残っていたという。この大菩薩峠越えの道も、戦後はほとんど使われなくなった。

西原から旧七保《ななほ》村（現在大月市）に通じる小佐野《こざの》峠も、昔はよく利用された峠道だった。西原ではほとんどイネをつくっていなかったが、七保ではつくっていた。そのため、西原の人たちは小佐野峠を越えて米や稲藁《いなわら》を買いに行ったのである。稲藁は、縄《なわ》になったり、莚《むしろ》を編んだり、草履《ぞうり》をつくったり、養蚕のまぶしにしたり、牛馬の飼料にしたりと、日常生活には欠かせないものだった。

家々の玄関に貼られている三峰山や御岳山の御札

また、小佐野峠は富士登山をするための富士街道の峠でもあった。西原から小佐野峠を越えて七保に下り、大月、谷村を経て富士吉田の浅間《せんげん》神社に参拝し、富士山頂まで登ったのである。小佐野峠を越える参拝者は地元の西原の人たちのみならず、小菅村や丹波山《たばやま》村、東京都の奥多摩の人たちも多かった。峠には権兵衛茶屋という峠の茶屋があったという。

なお、西原からは、講を組んで相州（神奈川県）の大山《おおやま》や秩父（埼玉県）の三峰《みつみね》、上州（群馬県）の榛名《はるな》山、野州（栃木県）の古峰《ふるみね》、木曽（長野県）の御岳《おんたけ》などに参っていた。

近くの神々や遠くの神々を参ることによって、旅を楽しみ、同時に他の世界を知るよい機会になったのかもしれない。この小佐野峠を越える峠道は、昭和三〇年代前半まで利用されていた。

小佐野峠から南東に延びる山なみは、権現山（一三一一メートル）でぐっと高くなっているが、山頂を越え、旧甲東《こうとう》村（現在上野原町）の和見《わみ》に下る道もあった。

権現山の山頂近くには、大群《おおむれ》権現がまつられており、祭りの日には露店が並び、大きな賭場が開かれたという。警察も、さすがに権現山までは踏み込めなかった。賭場は、祭り以外の日にも開かれたという。

その権現山を指して大群《おおむれ》という。甲武国境の山なみの中腹には、佐群《さむれ》という集落がある。両山地の中間に位置する丘陵上には中郡《なかむれ》という集落がある。佐群、中郡、大群と、群《むれ》と郡《むれ》には何か意味があるように思われる。

私は、群・郡には、牟礼《むれ》と同様な意味があるのではないかと考えている。

牟礼には、山の意味があるという。たとえば東京都三鷹市の牟礼には、周囲とは異相の南北六〇〇メートル、高さ一五メートルの丘陵がある。

群・郡にも、山、つまりより尾根筋に近い集落、「山

養蚕を行っていた西原には兜造りの草屋根の民家が多い

上の世界」に通じるものがあるのではないか。

西原の集落の中でも、尾根に近い集落は古いといわれている。そのような集落と集落を結ぶ道が、山の中腹を縫っている。ほぼ等高線に沿った道だ。

そのような中腹の道の上には「山上の道」といってもいいような尾根道があった。尾根道は現在でいうとバイパスとしての色彩を強く持っており、隣の集落への道というよりも、遠方に行くための道として使われた。

西原では、秩父の三峰神社のお札を玄関口に貼った家を多くみかける。三峰さんは、火難、盗難を防いでくれると、今でも厚く信仰されているのである。

現在の交通路、鉄道や自動車道で考えると西原から三峰山までは遠い。しかし、西原からいったん数馬峠に上り、三頭《みとう》山から雲取《くもとり》山へとつづく甲武国境の尾根道をたどれば、西原から三峰山までは、まるで定規で線を引いたような直線となり、歩いても一日で行きつける距離なのである。

同じような尾根道をたどって、奥多摩の御岳《みたけ》山にも参拝していた。その尾根道は、三頭山でもって三峰山に通じる道と別かれ、鋸《のこぎり》山、大岳《おおたけ》山を経て御岳山へとつづいている。

このような尾根道をたどって、三峰山や御岳山への参拝が、戦前あたりまではおこなわれていたという。

今でこそ、交通の便の悪い、閉ざされた山村としてのイメージの強い西原だが、かつては峠道や尾根道など、網の目のように張りめぐらされた山道でもって、四方八方に通じていた。「閉ざされた」どころか、まさに「開けた」山村だったのである。

3 民宿中川園と白芳館

見下ろす風景

原の停留所でバスを降りた私の目の前には甲武国境の山脈に向かって、ゆるくせりあがった傾斜地の畑が、一面に広がっている。

クワ畑が目立って多い。若芽を伸ばしはじめたクワに混じって、茎の赤いナツソバが数センチほどになっている。雑穀類も芽を出している。コンニャクも芽を出しはじめている。オオムギやコムギは、穂を伸ばしている。狭い畑をさらに細分化して、様々な作物が植えられている。

オカボも見える。が、どこを見わたしても水田は無い。原にかぎったことではなく、西原全体をみても、水田はないに等しいといえるほどなのである。

西原の一戸あたりの畑は狭い。たんに狭いだけではなく、所有権が入り込み、こちらの畑、あちらの畑、山の畑と、一軒の家の畑が飛び飛びになっている。それらの畑を合わせた一戸当りの平均は、三反（約三〇アール）程度でしかなく、その狭い畑を一年中休ませることなく、倍の六反にも、一町歩（約一ヘクタール）分にも使い、雑穀類、麦類、芋類などの畑作物をつくってきた。

狭い畑を休みなく使うために、西原の人たちは人一倍働く。腰の曲がった老婆は、堆肥の入った、体が隠れて

軒下にモロコシの穂を干している

しまうほど大きな背負籠を背負って、畑に向かっていく。反対に山からは、柴を背負ったこれも老婆が降りてくる。耕耘機を押したり、鍬を振って畑を耕しているのも、年寄だ。

　若い人たちの姿は、まず、見かけない。男たちは、自家用車を走らせ、上野原の町や東京の高尾とか八王子、立川方面に勤めに出ている。女たちも、マイクロバスが迎えに来るパートの仕事に出ている。そのために、畑は残された年寄たちの仕事場ということになるのである。

　原の火《ひ》の見櫓《みやぐら》に登ってみる。原と郷原が、一望のもとに見わたせる。樹齢数百年の大杉がこんもり茂る一宮神社の森が見える。ひときわ目立つ大屋根は、臨済宗の宝珠寺《ほうしゅ》だ。寺ほどではないにしても、大屋根の家が多い。二〇年ほど前までは、そのほとんどが茅葺きだったという。今でもまだ茅葺きの家は残っているが、大半の家は造りをそのままにして、上からトタンをかぶせてある。

　入母屋形式の屋根の破風が兜に似た形をした、山梨県に多く見られる独特の兜造りの家もある。そして、中二階の家が圧倒的に多い。

　このような比較的大きな中二階の家が多いのは、養蚕と密接な関係がある。かつての西原では、全戸といってもいいほど盛んに養蚕をやっており、蚕室として利用する中二階や大きな屋根裏が必要だったのである。

　養蚕は、炭焼とともに西原に現金収入をもたらす二大生業であった。それが近年、ともに衰退し、今では養蚕農家は全戸の一割にも満たないほどである。それでもまだクワ畑は　いたるところにあり、春蚕《はるご》、夏蚕《なつご》、秋蚕《あきご》と年三回、養蚕をやっている。

　まもなく春蚕がはじまろうとしていた。

中川園の食事

　私は火の見櫓を降りると、今晩の宿となる民宿中川園を訪ねた。今では残り少なくなった茅葺き屋根の民宿中川園の主人中川勇さんは、温厚な方で、やさしそうな笑みを目尻にたたえている。小柄な中川さんだが、明治四四年生まれには見えない元気さで、毎日、畑仕事に精を出している。

　西原では、最近はめっきりすくなくなった麦類だが、中川さんはまだ、オオムギとコムギをつくっている。昼食前に、麦畑を見せてもらった。オオムギの穂はかなり伸びていたが、コムギはやっと穂が出はじめたばかり。西原に来る途中、バスの車窓から見た棡原のコムギと比べると、ずいぶん生育が遅れているようだ。

　原あたりの標高は五〇〇メートルから六〇〇メートル。標高三五〇メートル前後の棡原よりもはるかに高い。その二〇〇メートルあまりの高度差のために、西原と棡原では、コムギの生育ひとつをとってみても、半月近いズレがあるという。また、同じ麦類でも、オオムギとコムギでは半月ほどのズレがあり、同じ時期に種を播いてもオオムギは六月中旬に収穫できるが、コムギになると六月下旬から七月上旬の収穫になる。

アワ２種

キビ

シコクビエ

ヒエ

オオムギ

下段（左）ソバ、（中）モロコシ、（右）トウモロコシ

昼食に、中川さんの奥さんがアワ飯を炊いてくれた。アワ飯やヒエ飯などの雑穀飯は、かつての西原の主食であった。

とはいっても、奥さんが炊いてくれたアワ飯は、米六合にアワ一合の割合で、米だけの飯に比べたらはるかに風味がある。白米の白さにアワの黄色が混じって、見た目にもきれいなので食がすすむ。

ところが、アワ飯を毎日のように食べていたころは、米とアワの比率はまったく逆で、アワの中にパラパラと米が混ざっているような飯だった。米の一粒も入らないアワ飯やヒエ飯も、ごくあたりまえであったという。

昼食のおかずは、山で採ってきたばかりのフキの煮つけと、フキを醤油で煮しめたキャラブキ、サンショの若芽を醤油で煮しめた佃煮、焼シイタケ、塩ザケ、それと豆腐、油揚、冬菜の入った味噌汁で、山里の味覚を十二分に堪能させてくれた昼餉《ひるげ》の膳だった。

塩ザケと、アワ飯の米を除けば、厳密にいえば塩と醤油もそうだが、昼食の膳に出たものすべてが、中川さん宅の自家製のもの、自給のものである。

サンショは家まわりに植えられているし、シイタケは裏山の竹やぶに隣り合った一角で栽培されている。味噌も、自家製の味噌である。このような自給自足の色彩の強い食生活は中川家にかぎらず西原では、今でもかなり一般的にみられるものである。

また、米を別にして、塩ザケが唯一、外部から入って来たものである。海から遠くはなれた山国西原では、塩イワシや目刺がごちそうであった。塩ザケももちろんそうである。客である私の膳に塩ザケがついたのも、その名残といえるだろう。

雑穀の種播き

午後からは、中川さんにアワとキビの種播きを見せてもらった。実は、それが今回の西原訪問の第一の目的であった。

家の近くの、二畝（約二〇〇平方メートル）ほどの畑を二分し、一方にアワ、残り半分にキビを播くという。

中川さんは、まず庭に腰掛を持ち出して座り、その前に箕を置き、ネズミにやられないように石油カンに入れて保存してあったアワの穂を、箕の上でもみほぐす。イネやムギと違って、脱粒性の高い雑穀類は、このように手でもみほぐすぐらいで簡単に種がとれるのである。

その後で箕をふってごみを飛ばし、飯碗くらいの大きさのカップに種を入れる。一〇本の穂からとった種は、カップに半分くらいの分量となったが、一畝分ぐらいの畑に播くには、それで十分な量だという。つづいて同じようにしてキビの種をとる。キビはアワよりもさらに脱粒性が高いので、ほとんど時間をかけないで種をとることができた。

アワとキビの種を比較してみると、アワ粒はキビ粒よりもひとまわりほど小さい。「粟粒のように」と、小ささの形容詞にアワが用いられるが、実物を目の前にすると、なるほどとうなずける。米粒を十等分しても、まだアワ粒よりは大きいであろう。

中川さんは、種の入ったカップを背負籠に入れて背負い、小型耕耘機のエンジンをかけ畑まで押していく。最初に耕耘機で耕したあと、三本鍬で畑をならし、うねを立てる。うねとうねの間隔は五〇センチほどだが、鍬でうちかえした溝の部分に、一冬寝かせてつくった堆肥をまき、その上から、腰をかがめて振りまくように、パラパラッとできるだけ薄く種を播いていく。播いたあとから、足で種が隠れるか隠れないくらいに土をかぶせていく。

土をうっすらとかけていくことなど、とても私にはできそうにもなかったが、種播きならなんとかできるのではないかと、ためしにやらせてもらった。

「下手な人が播くと、どうしても厚くなってしまう」と、中川さんにいわれたように、畑に落ちた種をみると、種が重なり合い、ムラができてしまっている。

アワもキビも二週間ほどすると芽が出はじめるが、芽が出たあと別に間引きをするわけでもないので、種を厚く播くと苗が密生してしまうのだ。

アワ（左）とキビ（右）の種

中川さんの畑の隣の畑も、雑穀畑だとのことだったが、そこにはすでにキビとモロコシが播かれたという。また、別隣りの家の畑では、老夫妻がサトイモの植えつけをしていた。サトイモの種イモは、秋に収穫した親イモのまわりについている子イモで、それを冬の間土の中に埋めておき、四月から五月にかけてそれを掘り出して植えつけるのである。

夕食の煮込み

種播きを終えると、中川さんはいったん家に帰り、今度はツルハシを持ってモウソウの竹やぶに行く。タケノコ掘りをするのだ。片一方が尖った刃、もう一方が幅広い刃をしたツルハシで地面から顔を出したタケノコのまわりを掘り、掘ったタケノコを次々に背負籠に入れ、家に持って帰る。

さっそく、庭にしつらえたかまどの大鍋で皮をむいたタケノコをゆでる。グラグラ煮立ったところで、米糠を入れ、アク抜きをする。そのタケノコが夕食に出た。

夕食は、とれたてのタケノコと冬菜の入った煮込み。煮込みとは、甲州名物「ほうとう」のことで、国中地方ではほうとうといっているが、郡内地方では煮込みといっている。

煮込みは、小麦粉をこねて塊をつくり、それをノシイタの上にのせ、ノシボウでのし、それを包丁で切り、ゆであげずにそのままサトイモやダイコン、カボチャ、青菜類などの季節の野菜類や、タケノコ、それにキノコの入った味噌仕立の汁で、煮込んだものである。煮干でダシをとっている。

麺には、具《ぐ》の味と味噌味とがしみこみ、熱いのをふうふういって食べるのは美味なものである。具のタケノコもたっぷり汁を吸ってやわらかくなっている。煮込みは、季節、季節にとれるものを具に入れているので、食べながら季節感をも味わえる。

この煮込みは、夕食に食べるものと決まっており、毎日といってよいほど、ひんぱんに食べられ、きわめて日常的な食べものになっている。

ところで、うどんだが、漢字では今では饂飩と書かれているが、平安時代に中国から伝わった時点では、餛飩

西原の畑地は所有権が細分化され入り乱れている。そのためか山の斜面の畑もモザイクのような模様を刻んでいる

右上　手前は穂をつけたアワの畑、その奥には桑畑が広がる
左上　腰をかがめてパラパラとできるだけ薄くアワやキビなどの種をまいていく
左下　梅雨の合間のオオムギの刈りいれ

と書かれていたという。餛飩は、小麦粉で皮をつくり、その中に餡を入れた唐菓子だったという。ぎょうざ風のものといったらいいのであろうか。この餛飩の北京語発音がフォントン、広東語発音がワンタンで、山梨のほうとうや栃木のはっと汁、大分のほうちょう汁など、煮込みのたぐいは、実はこの餛飩（フォントン）に由来しているとの説もある。

この説を信じるとして、なぜ山梨県の国中地方に飛び地的に中国の発音に近い言葉が残ったのだろうか。それはひょっとすると、甲斐が中世の鎌倉と深いつながりを持っており、鎌倉の禅宗の外国僧（中国僧）がもたらした言葉の影響が残ったのかもしれない。

うどんが一般的に食べられるようになったのは、近世以降のことである。それ以前は、煮込みのような食べ方が一般的だった。

馬方の時代

五月とはいえ、高地の西原では、日が落ちると寒さをおぼえるほどである。

夕食後、掘りごたつに足をつっこみ、お茶を飲みながら、中川さんの話を聞いた。

中川さんは、戦前、畑仕事の合間に馬方《うまかた》をやっていた。今でいうとトラックを使っての運送業だ。当時、西原から上野原に、さかんに炭や材木を出していた。それら荷物を運ぶ馬方が、西原だけでも三〇人以上いたという。

西原方面からみると、上野原の市街地の入口にあたる新井《あらい》に、荷受所の炭問屋や材木問屋があった。中川さんは、当時、毎日のように西原と新井の四里（約一六キロ）の道のりを往復していた。馬は自分の持ち馬で、中川さんは自営の運送業ということになる。険しい山道を行き来するので、一人の馬方が一頭の馬しか引けなかった。馬は西原の馬喰《ばくろう》（牛や馬の仲買人）から買った。西原には、昭和二〇年代まで三人の馬喰がいた。

炭を運ぶ時は、馬の背に片側に四俵ずつ、計八俵の炭俵を積むのがふつうだった。一俵の重さが四貫（約一五キロ）で、強い馬だと一〇俵を積んだ。

木材は丸太の場合もあり、製材した板の場合もあった。西原には二カ所に、製材所があった。丸太は直径一尺（約三〇センチ）、長さ一三尺（約四メートル）という太い丸太を積んだこともあった。

西原と上野原の間を毎日二、三〇頭の馬が行き来していた。そのため、狭い山道でのすれ違いは骨の折れるもので、向こうから来る馬の姿をみつけると、かなり手前で待たざるをえなかった。

その話を聞いて、私は現在の道路状況を思わずにはいられなかった。というのは、馬から車に変っただけで、昔も今も、同じことをやっているからである。上野原から西原への自動車道路は、冒頭でもふれたとおり、曲りくねった山道で道幅が狭い。そのため、車のすれ違いは容易でない。バスは、対向車とすれ違うたびに止るし、すれ違えなくてバックすることもある。見通しの悪いカーブでは、出会いがしらの事故も少なくない。

話は横道にそれたが、そのような道なので馬の事故も少なくなかった。すれ違う時に足を踏みはずしたり、石につまずいたり、積荷が木にひっかかったり、冬の凍り

木材や炭を運んだ馬の供養塔

ついた坂道で滑ったり……。そのようにして谷底に落ちて命を落とした馬を供養するため、馬頭観音碑を立て、交通安全を祈願した。そうした馬頭観音碑は、今でも西原を歩いているとかなりの数が目につく。

上野原に運び出す積荷には、季節によっては繭や、コンニャクがあった。忙しい時期には、臨時の人を含めると一〇〇人近い馬方が仕事に出、駄賃稼ぎに精を出したという。日銭をもらえる馬方はよい現金収入源であった。

上野原からの帰りは、空荷のこともあったが、米や麦、アワ、味噌、醤油、酒、塩などを運んでくることが多かった。一家族が七、八人から一〇人前後と、大家族があたりまえであった当時は、食糧の自給が難しく、炭や木材、繭、コンニャクなどで現金収入を得、それでもって米や麦、アワなどの食糧を買っていたのである。中でも、コムギが多かったという。西原での食糧の自給率は、おおよそ、六割から七割ぐらいでしかなかった。

中川さんは、戦後になってからはやらなかったが、馬方の時代はもうしばらくつづいた。昭和二四年前後には道が整備され、荷馬車が通れるようになった。馬の背で運ぶと八俵ほどの炭俵しか積めなかったものが、馬力と呼んでいた荷馬車だと、三〇俵の炭俵を積んで上野原まで行くことができるようになった。

さらに、昭和二七年になるとトラックが走るようになり、馬方の時代は終った。そして昭和三〇年になると、バスが走るようになったのである。

中川さんは、若い血をたぎらせて馬方をやっていた時代をなつかしむかのように、時には茶をすすりながら、時には銀髪をかきあげながら、夜がふけるまで話してくれた。

再び西原へ

私は、ひきつづいて五月下旬にも西原を訪れた。その時は、白芳館に泊まった。白芳館は、木造三階建の旅館で、私はそれまでにも何度も泊まっており、私の西原での常宿になっている。

白芳館は、白鳥太郎さん、定子さん夫妻が昭和三八年にはじめた。太郎さんは西原の扁盃の出身、定子さんは桐原の坂本の出身である。

私が訪れるのは、旅行シーズンをはずしているせいもあるが、白芳館はいつ行っても泊り客が少ないように見受けられた。時たま同宿する人は、栃木から種や苗を売りに来る人とか、奈良から薬を売りに来る人……といったように、白芳館を常宿とする旅の人が多いようだ。東京から鶴川のヤマメ釣りに来る人も泊る。

白芳館に着くと、三階の部屋に通された。窓をあけると、すぐ下を流れる鶴川のせせらぎが聞こえ、せせらぎに混じってホウジロやウグイスの鳴き声が聞こえてくる。対岸のスギとヒノキが植林された山からは、木の香を運んでさわやかな風が吹き込んでくる。

白鳥太郎、定子さん夫妻は花が好きで、いつ行っても庭先になにかしら花が咲いている。その時も、色とりどりのサツキが咲き乱れ、紫と白のフジの花が見事な房を垂らしていた。秋になると、丹精こめたキクが大輪の花

上左　季節ごとの野菜が入った煮込みは、夕食に欠かせない日常食

上中　キビ飯とソバ。ソバはソバ粉以上に小麦粉がたっぷり入っている

下　小麦粉からつくる酒まんじゅう（左）とトウモロコシの粉からつくるトウモロコシまんじゅう

酒まんじゅう、キビのおはぎ、コンニャクの刺身、コーレとウドの精進揚げ、タケノコとシイタケの煮物、フキの煮物、ワラビの煮物とおひたし、ジャガイモの煮っころがし、ソバなど、ハレの日の食べものが並んだ食卓

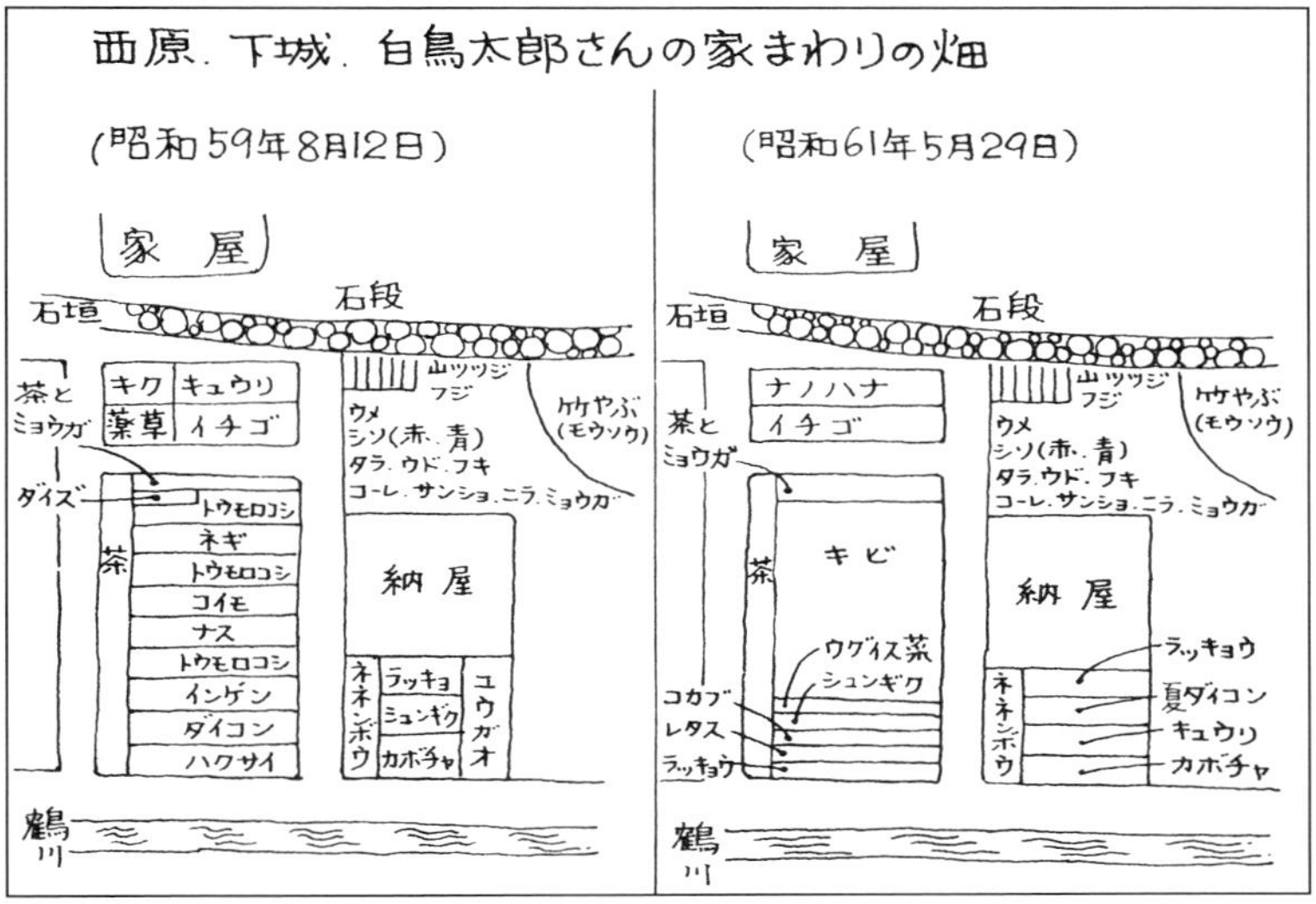

を咲かせる。

　白鳥さんは何ヵ所かに畑を持っているが、そのうち家まわりの畑が興味深い。全部合わせても二畝ほどの狭い畑を、図のように細分化し、実に多彩な畑作物をつくっているのだ。これは何も白鳥さんの家にかぎったことではなく、どの家を見ても同じようなことがいえる。何か一種類の畑作物に頼るのではなく多種多様な畑作物をつくり、それを食糧にしてきた伝統が、家まわりの畑に色濃く残っているように思える。

　この白鳥さんの畑に今の時期、何が植えられているのか、それを見るのが今回の訪問のおもな目的だった。

　畑に下りたついでに納屋をのぞかせてもらうと、中には畑仕事や山仕事の道具類のほかに、味噌桶や、コウコオケと呼んでいるハクサイを漬けた漬物桶、さらに、ワラビ、フキ、ウメ、タケノコなどを漬け込んだ桶が置かれている。そのなかでも特に味噌桶は八斗桶という大きなもので、昭和五七年に仕込んだ桶と、今年（昭和六一年）の春先に仕込んだ桶が並んでいる。今、使っている味噌は、昭和五七年に仕込んだ味噌を一斗桶に小分けにしている。味噌は三年味噌で、今年仕込んだ味噌は三年後から使いはじめるという。

　今でこそ、自家製の味噌をつくる家は少なくなったが、以前はどの家でも春先に味噌をつくつていたのである。

　さて、畑であるが、この納屋に隣り合った一角は、一見すると雑草が茂り、人の手が入っていないように見える。しかし、よく見ると、シソやニラ、ミョウガ、山からとってきて植えたというフキ、ウド、タラ、ネネンボウ（ヤマゴボウ）、コーレ（ヤマギボシ）、そのほかウメ、サンショなどが半栽培的につくられている。

　半栽培というと、耳なれないいい方かもしれないが、自生しているのでもないが、かといって手をかけて栽培しているわけでもないというもので、このような、半栽培的な作物が、西原にとどまらず、山村の食生活を支える大きな要素になっている。

　さらに、春にはワラビ、フキ、タラノメ、ウドなどを、秋にはナガタケやキクラゲなどのキノコを、周囲の山々で採集している。このように、自然採集を盛んにおこない、なおかつ半栽培的な作物を多く持っているということは、それだけ、西原の人たちが自然と密着した生活を送っていることを物語っているといえるだろう。

白芳館の食事

　白芳館の白鳥定子さんは、料理上手。特に酒まんじゅうづくりにかけては天下一品だ。茶菓子がわりに、出し

てくれた酒まんじゅうを、茶をすすりながらほうばるその味は、

「あー、今、西原にいる！」

と、実感させてくれるのに十分なものであった。

酒まんじゅうのほのかな発酵の香り、あんの押さえた甘さ……。

酒まんじゅうは、オオムギの麹《こうじ》からつくった甘酒で小麦粉をこね、夏だと数時間、春や秋だと一晩寝かせて発酵させ、それを丸め、中にあんを入れて、蒸籠《せいろう》で蒸したものである。

このように、手間をかけてつくる酒まんじゅうは、ふだんではなかなか食べられるものではなかった。ハレの日、特に、盆の一四日には酒まんじゅうをつくって盆棚に供えた。その際、酒まんじゅうは、クズの葉にのせて供えた。

その日の白芳館の夕食のメニューは、次のようなものだった。

キビ飯、うどん、コンニャクの刺身、精進揚、焼シイタケ、フキの煮もの、ヤマメの塩焼、サラダ、青菜の漬もの。

キビ飯は、中川園のアワ飯と同様、米が主で、その中にひと握りのキビを混ぜて炊いたものである。

コーレ（ヤマギボシ）

フキ

ネネンボウ（ヤマゴボウ）

うどんは、小麦粉にそば粉を混ぜ、さらに粘り気をだすために、ネネンボウ（ヤマゴボウ）の葉をまぜてある。ゆであげたうどんを、ウグイス菜と、西原周辺でとれるツツイ（ナラダケ）の入った醤油味の汁に入れて食べる。ヨモギに似たネネンボウの香りが、いつまでも快く口の中に残る。

前にも述べたが、煮込みは日常の食べものである。それに対してうどんはハレの日の食べものであり、特に、盆には欠かせないものだった。

盆中には、盆礼といって、実家の盆棚に参った。その際、干しうどん（乾麺）を供えた。干しうどんは、五日市の「丸す印」が多かったという。また、あらぼん（新盆）の家に参る時には、必ず干しうどんを持っていった。

盆の一四日には、墓参りをする。線香をあげ、盆花を飾り、同じく干しうどんを供えた。さらに、一四日、一五日、一六日の盆の間は、うどんを食べることが多かった。盆のごちそうといえば、うどんであった。

さて、夕食のコンニャクの刺身だが、これがきれいに皿に並べられ、一見すると、海魚の刺身と見間違えるほどだ。透き通った切り身をワサビ醤油につけて食べるのだが、さっぱりしていてクセがない。フグ刺に似たような味だ。ワサビは、西原の沢それも源流近くの沢で栽培されており、それを擂りおろして使う。このコンニャクの刺身も、ハレの日の食べものである。

コンニャクは、西原を代表する換金作物だったが、輸入ものが入って価格が暴落したり病気が大発生したり、相場が猫の目のように不安定だったり、大規模な生産をしている下仁田《しもにた》を中心とする群馬県に押されたり……と

いくつかの理由が重なり、西原では現在では一時ほどにはつくられていない。

白芳館の白鳥太郎さんはコンニャクの仲買をもやっているが、

「コンニャクは、もう、商売になりません」

と、嘆いている。

4 雑穀の詩《うた》

西原の女《ひと》

冒頭でもふれたが、私は昭和五四年以来、西原に通いつづけている。西原にやって来た回数は、二〇回を越えている。車やオートバイで村の中をまわったこともあるが、大半は足を使った。歩いて歩いて、歩きまくった。道のあるところは、すべて歩いた。

歩くなかで、いろいろな人たちに出会い、いろいろな話を聞いた。そうして、雑穀に関する多少の知識も身につけることができた。出会った人の中の一人に、詩人といってもいいような脇坂芳野さんがいる。

脇坂さんは大正七年に西原の扁盃で生まれ、二〇歳の春、原に嫁いだ。それ以来、三〇年間、西原の土を耕しつづけた。昭和四〇年には西原で唯一の梅ヶ枝食堂を開いた。骨太のなかにも繊細さを秘めた女性で、様々な苦労を持ち前の明るさで乗り越えてきた。

脇坂さんは、十代のころは、手に職をつけたくて、

「東京に行かせて欲しい」

と、親に頼み込んだ。

「職業婦人にあこがれましてね。看護婦になりたかった。だけど、看護婦になると、いかず後家になってしまうと親に反対され、それでは洋裁を習いたいと頼むと、洋裁をやれば肺病になって村に帰ってくるからと、やはり反対されました。東京で自活したいという夢を泣く泣く諦め、お嫁に行ったんです」

「嫁いだ日、わたしはこの家で、これからずっと百姓をやらなくてはならないのだと、そう腹をくくり、次の日からは働きずめに働きました。妊娠しても休むことはできず、子供を生んでもすぐに畑仕事に、山仕事に出ていきました。畑でポタポタ垂れ落ちる乳を見るのは辛かった。あー、家に帰って子供に飲ませてあげたい……と」

「一時間もダラオケ（肥桶）をかついで、山の畑に登っていきました。天秤棒でかついでいくんですよ。なにしろ、急坂なものだから途中で休むことはできない。ほんとうに苦しい仕事でした。畑に着いてからも、わずかな休憩時間と昼食時間を除いて、日が暮れるまで働きずめです。お寺の鐘が鳴って、夕暮の山道を家路に着くころは、お腹がへってお腹がへって、もう、一歩も歩けなくなるほどでした」

「草津温泉に旅行した時、バスの窓越しに関東平野の広い畑を見ました。驚きましたね。どうして、こんなに広い畑があるのだろうか……と。畑といえば、山の急斜面の畑しか考えられなかったんですから。あの時ほど自分の村に嫁いだことを悔んだことはありません。広い畑がうらやましかった。こんなに広い畑ならば、こんなに平らな畑ならば何でもできると、そう思わずにはいられなかったんです」

「あの当時、姑たちは、寄るとさわると、家の嫁はどう

だの、あの家の嫁はどうだのと嫁の品評会ばかりやっていました。嫁は牛馬と同じ、労働力ぐらいにしかみられていなかったのです。それに比べたら、今のお嫁さんたちは楽なものですね。村の生活も、すっかり変ってしまって。冬に麦をつくる家など、今ではほとんどありません。アワもキビもヒエもあまりつくらなくなった。お蚕もわずかになった。そのかわり、パートで働きに出ています。会社のマイクロバスが、朝夕、送り迎えをしてくれます。手間をかけて畑仕事をするよりも、パートで仕事に出るほうがはるかにお金になるのですね」

大学ノートの詩

そのような話を聞かせてくれた脇坂さんは大学ノートにびっしりと自作の詩を何篇も書きとめていた。大学ノートを見せてもらい、ページをめくっていくうちに、私の目はあるページにくぎづけにされてしまった。そのページに書かれていたのは、

「雑穀の詩」

とでも名づけたくなるような、生活感にあふれ、なおかつ雑穀食というものをも見事に描き出した詩であった。

キミは黒くて　のめっこい
穂先を手で揉み　箕であっぱ
水車の臼で　こづかれて
箕であっぱっぱ　糠を取り
みなげて洗って　蒸籠で
ネネンボウ入れて　モチクサも
蒸したら臼で　ぺったんこ
黄色な餅が　うんまいな
アズキを入れて　赤飯に
正月来るのが　楽しいな

ヒエの色は　グレーかな
槌でたたいて　箕であっぱ
でっかい釜で　蒸《ふ》かされて
すると目があき　動き出す
莚《むしろ》の上に　広げ干す
水車の臼で　こづかれて
箕であっぱっぱ　糠を取り
ひきやのじょうごに　入れられて
かずらでくばられ　粉になる
餅もご飯も　こうばしい

やっぱり水車で　モロコシも
箕であっぱっぱ　糠を取り
ひきやのじょうごに　入れられて
かずらが上手に　粒くばり
ひけた粉を　ふるいかけ
熱いお湯で　よくこねる
ひらたくつくり　ふかします
味噌を一面　なびります
ひじろで木を刺し　燠《おき》で焼く
がに色味で　おいしいな

このように、「雑穀の詩」は、「キビの詩」「ヒエの詩」、「モロコシの詩」の三篇から成っている。

雑穀の製粉用の水車が西原ではまだ現役で使われていた

キビの詩

まず、「キビの詩」だが、西原では、キビのことをキミと呼んでいる。

キビは、「黒くてのめっこい」とあるように、表皮は濃いチョコレート色をしており、ツルツルし、光沢がある。それが、搗いて調整し、表皮をとり除くと、濁りのない黄色に変る。キミは、この黄色からきているといわれている。

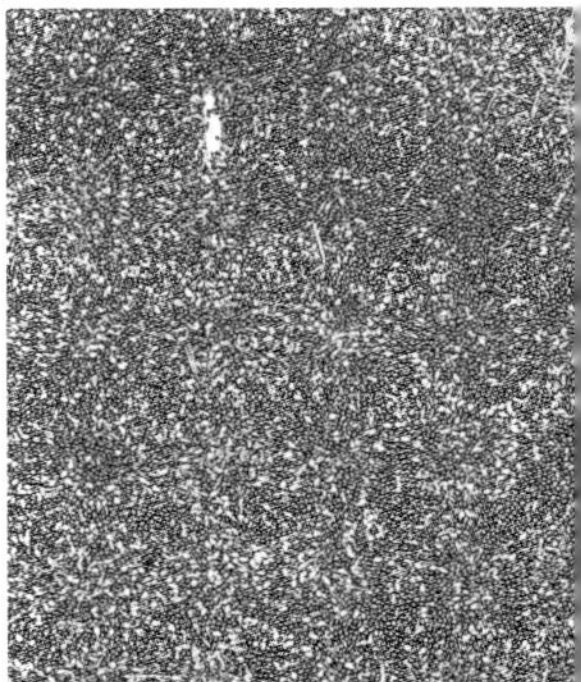

脱穀したキビ

中川さんのところでみせてもらったキビの種播きのところでもふれたが、キビは脱粒性の強い穀物で、「穂先を手で揉み」とあるように、莚の上でキビの穂を手で揉んだり、足で踏みつけるだけで容易に穀粒が穂から落ちる。それを箕に入れてふるい、ごみやかすを取り除く。「箕であっぱっぱ」は、その時の様《さま》をいいあらわしている。

雑穀類の調整・製粉には、水車がたいへんな威力を発揮した。水車は、水の力で輪をまわし、心棒の回転運動を上下運動に変えた搗臼《つきうす》と、歯車でもって別な回転運動に変えた碾臼《ひきうす》から成っている。そのうち、「水車の臼でこづかれて」とあるように、搗臼で搗いてキビを精製するのである。なお、碾臼は、主に製粉する時に使う。

西原には、昭和三〇年ごろまでは全部で二〇基近くの水車があった。現在でも原に二基残っているが、関東周辺で今でも実際に使われている水車が残っているのは、きわめてまれな例である。

西原では、水車のことをクルマと呼んでいる。クルマの組は昔からつづいている。一組は一〇～一五軒から成っており、自分の家が使える日は決まっていた。雑穀類や麦類、ソバの収穫後は特に忙しく、クルマが止っていることはまずなかった。「ヨグルマ」といって、夜通し

人の背丈まで伸びたキビの収穫

クルマをまわし、穀物を精白・精製したり、粉にした。水車が昔ほど必要でなくなったのは、雑穀類や麦類を、それほどつくらなくなってしまったからである。

「みなげて洗って」だが、ごみや小石を取り除くために、精製したキビをくりかえし洗った。最低、三度は「みなげなおし」をした。

西原で栽培しているキビは、ほとんどが糯種《もち》なので、キビは蒸籠で蒸して、強飯《こわめし》にしたり、あらかじめ煮ておいたアズキを混ぜて赤飯にしたり、搗いて餅にすることが多い。

餅にする時は、ネネンボウ（ヤマゴボウ）やモチクサ（ヨモギ）の葉を搗き込み、草餅にすることもある。ネネンボウは、乾燥させた葉をソーダに入れてやわらかく煮、アクを抜いてから用いる。コーレ（ヤマギボシ）の茎を搗き込むこともある。

脱粒性の強いキビの脱穀は足でもむようにして踏んで行なう

なお、糯種のキビは粘気《ねばりけ》が強いので、キビだけで搗くとゴムのようになってしまう。そのため、トウモロコシの粉を混ぜて搗くようなこともある。

キビは、ハレの日の食べものといってよい。養蚕のはじまる前には、家中の畳を上げて大掃除をするが、煤取りの後、一家そろってキビの赤飯やキビのおはぎを食べる。

正月には、キビ餅を搗く。アワ餅もモロコシ餅も搗く。かつては、糯米で搗いた白い餅は、お供《そなえ》の重餅《かさねもち》ぐらいで、その重餅ですら下が白い米の餅で、上がキビやアワの黄色い餅というのがふつうであった。

正月二日は、昔から汁粉《しるこ》を食べる慣わしになっている。汁粉の中にキビ餅も、アワ餅も、モロコシ餅も、余分に搗いた場合だと糯米の餅も入れる。最後に鍋の底に残るそれら何種類かの混じり合ったドロッとした餅は、ことさら美味だったという。

まさに「正月来るのが楽しいな」なのであった。

なお、アワには糯種と粳種《うるち》があり、西原では、それぞれモチアワ、メシアワと呼んでいる。その呼び名の通り、モチアワは餅や強飯に、メシアワは飯にする。モチアワとメシアワの違いは、私の目で見たぐらいでは区別がつかないほどよく似ている。また、イネと違い、糯種と粳種の収量の違いはほとんどないということだ。

小正月にたてるカドオトコ。つくりものの鍬と鎌、それにアワボを飾る

脱穀したキビを箕と篩で選別する

ヒエの詩

次に「ヒエの詩」である。

ヒエは「ヒエの色は　グレーかな」とあるように、灰色を帯びた黄褐色をしている。

ヒエの脱穀は、キビのように簡単にはいかない。天日で乾燥させたヒエ穂を「槌でたたいて箕であっぱ」とあるように、木槌でたたいて脱穀し、それを箕でふるって穀粒だけを選別する。

ヒエは表皮が固く、精製の難しい穀物である。そのために、五〇年でも一〇〇年でも、穂で貯蔵しておく分には長期間の保存が可能で、救荒作物ともいわれる由縁になっている。それだけではない。長期間おいた種でも、きわめて発芽率が高いのである。さて、ヒエの精製だが、米や麦と同じように搗いて精製すると、手間と時間がかかり、おまけに、歩留りも悪い。玄ヒエ（精製前のヒエ）の二、三割しか精ヒエ（精製したヒエ）が得られないほどである。

この精製方法を白乾《しらぼし》と呼んでいるが、飯に炊いた時の味は、なんともいえない香ばしさがあり、採算を度外視すれば、最良の方法である。なお、ヒエ穂を火であぶってから脱穀し、精製する方法もあるが、それだと五割ほどの歩留りになる。

ヒエの精製の歩留りをよくする方法が、脇坂さんの詩にある蒸す方法で、「でっかい釜で蒸《ふ》かされて」とあるように、ヒエ蒸し専用の一斗炊きの大釜を使い、蒸すのである。蒸したヒエを干し、それを搗臼で搗いて精製するのだが、この方法だと味は落ちるが、歩留は七割前後と格段によくなる。蒸したヒエは、そのまま保存することもできる。

ヒエ飯を炊く時は、鍋や釜で先に湯をわかし、沸騰してきたところで精製したヒエを入れ、杓子で何度もかきまぜる。やわらかくなったところで火の調整をし、とろ火で炊き、水気をなくす。ヒエ飯はヒエだけで炊くのがふつうで、ひとつかみでも米が入ればごちそうだった。

ヒエ飯は、雑穀飯の中でも特に香ばしさがある。また、飽《あ》きのこない味で、ふだん食べる飯というと、ヒエ飯が多かった。

ヒエを餅にする時は、キビやアワとは違い水車のひきや（碾臼）でひいて、いったん粉にする。

「かずらでくばられて　粉になる」とあるが、かずらとは鎌や鉈《なた》の刃先を柄に固定するのに使う金輪のことで、これで碾臼に落とす穀粒の量を調整する。大きいかずらだと碾臼に入る穀粒は多くなり、ひき方は粗くなる。反対に小さいかずらを使うと、碾臼に入る穀粒は少なくなり細い粉にひくことができる。ヒエ餅にする場合には、ヒエは粗いひき方、つまり、大きなかずらを使ったほうが、味がよくなるという。

どのようにして餅にするかというと、ヒエ粉を湯で練り、円盤状に形づくつたものを、蒸籠で蒸すのである。

シコクビエ

ヒエの名のつく雑穀に、シコクビエがある。

西原ではチョウセンピエと呼んでいるが、西原周辺では、各地で呼び名が違う。棡原ではエゾビエ、小菅ではサドビエ、七保ではコウボウビエと呼んでいる。

狭い地域で、なぜこうも呼び名が違うのか興味をひかれるところだが、私には、未だその理由はわかっていない。

シコクビエは冒頭でも述べたように、アフリカ大陸のサバンナ地帯が原産地だが、アフリカからインド亜大陸、東アジア、さらには日本へとつづく雑穀栽培地帯でよく見られる作物である。

シコクビエは、いったん、粉にしてから食べる。

収穫したシコクビエの穂は、家の庭先で莚の上に広げて干すが、乾いた穂を槌でたたいて実を落とし、それをさらに干し、搗臼で搗いて精製する。それを碾臼でひいて粉にし、目の細かい粉篩《こなぶるい》でふるうと、シコクビエの粉ができあがる。

さきほどのヒエ餅と同じように、粉を湯で練り固め、それを蒸籠で蒸して餅にしたり、ちぎって丸めて団子にしたり、その中にあんを入れてまんじゅうにする。

私が初めて、このシコクビエのまんじゅうを口にしたのは、下城の降矢静夫さんのお宅であった。

降矢さんは、雑穀の味が忘れられないから、雑穀の種をなんとしても保存しておきたいから……と、雑穀栽培をつづけているが、明治人の気骨というのだろう、その姿勢には、一徹さが感じられる。明治四三年生れということが信じられないほど、若々しい。俳句や短歌が上手で、つくつた句や歌をさらさらっと毛筆でしたためる。

私は、降矢さん宅で、奥さんがつくってくれたシコクビエのまんじゅうを一口、口の中に入れた時の感動を忘れない。ぱさついた、こぼれ落ちそうな粉の感触が、私

シコクビエの収穫

に強烈にアフリカを思いおこさせたのである。私は二〇代の大半を費やしてオートバイでアフリカ大陸を駆けたが、アフリカのサバンナ地帯、特に、西アフリカのサバンナ地帯は、今でもトウジンビエやモロコシなどの雑穀類が主食になっている。その食べ方はといえば、いったん粉にしたものを土鍋で煮固め、粉餅風（私はそれを粉粥餅と名づけたが）にし、それをちぎって手で丸め、汁につけて食べるのである。当然なことかもしれないが、シコクビエの餅やまんじゅうは、それに似た味なのである。

このシコクビエは、栽培の過程でイネと同じように必ず移植する。シコクビエの栽培法を記してみよう。

四月から五月にかけて、表面をならした苗床に種を播き、その上から薄く土をかぶせておく。発芽し、苗が一五センチぐらいに成長したところで畑に移植する。それが、六月に入ってからのことである。移植の際には、根についた泥を洗い落とす。泥を落とすのは、虫がつきにくくするためだとか、すこしでも苗を軽くし、運びやすくするためだとかいわれている。

移植後は、夏の間に一、二度除草する。九月に入ると穂が出はじめる。青い穂が色づき黄色から茶色にかわる一〇月下旬から一一月上旬にかけて収穫する。

シコクビエはヒエと同じくらい、あるいはそれ以上に病虫害に強い作物で、年によっての豊凶の差があまりなく、安定した収量が期待できるので、食糧が決して豊かとはいえない山村の人々にとっては、きわめてありがたい作物であった。

シコクビエにかぎらないのだが、雑穀類の収穫は根元から刈るのではなく、ホトリガマという柄が手のひらからわずかに出るくらいの小さな鎌で、穂の二、三センチ下を刈り取る。刈り取った穂を腰につけたビク（腰籠）に入れ、いっぱいになったところで背負籠にあけ、それを背負って家まで運ぶのである。

降矢静夫さんは、養蚕に追われ、シコクビエを移植せずに直播《じかまき》したことがあった。すると、

「丈ばっかり伸びてしまって。実の成りも、悪かった。穂の出る時期がふぞろいで、背丈もふぞろいで……。おまけに、とっても倒れやすかった」

ということで、シコクビエの直播の弊害は大きい。なお、ヒエもシコクビエ同様、移植栽培することが多い。

モロコシの詩

最後に、「モロコシの詩」である。

モロコシは、精製したものを飯に炊いたり餅に搗いたりするが、ヒエ餅と同じように、粉を餅にもする。そのつくり方は、

「熱いお湯で　よくこねる」

とあるように、煮立った湯で粉をこね、ひらたく、円盤状に形づくったものを蒸籠で蒸すのである。

モロコシ餅は、味噌をつけ、ひじろ（イロリ）のまわりで木に刺し、熾で焼く。味噌のにおいをプーンと漂わ

せ、こんがりとガニ色に焼きあがるのだが、ガニ色というのは、沢ガニを油で揚げたような色である。西原では今でも沢ガニをとって食用にしている。

また、モロコシの粉からは、よく「おねり」をつくった。おねりというのは、サツマイモを煮た湯の中に、モロコシの粉を入れてかきまぜたものである。

モロコシとトウモロコシは似た作物だが、モロコシは旧大陸原産で、トウモロコシは新大陸原産の作物である。

西原では、古くからある甲州種のトウモロコシを乾燥させ、粉にし、それをヒエ餅やシコクビエ餅などと同じように湯で練り、蒸籠で蒸して餅にする。また、粗くひいて米に混ぜ、飯に炊き込むこともある。

軒下にトウモロコシをぶらさげ、乾燥させている光景は、西原の風物詩といえるようなものだが、最近ではめっきり少なくなった。というのは、ゆでたり、焼いたりして食べるスイート・コーン系の品種が多く栽培されるようになったからである。このスイート・コーン系のトウモロコシは、水分が多く、甘味が強く、干すと縮んでしまい、ほとんど粉がとれないのだ。

ソバ

これまで、雑穀、もしくは雑穀類という言葉をさかんにつかってきたが、雑穀とは、米、麦を除いた穀物の総称で、作物はすべてイネ科の一年生夏作物である。ただし、ソバだけが例外で、タデ科の一年草。原産地も、他の雑穀類とは大きく異なり、シベリアのバイカル湖周辺とされている。

そのソバだが、西原では年二回つくっている。四月に種を播き、七月に収穫するナツソバと、八月から九月にかけて種を播き、一〇月から一一月にかけて収穫するアキソバがある。

ナツソバは粒がとがっており、収量は多いが、味は若干落ちる、アキソバは、粒が丸味を帯びており、味はいいが、収量が若干劣るといった、それぞれの特性がある。

ソバは、そば粉を椀に入れ、熱湯を注ぎ、箸で掻くそばがきが一般的な食べ方だった。そのまま何もつけないで食べるのだが、けっこう粘り気があり、食べ終ったあとはずしんと腹にたまるような満腹感がある。そばがきは忙しい仕事の合間にも簡単につくれるので間食には最適なのである。

それに対して、そば粉を打って麺にするそばきりは、ハレの日の食べものといってよい。特に、正月一四日、盆一四日の晩には、必ずそばを打つ。

ただし、西原のそばは、そば粉だけで打つことはほとんどない。そばというよりもうどんといったほうがいいほどで、そば粉一に対して小麦粉二というように、そば粉よりもはるかに多い小麦粉を混ぜて打つ。

5 芋の詩

続・大学ノートの詩

脇坂芳野さんは、「雑穀の詩」ばかりではなく、次のような「芋の詩」もつくっている。

芋には長い　　　　ひげがある

むしって桶で　こすられて
でっかい鍋に　しお味で
ひじろに掛かる　おかもさま
夜鍋ごとごと　火をもして
朝のごはんに　芋たべて
あとはてっきで　こんがりと
ほかほかおいしい　おやつです

せいだは白く　丸い顔
桶でごろごろ　洗われて
でっかい釜で　ゆでられて
ひじろのてっき　のせられて
燠を掃き出し　うらがえし
まぶした塩が　こんがりと
ほっくりおいしい　おやつです

赤いさつまは　横ぶとり
ごろんごろん　洗われて
大きな鍋に　木のわく入れて
竹の網置き　さつまのせ
ひじろに掛けて　火をもせば
割れ目がほやけ　うんまそう
あく灰に埋め　こんがりと
ほくほくおいしい　おやつです

脇坂さんの「芋の詩」は、このように「サトイモの詩」、「ジャガイモの詩」、「サツマイモの詩」の三篇から成っている。

サトイモの詩

まず、「サトイモの詩」である。

西原で栽培されている芋類は、サトイモ、ナガイモ、ジャガイモ、サツマイモだが、その中でもサトイモの重要度は群を抜いており、たんに芋といえば、サトイモを指す。

収穫したサトイモは、まず、

「むしって桶で　こすられて」

とあるように、水を張ったイモ桶に入れられ、コスリイタと呼ぶ一枚の板、もしくは、コスリギと呼ぶX字型に交差させた二本の棒でもって、ゴロンゴロンとこすられる。水を二度、三度と替えて洗われる。このようにして、サトイモの泥を落とし、皮をむく。

サトイモは、水の中にひとつかみの塩を入れた八升鍋のような大鍋で、長時間かけてゆでられる。ひじろ（イロリ）のおかもさま（自在鉤）に大鍋をかけて、ゆでるのである。

一家の主婦は、夕飯が終り、あとかたづけをすませると、イロ

上　サトイモの植付け
下　サトイモを掘る

リにかけた大鍋でサトイモをゆではじめる。

「夜鍋ごとごと　火をもして」

とあるように、イロリにかけた鍋を見ながらそのわきで裁縫などの夜鍋仕事をした。

寝る前に、火に灰をかけておき、早朝、起きたらすぐに火を大きくし、大鍋に水をたし、朝食にまにあうようにゆであげるのである。

「朝のごはんに　芋たべて」

とあるように、塩ゆでしたサトイモが朝食にということが多かった。各自が茶碗にサトイモを盛って、塩味がきいているので、そのまま食べるのである。

残ったサトイモは、間食にする。

「あとはてっきで　こんがりと」焼くのだが、てっきとはイロリの火のまわりに立てる足のついた鉄網で、その上に冷たくなったサトイモをのせ、てっきの下に燠を入れて焼いて食べるのである。

サトイモは、そのほかに、茎を利用する。イモガラと呼んでいるが、皮をむいた茎を晩秋から冬にかけての寒風に吹きさらし、晴天の中で一〇日ほど干す。それを煮ものに使ったり、カンピョウのかわりにのりまきの芯にする。

ジャガイモを洗う

ジャガイモの詩

次に、「ジャガイモの詩」である。

「せいだは白く　丸い顔」の「せいだ」とはジャガイモのことで、江戸時代中期、安永～天明年間（一七七二～一七八九）に、甲州各地の代官を歴任した中井清太夫《なかいせいだゆう》の名に由来している。甲州各地の代官として後世にまで語り継がれているが、日本には桃山時代に伝わったジャガイモを、甲州各地に広めたのが、その中井清太夫だという。そのおかげで、甲州人は、天明の大飢饉を乗り越えることができたといわれているほどだ。

西原の人たちはよく、「せいだのたまじの煮っころがし」をつくる。たまじとは、小さなもの、ころころとしたものといった意味で小粒のジャガイモを味噌で炊きあげた煮っころがしである。ジャガイモの芯にまで味噌の味が、たっぷりしみこんでいる。

ジャガイモは、サトイモに比べると短時間でゆであがる。底の深い大釜をカマドにかけ、昼食後にゆではじめると午後のおやつにはまにあう。西原では、間食としてのおやつをオコジュウともいっているが、ゆでたジャガイモに、ネギミソをつけて食べる。残ったジャガイモは、サトイモと同じようにてっきで焼いた。その際「まぶした塩がこんがりと」のように、塩をまぶして焼いた。

サツマイモの詩

最後に、「サツマイモの詩」である。

サツマイモは、鍋に八分目ぐらいの水を入れてわかし、その鍋の中にシタジキと呼ぶ、十字に交差する木のわくを入れ、その上にアミカゴと呼ぶ簀《す》を敷いて、アミカゴの上にのせてふかすのである。

残ったサツマイモは、サトイモやジャガイモと同じようにイロリで焼いて食べた。

生のサツマイモを「あく灰に埋め」とあるように、イロリの火のわきで、熱い灰をかけていけておくと、脇坂さんの言葉を借りれば

「こんなに、うまいものはない」

というくらいにうまく焼ける。

以上「サトイモの詩」、「ジャガイモの詩」、「サツマイモの詩」と、脇坂さんの「芋の詩」の三篇をみてきたが、どれをとってもわかるとおり、芋類の調理にはイロリが欠かせないものだった。これは、なにも芋類にかぎったことではない。雑穀飯を炊くのにも、汁をつくるのにも、イロリをつかった。

しかし、最近では、イロリをつぶしてしまう家が多くなり、残っているのはごくわずかである。

つるがのびたナガイモのはたけ。下はナガイモを掘っている

また、「芋の詩」の三篇とも「おいしいおやつです」で終っているように、芋類はおやつに最適だった。おやつといっても、現代人のキャンデーをなめたり、クッキーをかじったりといったものではなく、ずっしりと腹にたまるようなものであった。それは、朝食、昼食、夕食の、一日三回の食事に近いものでそのような間食を朝食前、午前、午後、夕食後と一日に四回とっていた。つまり、一日七回の食事ということができる。そのくらいの食事量が必要なほど、一日通して働いていたのである。

西原で栽培している芋類には、サトイモ、ジャガイモ、サツマイモのほかに、ヤマイモがある。

自生種のヤマイモは、西原周辺の山々の表土が薄いからなのだろうか、あまり長いものはとれないという。

栽培種のヤマイモをナガイモと呼び、どの家でも家まわりの畑でつくっている。摺りおろして食べることが多いが、主食にもなるサトイモに対して、ナガイモはおかずとして食べられる。

6 西原の食事

オオムギとコムギ

西原でつくられている雑穀類、芋類を脇坂芳野さんの詩を中心にみてきたが、これら畑作物は、西原の食生活を支える柱だといってよい。が、もうひとつ、麦類もそれらに勝るとも劣らず重要であった。

昭和三〇年代以降、米が常食になってからというもの、西原での麦類の栽培は、雑穀類同様に激減したが、それ以前はほとんどの家でオオムギとコム

インゲンを入れたオバク（麦粥）

脱穀した小麦の実

ギをつくっていた。

特にオオムギの栽培が盛んにおこなわれ、麦類の中でも、オオムギがおおよそ八割、コムギが二割ぐらいの割合で、西原ではたんに麦といえば、オオムギを指すほどであった。西日本に多いハダカムギは、西原ではつくられていない。西原にかぎらずハダカムギの栽培が東日本でほとんどみられないのは、冬の間の気温の低さが大きく影響しているのであろう。

オオムギは、一〇月中旬から下旬にかけて種を播く。直播である。芽が出たあと、冬の間に二、三度麦踏みをする。

三、四月になるとグングン伸び、五月に入ると穂が出はじめ、下旬には「ヤタ」と呼ぶ木の枝や竹をたてて倒れるのを防ぐ。そして六月中旬から下旬にかけて、根元から刈り取って収穫する。

摺臼で小麦をひく

オオムギをたくさんつくっていたころの脱穀方法は、センバコキでこいで穂を落とし、莚《むしろ》に広げ、エブリでたたいて実を落とす。それをトウミにかけてごみを取り除き、いったん干してから穀櫃《こくびつ》や叺《かます》に入れて保存した。

オオムギはオバクと呼ぶ麦粥にしたり、飯にしたり、こがしにして食べる。

麦粥のオバクだが、オオムギを精白した丸麦をとろ火で四、五時間炊き、夏にはインゲン、冬にはダイコンなどを入れ、ハレの日にはアズキの入ったマメオバクをつくった。オバクは一年中食され、おかずにはネギミソがつくくらいであった。

それに対してコムギは、先にも述べたとおり、煮込みやうどんにしたり、酒まんじゅうにして食べる。

両者は、同じ麦類とはいっても、オオムギは粒のまま食べる粒食、コムギはいったん粉にする粉食と、食べ方がまるで違うのである。

なお、終戦後の一時期、コムギの押し麦が配給されたことがあった。それを米に混ぜて炊くと、赤飯風の色になるということだが、オオムギの押し麦とは、比べものにならないほど、味が落ちたという。

このように、コムギは粉食に、オオムギは粒食に適しているという、穀物としての適性がある。

受け継がれる雑穀食

ここで米が常食となる昭和三〇年代以前の西原における食生活を、もう一度整理してみよう。

●西原の主要栽培作物の生産暦

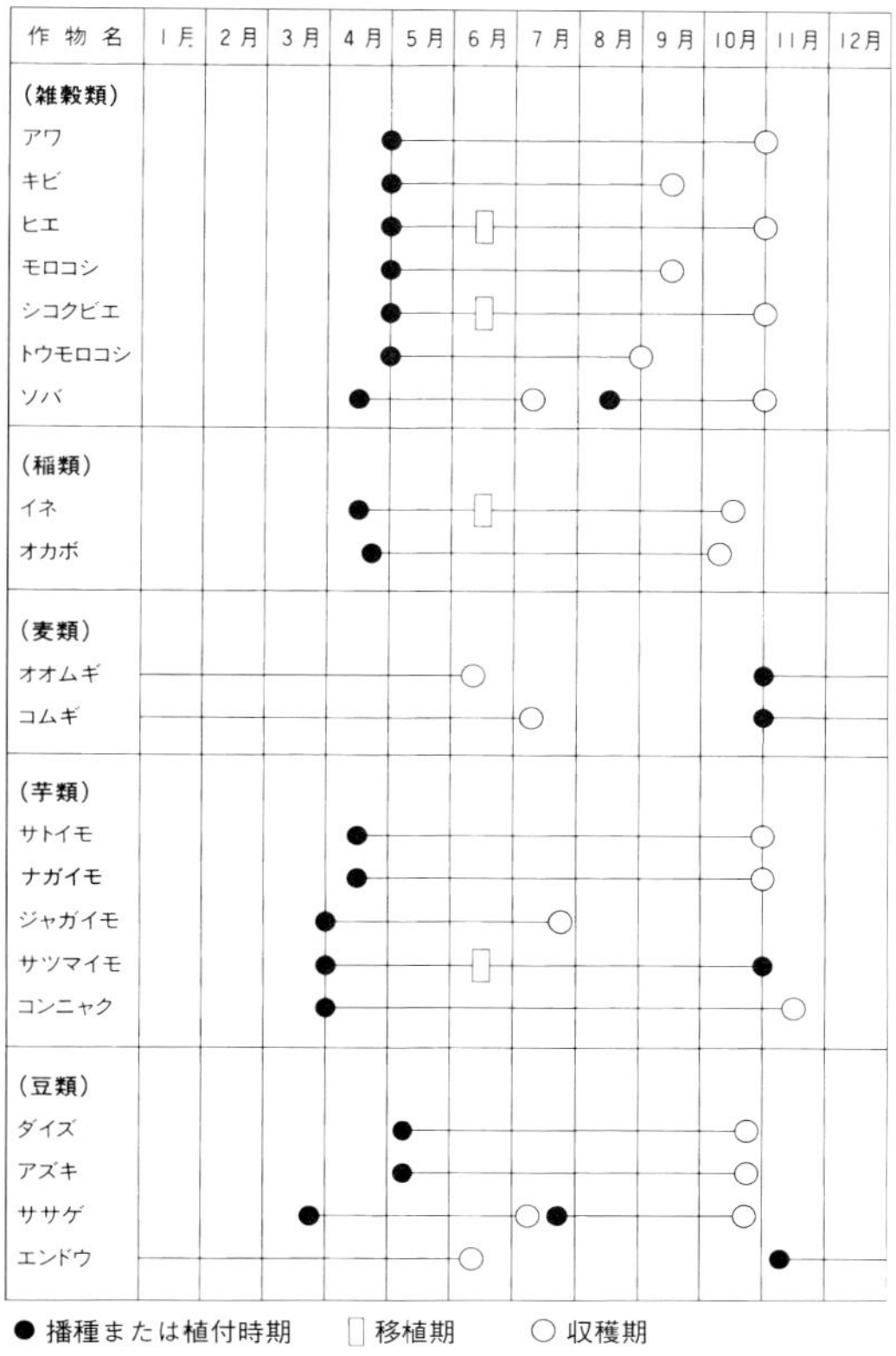

まず、日常食である。朝食には、麦粥のオバクを炊いたり、アワ飯やヒエ飯などの雑穀飯を炊いたり、サトイモを塩ゆでした。昼食には、朝炊いたオバクや雑穀飯の残りを食べたり、塩ゆでしたサトイモを焼いて食べた。夕食には、煮込みをつくった。間食には、サトイモ、ジャガイモ、サツマイモの芋類やそばがき、こがしなどを食べた。

一方、日常食に対してハレの日には、アワ餅やキビ餅などの雑穀餅を搗いたり、アワやキビで赤飯を炊いたり、雑穀類の団子やまんじゅうをつくった。小麦粉からは、うどんを打ち、酒まんじゅうをつくった。さらに、ソバを打ち、米だけの飯も炊いた。

副食としては、豆類、野菜類のほかに、セリ、ノビル、フキ、ワラビ、タラノメ、ウド、コーレ、ネネンボウなどの野草や山菜類、さらにはキノコ類を盛んに食べた。

このような食事様式が浮かびあがってくるが、それをみると、雑穀類、麦類、芋類の畑作物が、西原の食生活を支えてきた三本柱であったことが、あらためて確認できるのである。

ところで、これまで述べてきたような、西原の食生活を支えてきた雑穀類、麦類、芋類の三本の柱に、イネと豆類を加え、西原の主な栽培作物のおおよその生産暦を整理してみると表のようになる。

一年生夏作物の雑穀類は、種類の違い、早生、晩生の違いはあるが、四月から五月にかけて播種し、九月から一〇月、一一月にかけて収穫する。それに対して冬作物の麦類は、一〇月下旬から一一月上旬にかけて播種し、六月から七月にかけて収穫する。芋類の栽培のパターンは雑穀類と似ており、四月、五月に植えつけ、一〇月から一一月にかけて収穫する。

このように、西原では一年中休みなく畑を使っているわけだが、最近では、雑穀類や麦類をつくらなくなった家が多く、雑穀類、麦類をつくっている家は、全戸の一割程度になってしまった。

「オバクの味が、この齢《とし》になるとなつかしく思い出されてならない。もう一度、オバクを食べたい」

「お正月には、やっぱりアワ餅やキビ餅がいい」

昔の味をなつかしむ年寄たちと話していると、そのような話をよく聞くのである。

日本からどんどん消えていきつつある雑穀食だが、西原とてその例外ではない。近い将来、西原からも雑穀食がまったく姿を消してしまう可能性もないとはいえない。しかし、私はその反面、これだけ深く、濃くしみついた味が、そう簡単に消えるはずがないとも思っている。

次の世代をになう西原の若い人たちは、今、大半が勤めに出ている。その若い世代が、日曜日とか休日になると畑で鍬を振っている姿をよく見かける。雑穀栽培の伝統も、雑穀食の伝統も、そうした形で、今よりはさらに薄らぐにしても、しっかりと次の世代へとつながっていくのではないだろうか。現に、ここ数年の傾向だが、キビ、モチアワをつくる家は増えている。

重なる食文化

ここで、西原の食生活を支えてきた三本の柱のうち、雑穀類と麦類、さらに米を含めた穀物の利用法をみてみよう。表は、それをまとめて一覧にしたものだが、穀物の利用の形態としては、粒食と粉食の二つに大きく分けられる。

くりかえしになるが、粒食とは、穀粒を粒のまま炊いて飯にしたり、やわらかく煮て粥にしたり、蒸して強飯にしたり、蒸したものを搗いて餅にするような食べ方である。

それに対して、穀粒をいったん粉にひき、それを練り固めて蒸して餅にしたり、丸めて団子にしたり、中にあんを入れてまんじゅうにしたり、うどんやそばに打ったり、そばがきにするような食べ方が粉食である。

日本は「粒主粉従の国」といわれる。

つまり、飯や粥などの粒食が主で、団子やまんじゅう、うどん、そばなどの粉食が従だというのである。

ところで、「粒主粉従」の粒食圏だが、世界的な視野でみると、この粒食圏は限られたエリアでしかない。

地図は、世界の粒食圏と粉食圏、それともうひとつの大きな食文化ゾーンである芋食圏をおおざっぱに分けて示してある。それからもわかるように、飯圏といってもいい粒食圏には、インド東部からインドシナ半島、中国の華南、華中、朝鮮半島の南半分、それと日本が含まれる。

それに対して粉食圏は、ユーラシア大陸からアフリカ大陸にかけての広大な地域を占めている。

インド以西のユーラシア大陸をみると、インドには小麦粉をこね、未発酵の状態で薄く延ばして焼いたチャパティがあり、西アジアには、わずかに発酵させた状態で厚めに焼いたナンがあり、アラブ圏には半発酵の状態で焼いた中が空洞のアラブパンのホブスがあり、ヨーロッパになるとイースト菌をつかって発酵させ、ふっくらと焼いたパンがある。このように、インド以西のユーラシア大陸は、チャパティ→ナン→ホブス→パンとつづく、いわゆるパン圏になっている。

●西原における穀物の利用と調理法

穀物名	形態	調理法
コメ（粳種）	粒食	飯、粥
	粉食	団子
コメ（糯種）	粒食	強飯、餅
アワ（粳種）	粒食	飯
アワ（糯種）	粒食	強飯、餅
キビ	粒食	強飯、餅
ヒエ	粒食	飯、粥
	粉食	団子（餅）、まんじゅう
シコクビエ	粉食	団子（餅）、まんじゅう
モロコシ	粒食	飯、餅
	粉食	団子（餅）、まんじゅう
トウモロコシ	粉食	飯
	粉食	団子（餅）、まんじゅう
ソバ	粉食	そばがき、そばきり、団子
オオムギ	粒食	飯、粥
	粉食	こがし
コムギ	粉食	うどん、まんじゅう、団子

アフリカ大陸のうち、北アフリカのアラブ圏を除くサハラ砂漠以南のサバンナ地帯の粉食圏は、先にもふれたとおり、雑穀類の粉を煮固め、それをちぎって丸め、汁につけて食べる粉粥餅圏である。

そして、インド以東のアジア大陸に目を向けてみると、粒食圏の北側はやはり、粉食圏になっている。チベットでは、西原のこがしと同じような、オオムギを炒って粉にしたツァンパが主食になっている。つまりツァンパ圏である。中国の華北ならびに東北部はといえば、うどん・まんじゅう圏である。

日本は粒主粉従の国といったが、西原での例を見るまでもなく、粒食と粉食は、あい拮抗している。粒で食べられるものは粒で食べ、粒で食べられないものは、粉にして食べている。そのような食べつなぎが、顕著に見られるのである。

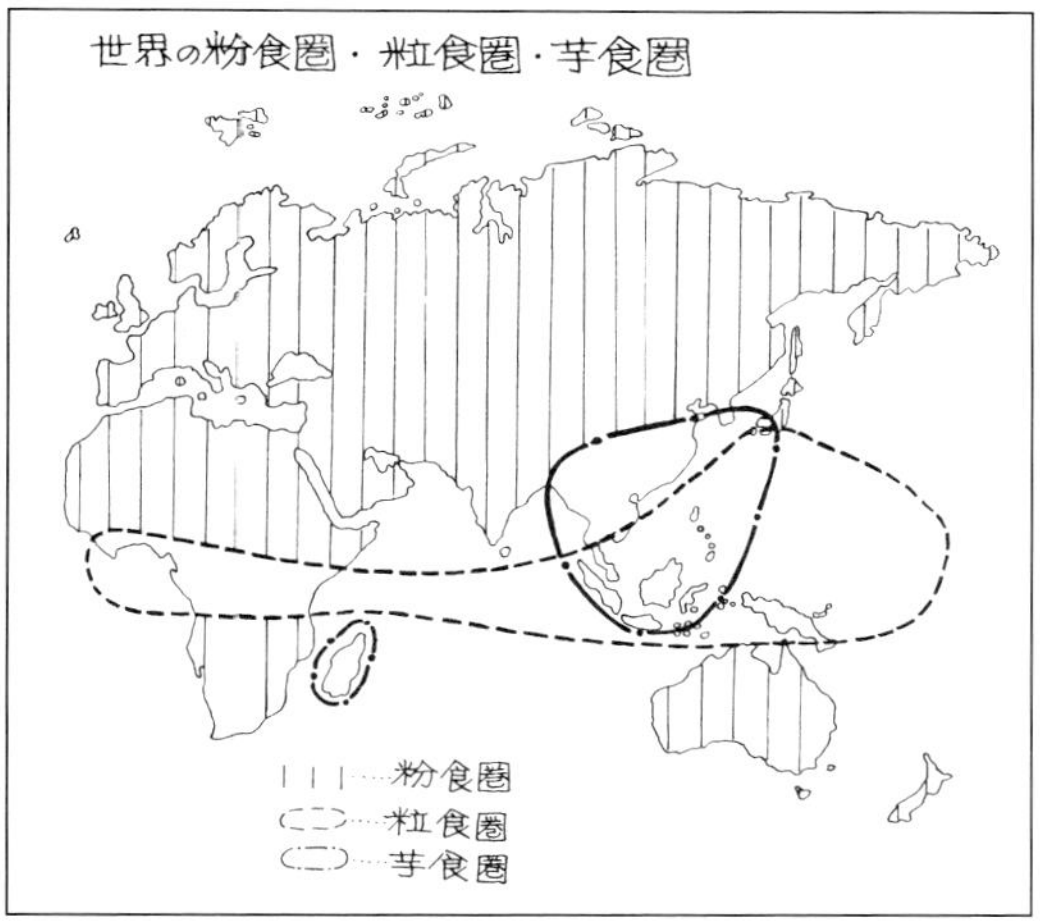

さらに西原では、戦前ぐらいまでは、クズ根やカタクリ根から澱粉をとり、トチの実のアク抜きをして粉にし、食用にしていた。これらも、日本特有の粉食の一例といえよう。

つまり、日本は粒食圏の国にあるとはいったが、同時に粉食圏の国にあるといってもいいほど、粉食の食文化が、大きくかぶさってきている。

それは、日本に入ってきた栽培作物をみてもよくわかる。

イネを含めた雑穀類は、アフリカやインドのサバンナ地帯が原産地。それが東アジアを経由して、日本に伝わった。麦類は、チグリス、ユーフラテス川流域のメソポタミアが原産地。日本への伝播ルートは、雑穀類の伝播ルートの北側、シルクロードあたりのラインを想定すればいいのだろう。雑穀類の中でも特異なソバは、シベリアのバイカル湖周辺が原産地。日本への伝播ルートは、麦類よりもさらに北、沿海州あたりから北日本に伝わった可能性が強い。これらまったく性質の異なる栽培作物がそれぞれのルートで日本に伝わり、まるで重複するようにして、定着した。

雑穀類、麦類、芋類が、西原の食生活を支える三本の柱だと、くりかえし述べてきた。が、それは西原にとどまらず、日本のかなり広い地域にあてはまることだといえよう。つまり、日本では、雑穀類、麦類それに米を含んだ穀類同様、芋も負けず劣らず重要なのである。

ふたたび、地図をみてもらいたい。

芋食圏は、赤道を中心とした一年中雨が降る熱帯雨林地帯を中心に広がっている。

その北のサバンナ地帯の雑穀栽培地帯は、一年に一度収穫する雑穀を貯えておくための穀物倉も持つ世界だが、芋食圏になるといつ畑に行っても芋を収穫できるという、まるで畑が食物倉のような世界なのだ。そのような芋食圏が、日本にまで延びてきている。

日本は粒食圏、粉食圏、芋食圏という、世界の大きな食文化ゾーンが、まさに重なり合った複合地帯といえる国なのである。それは、海外の文化を貪欲に吸収しつづけ、それを独自なものにつくりかえてきた日本の姿を象徴しているのではないだろうか。

西原という甲武国境の一山村を見ることによって、世界の中での日本の位置が見えてくる……、さらに、日本をも含めた世界そのものが見えてくる……、といってはいいすぎだろうか。いや、けっしてそうではない、と私は確信している。

西原通い

話が、ややひろがりすぎた。

私は「山地食文化」のテーマのもとで、日本の山村を歩いているが、日本全体はもとより、私がフィールドとしている山村の多くもまた、かつての主食の雑穀類が米に押しやられ、急速に姿を消してきた中で、どうして西原にこれだけ多種の雑穀栽培が残ったのか、いつも考えさせられてしまう。なぜだろう……。

日本人のほとんどが、米をつくろうと、水田を開いてきた。それにもかかわらず、西原では、なぜ水田を開こうとしなかったのか。

たしかに、西原には平坦な耕地が少ない、その耕地自体も細分化されている、水が冷たいといった、水田を開くのには不利な条件下にはある。しかし、それだけではないように思える。西原の人たちは、米を自給しようという意識が薄かったのではないか。もしそうだとすれば、それはどうしてなのだろうか。そのことと雑穀栽培が根強く残り、雑穀食が今も生活の中にあることと、どのようなかかわりがあるのだろうか。

私には、まだ、わからないことが山ほどある。

もっと、もっと、知りたい。

「うーさーぎー　おーいし　かーのーやーまー……」

夕暮れの西原に、のどかなメロディーが流れ、近づいてくる。棡原と西原間は自由乗降区間になっている上野原行きのバスが、村人に知らせるために流しているのだ。

バスがやって来た。私は、手を上げてバスを止めた。

バスの人となって、西原を離れる時、いつもうしろ髪を引かれるような思いにとらわれる。そのたびに「また来るぞ、西原に！」と強く思うのだ。

朝のひと仕事を終えて縁側で一服

クマ猟の谷

―信濃秋山郷の狩りと暮らし―

文・写真・図
田口洋美

2月、小赤沢は連日の吹雪からやっと解放され、ぬけるような青空が広がった。集落正面の布岩山も、数日ぶりにその姿をくっきりと見せた。家々をつなぐ雪道は幅40センチほどで、毎朝分担された道の雪踏みをする。この時期、むらびとの歩いた跡は、まるで獣たちの足跡のようだ。翌日、小赤沢はまた吹雪となった

銃声の轟く谷

「ダダダーン……ダダーン………」

　上信越国境の秋山郷《あきやまごう》の谷に銃声が轟いた。それは、谷の西側に聳える山々から聞こえたような気もしたのだが、谷中に反響して場所は定かでなかった。春、四月ともなると、秋山郷の猟師たちは連日のようにクマ狩りに出かけ「山をさわいで」いるのだった。

　私が聞いたのはクマを射った銃声だろうか。

　それとも、猟師たちがいっていたクマを射止めた時の空砲だろうか。

軒下にさげられたクマ

「山の神様にぶち上げるんそ。獲物を獲ったらそ、むらに聞えるような所まで出て、獲物を獲ったことを山の神様とむらの者に知らせる空砲をぶつんそ。空に向けて、獲ったぞってな」

　私が聞いた銃声は、山の神様にぶち上げた空砲だったことを後で知った。その日、一頭のクマが獲れた。体長六尺（毛皮の長さで約一八〇センチ）ほどのオスグマで五歳ごろだろうと聞いた。人間でいえば青年期にあたる歳ごろである。

　射止められたクマは、五人の猟師たちの手で自動車道まで曳きおろされ、夕刻、山々の雪が西陽を受けて赤く染まりはじめたころ、軽トラックに積まれてむらに到着した。クマは猟師たちの手で荷台からおろされ、射止めた猟師の家の軒下にさげられた。

「いやー、おめでとうございます。いやー、立派なクマでよかったなー」

　むらの婦人や孫を連れた老人たちが、かわるがわる軒下にさげられたクマを見、祝いとねぎらいの言葉をかけていた。集まった子供たちは、キャッキャッと喚声をあげ、恐る恐る手を伸ばし、クマの毛に触れていた。雪焼けした猟師たちの顔には、良い仕事をしてきたという満足感が浮かんでいた。

　むらびとの姿がたえた頃、猟師たちは、山の神様に猟の報告をするのだと、御神酒の一升瓶を抱えながらむらの鎮守の十二神社へと向った。

「明日は天気くずれっかも知れねえ。クマアレっていってな、クマが獲れると山が荒れるって昔からいったもんそ」

老猟師が去りぎわに空を見上げてそういった。秋山郷の谷は静かに暮れ、空には無数の星々が輝きはじめていた。

軒下にクマだけが残った。

信濃秋山郷

秋山郷を訪ねてみたいと思ったのは、数年前から狩猟や山村について興味を持ちはじめていたからだった。長く通い続けてきた新潟県岩船《いわふね》郡朝日《あさひ》村三面《みおもて》で初めて狩りの世界と、山村の生活に触れたのだが、三面をきっかけとして、古くから狩りをし、また現在もおこなっているむらを訪ね、狩りを通してむらを見てみたい、考えてみたい、そう思うようになったのである。

秋山郷といえば、江戸時代の文人、鈴木牧之の『北越雪譜』や『秋山記行』で世に知られた山村である。その地理的位置と、降雪期に他の地域と交通が途絶するために秘境視され、また、平家落人伝承のあるむらとしても知られている。

私が秋山郷の名を知ったのは八年前のことであった。当時、私が住んでいた横浜で、お世話になった福原忠治さんが秋山郷の小赤沢出身で、忠治さんを通して秋山郷の人たちと知りあってもいた。こうしたこともきっかけとなって昭和六十年（一九八五）四月に初めて秋山郷を訪ねて以来、六十一年一二月までの間に七度通った。

秋山郷は長野県の北東、新潟県と群馬県に境を接する上信越国境の山岳地帯にある。

長野県南佐久《みなみさく》の山々を源流とし、長野盆地を貫流する千曲《ちくま》川は、新潟県境を越えると、信濃《しなの》川と名前を替え、中魚沼《なかうおぬま》郡津南《つなん》町で支流中津《なかつ》川を合わせる。この中津川の上流域に点在する集落の総称が秋山郷なのである。

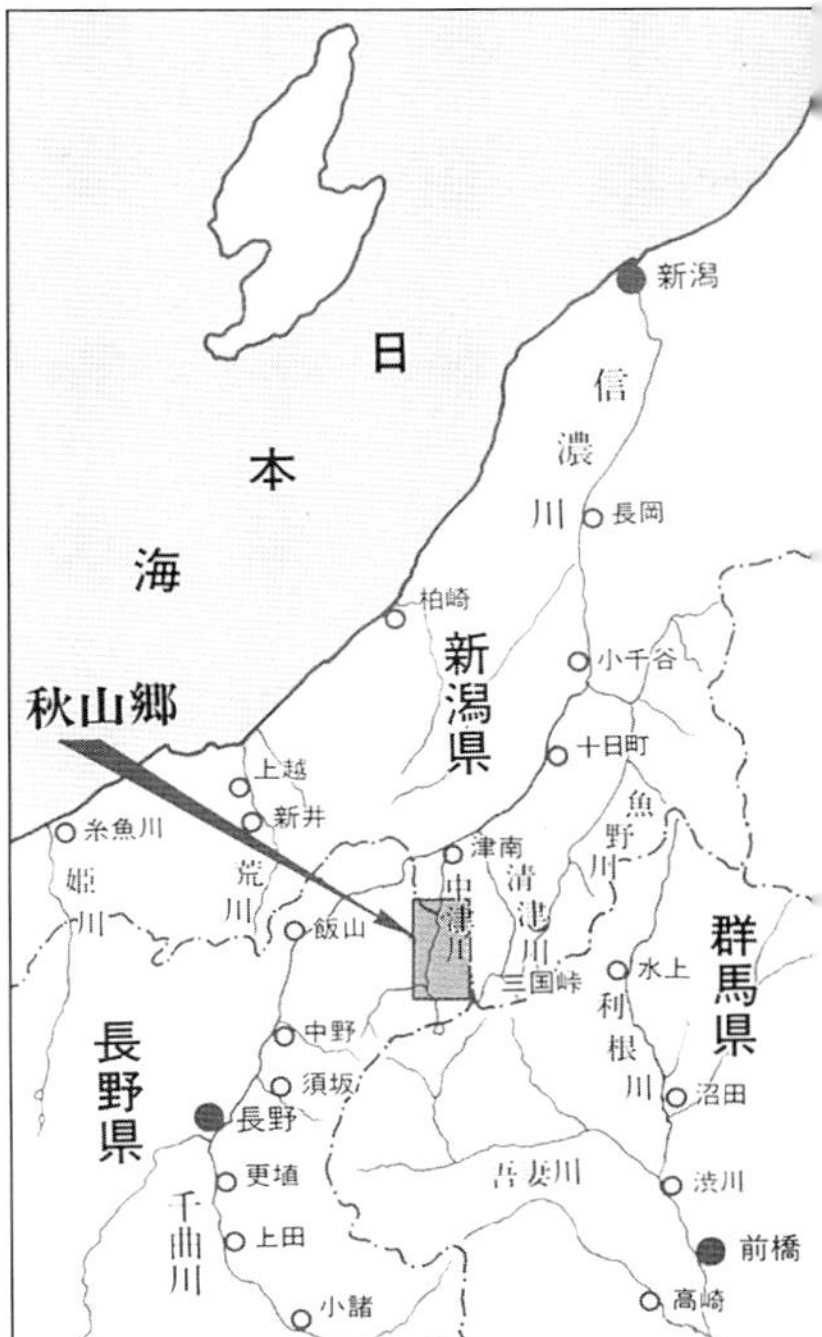

秋山郷を複雑にしているのは中津川の谷にそってある集落が、新潟県と長野県を分かつ県境をまたがるかたちで点在していることだ。この県境はかつての越後と信濃の国境でもあった。そのために新潟側に点在する集落を称して越後秋山といい、長野側の集落を称して信濃秋山（信州秋山とも）と呼んでいる。しかし古くは、秋山といえば信濃秋山、つまり長野側の集落群を指した。現在は長野県下水内《しもみのち》郡栄《さかえ》村に含まれている。一方、越後秋山というのは、現在、新潟県中魚沼郡津南町に含まれ古くは秋成《あきなり》、あるいは秋成郷と呼ばれていた地域である。この越後秋山が信濃秋山とともに秋山郷と呼ばれるようになったのは比較的新しく、太平洋戦争後のことであるらしい。

秋山郷の集落は、中津川の下流から上流に向って新潟県側には、見玉《みたま》・穴藤《けっとう》・逆巻《さかさまき》・清水河原《しみずがわら》・上結東《かみけっとう》・見倉《みくら》・前倉《まえくら》・大赤沢《おおあかさわ》の八集落があり、大赤沢を過ぎてす

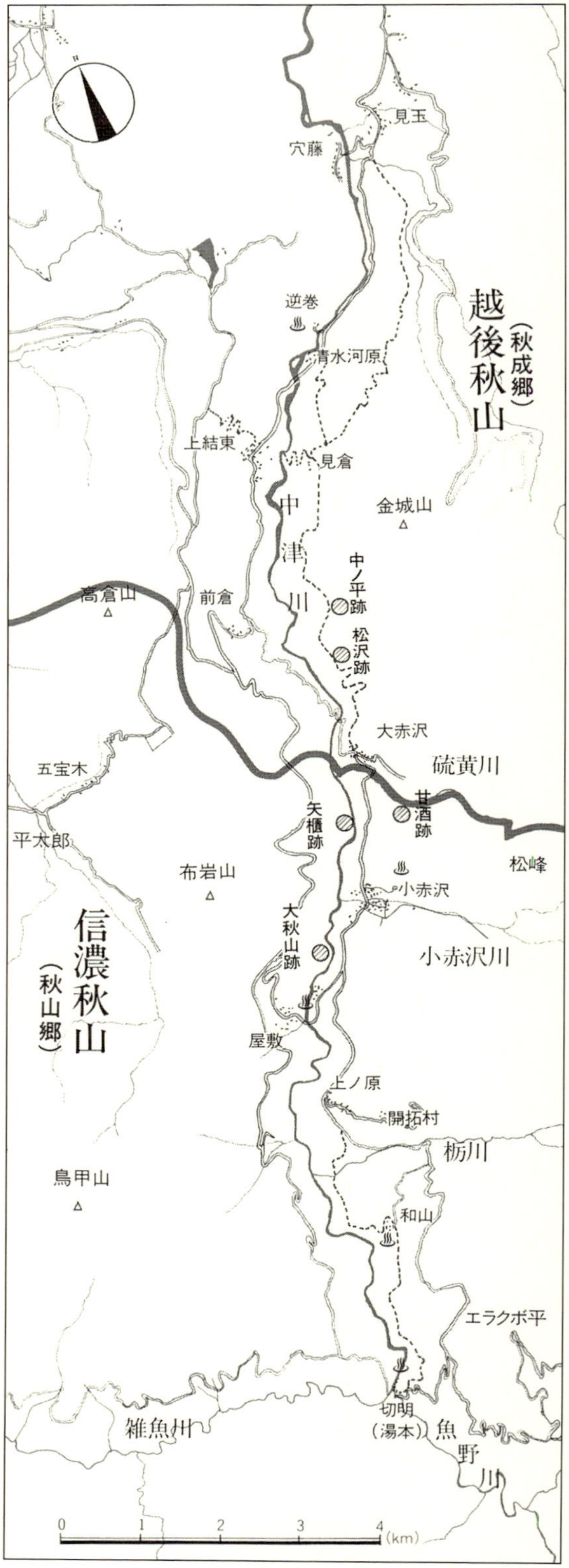

ぐに硫黄《いおう》川の橋を渡り県境を越えるが、長野県側には、小赤沢《こあかさわ》・屋敷《やしき》・上《うえ》ノ原《はら》・和山《わやま》・切明《きりあけ》の五集落がある。さらに、信濃秋山には戦後に開拓された五宝木《ごほうぎ》・上ノ原《うえのはら》開拓村の二集落がある。

これら秋山郷の集落は、下流の見玉から最上流の切明まで、中津川の深い渓谷にそって、およそ一五キロにわたって点在しているが、津南の町から伸びてきている一本の県道（現在の国道四〇五号線）によって結ばれている。標高は見玉で約四八〇メートルだが、切明では約八二〇メートルとかなり高くなっている。最も高い上ノ原や上ノ原開拓村では標高一〇〇〇メートルに近い。

中津川は、群馬県の野反湖《のぞりこ》を源とする魚野《うおの》川に端を発っしているが、その一帯には上ノ間《うえのま》山・白砂《しらすな》山・堂岩《どういわ》山・佐武流《さぶりゅう》山・烏帽子《えぼし》岳・岩菅《いわすげ》山など、二〇〇〇メートル級の峰々が連なっている。魚野川は、秋山郷最奥の切明で、志賀《しが》高原を源とする雑魚《ざこ》川と合流し、中津川となって北流する。

中津川の東と西には、まるで屏風でも立てたかのように、二つの雄峰が聳えている。東の苗場《なえば》山（二一四五メートル）と、西の鳥甲《とりかぶと》山（二〇三七メートル）がそれで、いずれも秋山郷を象徴する山といってよい。

これら秋山郷をとり囲む山々には、ブナ・ナラ・トチ・シラカンバ・ダケカンバなどの落葉広葉樹林が広がっている。生息する野生動物も多く、日本ツキノワグマ・日本カモシカ・日本ザル・本土タヌキ・本土テン・日本アナグマなど多種にわたる。

秋山郷には、越後秋山、信濃秋山を合わせて五〇名ほどの猟師がいる。そのうち信濃秋山は二八名（小赤沢一一名、屋敷七名、上ノ原三名、和山五名、五宝木二名）

●信濃秋山郷の集落の変遷

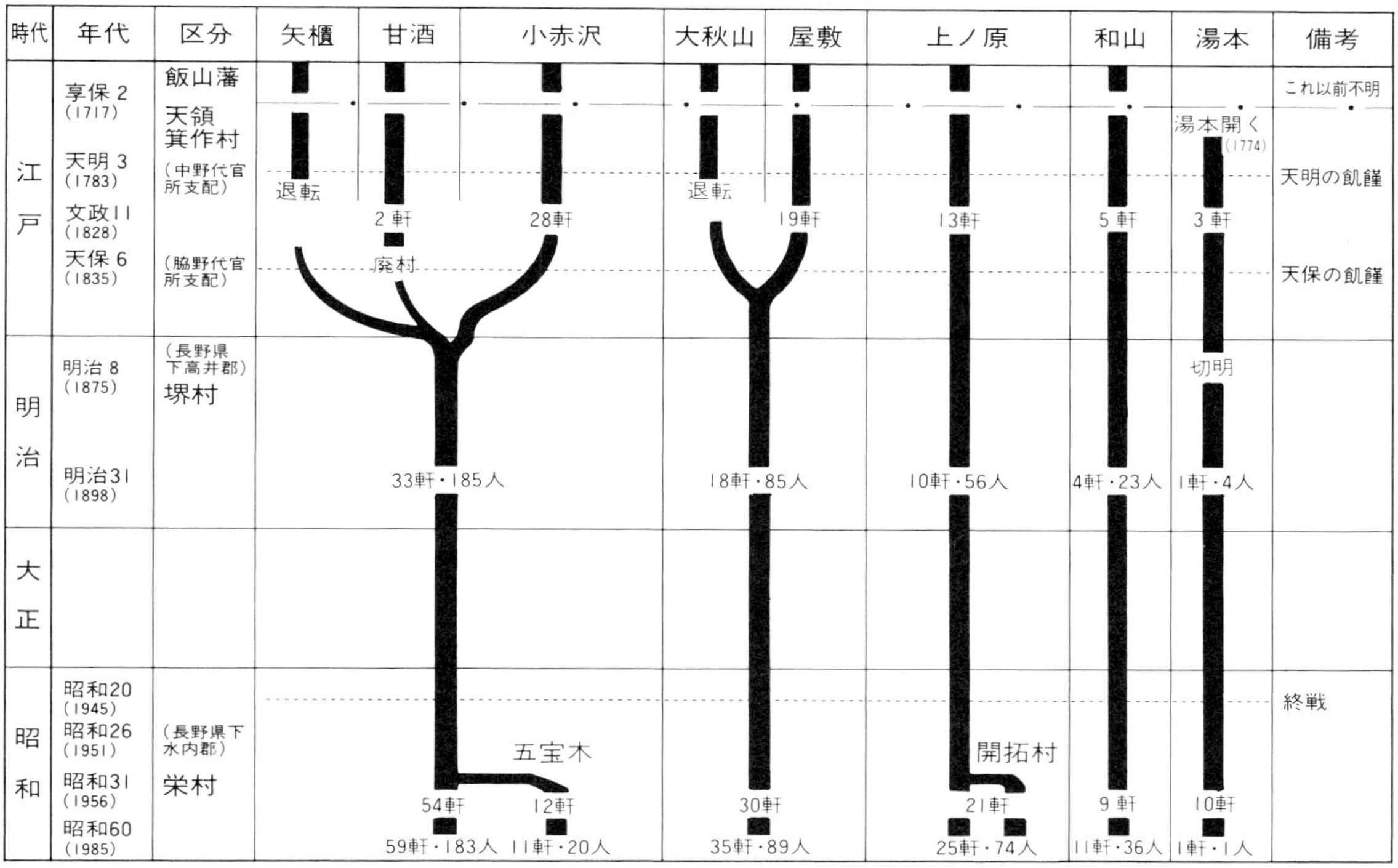

秋山の最も古い記録は慶長13年（1608）に飯山城主から出された伐木手形である。秋山のむらむらが何時の時代から中津川の谷すじに沿って点在するに至ったのかは不明である。しかし江戸後期には 8 集落があった。この内、大秋山、矢櫃の 3 集落が天明の飢饉で、甘酒が天保の飢饉で消えた。飢え死にし死滅したとも、他郷へ幸を求めて去ったともいわれる。大秋山は屋敷の下流にあったが、全戸秋山姓を名のっていたという。秋山郷の名はこの大秋山に由来するといわれている。今日の 7 集落の内、 5 集落は江戸期の飢饉にたえて生き延びてきた集落なのである

である。私は、そのうちの小赤沢でクマ猟（日本ツキノワグマを対象とする猟）を中心に秋山郷の狩りと暮らしを見ていこうと思ったのである。

秋山郷で猟師のもっとも多い小赤沢は、現在戸数五七戸、人口一八三人と、集落としても最大である。

小赤沢は中津川の右岸にある。むらの中央を流れる小赤沢川を中心に広がったゆるやかな斜面や、中津川の河岸段丘などの段地に家が建ち並んでいる。集落の背後は苗場山に向かってせりあがり、前面には中津川をはさんで布岩《ぬのいわ》山や鳥甲山がそそり立っている。

小赤沢の集落は、小赤沢川の流れによって川南と川北に分かれ、さらにこの川に県道が十字に交差していて、下村《したむら》・上村《うえむら》・淵尻《ふちじり》・保沢平《ほざわたいら》の四地区に分かれる。

小赤沢川には砂防堤が何ヵ所にも築かれているが、それはかつての大災害を物語るものであった。

福原そよさん（明治三十六年生れ）は語る。

「オラが若え娘時分のころだっけて、この川が鉄砲水になって何軒も流されてしまったんそ。オラ憶えてるでも、大正三年（一九一四）八月十四日の晩そ。大雨が降って、何日も降り続いて、昔はこんな、歩いて渡られるぐれえの川だったんが、ごうごうと水が出て、そしてその晩そ、ダーンってものすごい音たてて、鉄砲水がきて、みな寝てるんが、全く気がつかねがった。みんなむらの衆あわてて起きだしたでも間に合わねぇんだ。それ

で川そばにあった五軒の家が全く影も形もなくなって流されてしまったんそ。幾人もの人が行方不明になって、一二人の人が亡くなってしまって、いやおっかねがったな。この川はおっかねぇんだって。その時分五〇軒ぐれえも家あったけどもさ、川そばの家はみんなやられてしまった。川にそって大きな杉の木が何本もあったけんど、それがみんな流されて今一本も残ってねぇんそ。オラ、この川おっかねえな。ほんとうに」

小赤沢は、高低差の大きい集落である。一番低い下村や淵尻の家々は、中津川の川底から約八〇メートルほど上がった段丘の上にあり、標高約七二〇メートル。小赤沢で最も高い川入と呼ばれる所で標高約八五〇メートル。同じ小赤沢の集落にあって、一番低い所にある家と最も高い所にある家とでは、水平距離にして七〇〇メートルほどしか離れていないのに、標高差は一三〇メートルにもおよぶのである。

そのため集落内の道は急坂で、むらの中を歩き回るのはかなりの体力が必要である。私のような平地育ちの者にとっては、想像を絶するような、すさまじい地形の所に、秋山の人々は暮らしているのである。

信濃秋山郷の谷。中央に際立って高く聳えているのが鳥甲山。集落はまるで擂鉢の底にあるようで、日照時間が短い。手前に小赤沢、対岸の上流側に屋敷が見える。わずかな段地や斜面に耕地が拓かれている。集落周辺のシラカンバの林は焼畑跡の二次林である

信濃秋山の唯一の町場、小赤沢の集落。10月末、秋山のむらむらには初雪が舞い、12月に入ると根雪となる。若い人たちは主に関東地方などに出稼ぎに出て、むらはいくぶん寂しくなり、雪降る日々の中でじっと遠い春を待つ

2月、雪に埋もれた屋敷集落。谷底の中津川河畔には秋山小学校と屋敷温泉の宿が並んで建つ

「川入に栃の木っていう家あるでもそ、あっこが一番高いんそ。だから下村で雨降ってたって栃の木じゃ雪なんそ。下と上とじゃ雪の降りも全然違うんだ。秋山で一番降るのは上ノ原だな。こっちはそんなに積らねぇな、いいとこ二メートルちょっとで、大雪になれば三メートルも積るけんどさ」

福原そよさんは高低差の違いを雪の積り具合で説明してくれた。

こうした地形の小赤沢には、合計すると一二町歩余りの水田が拓かれている。水田は家まわりや、集落周辺の斜面、段丘などに石垣を築いて拓かれているのだが、ほとんど明治以降に開田されてきたものであった。わずか一二町歩の水田を開くのに一〇〇年余りもかかったというあたりに、この山地の地形の険しさを感じるのである。

小赤沢は信濃秋山で唯一の町場といってよい。昭和四十二年（一九六七）から営業を始めたという民宿が九軒。商店は「清水屋」と「タバコ屋」の二軒、「清水屋」は酒類や食糧品を「タバコ屋」はタバコや塩、日用雑貨を主にあつかっている。この他に三つの土産品の売店や木工製品販売店があり、ガソリンスタンドやスナックもある。そして、秋山木工生産組合、秋山郷山菜組合、イワナ養殖組合、ナメコ本舗など個人で経営したり、むらびとの共同出資で運営されている組合などがある。

小赤沢に暮らす一一人の猟師たちはほとんど兼業農家の主人である。水田や畑（アスパラなどの高原野菜を手がける人もある）を耕作しつつ、民宿を営んだり、各組合の仕事、木工所、林業労働、日雇いの土木作業などにたずさわり、生計をたてているのが現状である。秋の収穫が終わると出稼ぎに出る人も少なくない。

また、信濃秋山には中学校がないために、津南へ出なければならず、子供たちは中学生になると親元を離れ寮生活をする。高校に入ると下宿になる。こうしたことから、子供たちを町へ出している親たちはかなりの現金収入が必要となる。また都会からUターンしてせっかく秋山へ帰ってきた青年たちにも冬場になると仕事がなく、結局何人かは出稼ぎに出なくてはならないのである。

小赤沢が今日のような町場へと変わってきたのは、ここ三十年余りのことだという。民宿の福原さつさんは小赤沢が変わり始めた頃のことをこう話してくれた。

「私は昭和四年に生まれてさ、二十七年に爺ちゃんと一緒になってこの家建てたんだ。それから四十二年の年にそ、民宿始めようてんで、村じゃ早い方だったと思うけんど、冷蔵庫とか電気釜、プロパンとかさ、テレビやジャーなんかもそんころに買いそろえたんだよ。男手のいっぱいある家はさ、薪もいっぱい伐ってこられるから新らしいもの使うの少し遅くなったかも知らないけんどもそ、手の足りない衆はどんどん、そんころから新らしいものに変えてったんだ。そんでさ、娘が小学校に入った三十九年の年にね、バスが小赤沢まで通るってんで、オラそのバス見にいって、あー、オラのむらはほんとうに変わったんだなぁって思ったっけて」

小赤沢に初めて電気が引かれたのは昭和二十一年（一九四六）。それ以降、この山間のむらも電化生活への道を歩み始めた。また、定期バスが昭和三十九年（一九六四）に開通し、現在では津南町大割野《おおわりの》から和山まで一日四往復、一時間半余りでつないでいる。

しかし、ひとたび大雪が降り、雪崩《なだれ》などで除雪がままならなくなるとむらへの交通は途絶えて、孤立してしまう。バスの走る県道は外界とむらをつなぐ唯一のパイプなのである。この道が開かれたのは昭和十六年（一九四一）、木材搬出のためであったが、それ以来何度となく道は大雨による崖の崩壊、雪や雪崩によって交通不能となった。そのため、ヘリコプターや雪上車による物資の補給や急病人の輸送がおこなわれたのは、一度や二度のことではなかった。

クマ猟の季節

四月に入ると、山々には毎日のように雪崩の音が轟くようになる。稜線には今にも崩れ落ちそうな雪庇《せっぴ》がせり出し、いたる所に亀裂が走り始める。沢という沢からは、雪溶け水があふれ出し中津川に集まる。水量を増した中津川が河岸の土砂をも巻き込んで濁流と化す。もう降雪はなく降るのは雨、吹くのは生温かな風である。晴れた日は空が青々と開け、太陽の光がジワジワと雪面を灼く。

そんな日の午後、山は恐ろしげにパックリと口を開ける。岩肌に喰らいついていた雪がしだいに岩から離れて、雪と岩の間に空洞が生じる。その雪をかろうじて斜面にくい止めているのは、柴ぐらいのものだ。これが何の前ぶれもなくガサッと音をたてたかと思うと一気に谷へとすべり落ちる。ナデだ。猟師たちが一番恐れているこの

●狩猟・漁撈暦

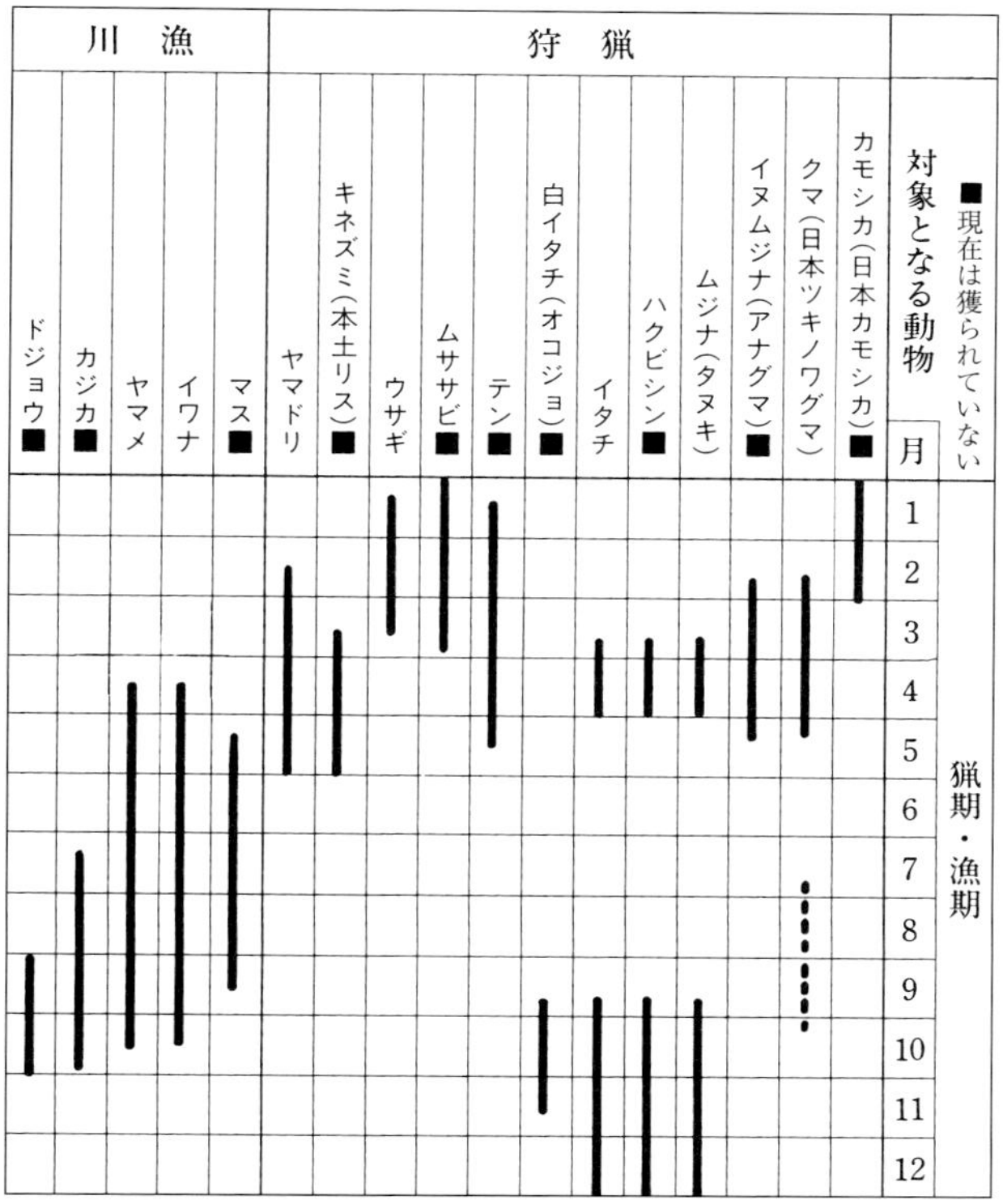

冬の狩猟、夏の漁撈を種別に猟期、漁期で記したのが上の図である。獣を夏期に獲らないのは、森が茂り、見通しが悪く、さらに、獣の毛皮も毛が薄く質が落ち、肉も脂が少なく固いからだといわれる。7月から10月にかけてのクマ猟は、耕地や集落近くに出没したものを駆除するという意味である

猟友会の会合に集まった猟師たち。何十年と山歩きをしてきた男たちはたくましさだけではなく、ほのかな温もりとユーモアがある

●小赤沢の四季

「一年なんてあっというまそ。オラ土が好きで、土いじくってんのがすきだでも、そりゃあつらいんだ。つらくて逃げ出したくってしょうねぇころもあったんだけんど、ここじゃあ土いじくるつたって半年ばかしだから。あれしよう、これもしようって夢中で働いてるうちにもう冬そ。まもなく雪が降るんだ。降っても降ってもよくあきねぇと思うんそ。若いころは雪がいやで雪の降らねぇ土地に憧れて行ってみたでも、やっぱりオラここがいいんだ。

どんな季節がいいなんてねぇな。季節なんてぇものはめぐるばっかしで止まっちゃくれないでしょう。あー春だ、畑もやる、田もやる。春がいい、夏がいいっていったって、すぐ過ぎちまうから。ただ季節のかわりめはいいなー、なんかこうホッとしるん。ただ冬だけは長げぇんそ。オラ、冬はいやだなぁ。土がなくて寂しい気がしるんだ。だでも、オラ、ここがいいなぁ」と福原そよさんはいう。

初雪は例年十月末、畑へ出られるのは半年後の五月初旬である

郵便はがき

料金受取人払郵便

赤坂支店承認

313

差出有効期間
平成24年9月
30日まで
(切手不要)

1078790

222

(受取人)
東京都港区
赤坂郵便局
私書箱第十五号

農文協
「宮本常一とあるいた
昭和の日本」
編集部
行

◎ ご購読ありがとうございました。このカードは当会の今後の刊行計画及び、新刊等の案内に役だたせていただきたいと思います。

● これまで読者カードを出したことが　ある(　　)・ない(　　)

ご購入書店名：　ご購入年月日　年　月　日

ご住所　(〒　－　)	
お名前　男・女　歳	
TEL：	E-mail：
ご職業　公務員・会社員・自営業・自由業・主婦・農漁業・教職員(大学・短大・高校・中学・小学・他)研究生・学生・団体職員・その他(　)	
お勤め先・学校名	所属部・担当科
ご購入の新聞・雑誌名	加入研究団体名

お客様コード

※この葉書にお書きいただいた個人情報は、ご注文品の配送、確認、出版案内等の連絡のために使用し、その目的以外での利用はいたしません。

ST100

宮本常一とあるいた昭和の日本　全25巻

●お買い求めの巻に　○印をお付け下さい

1	2	3	4	5	6	7	8	9	10	11	12	13
14	15	16	17	18	19	20	21	22	23	24	25	

●本書についてご感想など

●今後の出版物についてのご希望など

この本をお求めの動機	広告を見て（紙・誌名）	書店で見て	書評を見て（紙・誌名）	出版ダイジェストを見て	知人・先生のすすめで	図書館で見て	NCLの目録で

● 宮本常一とあるいた昭和の日本　全25巻　予約注文書

全巻予約者に「CD-ROM 宮本常一地域振興講演集」をプレゼント！

全巻予約注文　揃定価 73,500円(税込)　□ セット

＊既に購入済みの巻数をご記入ください。（　　　　　　　　）巻

＊未購入の既刊分は一括で配本します。＊新規発行分は定期配本します。

＊書店経由の場合は、書店名をご記入ください。

（地区　　　　　　　　書店名　　　　　　　　）

「春になって雪が消えれば、苗場ごしらえるん。クマ獲りの衆も5月にへーれば、こんだ畑だの田んぼに出るんだ。クマ獲りの時は元気がいかった男衆も、田んぼ仕事になっては、しゅんとして元気ねえんそ。女は春が一番忙しいんだって。山いって山菜も採るんだし、畑のツルマメにあてがうシバかったりそ。まあ6月初め、田植が終わるまで、女は休む暇なんてねえんだ」

ナデと呼ばれる春の雪崩は、真冬の表層雪崩とは異なり、畳一〇畳、二〇畳分もの凍った雪の固まりとなって谷を一気にすべり落ちるのである。若木も大木も根こそぎ薙ぎ倒し、砕けながら谷底へ落ちていく。ナデに直撃されたら、まず助からない。

しかし、雪崩は、春をつげるものでもある。まるで冬の化粧を落とすかのように、山肌からボロボロと雪が剥げ落ちる。家々のまわりには、半年ぶりに黒い土肌が見えだす。そこにはもうフキノトウが芽吹き、青々とした草の芽も顔を出している。むらの中は土の匂いでいっぱいになる。出稼ぎに出ていた人たちがむらへ帰ってくるのもこの季節だ。猟師たちは、ガンロッカーから銃を取り出す。

いよいよクマ猟が始まるのだ。

一方、山に生息するクマたちも、長くこもっていた越冬穴から出始める。クマは周辺の山々の雪崩がやや落ちついてきた頃に穴から出る。一番早く出るのは生後二年目の仔を連れた母親で、一番遅く出

るのは、その冬生まれたばかりの若仔《わかご》を連れた母グマだという。

小赤沢の猟師の親方、山田長治さんはクマの冬眠とお産について語ってくれた。

「クマって奴はそ。冬至十日前に穴へへーって、春の土用十日前、四月十日時分に穴から出るもんなんだ。この冬眠してる間に、クマは仔を産むんだでも、雄と雌とひとつずつ産むんだ。まあひとつしか産まねえものもあるでも、大方二つだ。仔を産むのは節分のころだと思うんだでも、これが妙なんそ。オラたちは昔、穴へへーったクマ専門に獲って歩いたもんなんだでも。とにかく穴のクマって奴はそ、胆《い》が太っていいし、毛も柔らかくてそろってるから、穴のクマ獲りが仕事だった。ところがそ、仔がへーってる時分とったたっても腹の中に仔がへーってたためしがねぇんだ。ほんとに妙なんそ。どういうわけか、オラこれまで何十年と猟師やって山さわいできたでも、仔がへーってたクマ獲ったなんてことはねぇんだ。話にも聞かねぇ。あれはほんとうに妙なんそ。クマって奴は人間が来たなってなると、腹の仔を自分で流して喰っちまうんだっていうでも、わからねぇな。交尾は六月時分にしてるっていうのは猟師の感でわかるでも、まあ、お産てば、だってもわからねぇな。オラたち猟師ってもなぁ、獲ったクマの体はよく見てるんだ。それこそ何百頭と見てるんだでも腹の中まで見てるでもわからねぇんそ。クマっていうのは不思議なんだって」

クマの冬眠はカエルやヘビなどのそれと異なり、仮死状態で冬を越すのではない。穴の中ではたえず眠ったり起きたりを繰り返し、外の気配にも敏感に反応し、穴の入口が雪でふさがったりすると、起きていって雪をどけたりしているという。

秋山では、この冬眠中のクマを獲る猟を穴グマ猟といい、穴から出て山を歩き始めたクマを獲る猟を出グマ猟といっているが、私が秋山で最初に見たクマは穴グマ猟で射止められたクマであった。

穴グマ猟

昭和六十年四月一二日の朝のことだ。中津川の上流檜俣《ひのまた》川の奥で穴グマを獲ったという知らせを聞いた。檜俣の猟場から、車をとりに一足早くむらへもどった福原唯雄さんが、これから車を回して仲間が下山してくる所まで迎えに行くというので、私も同乗させてもらった。

唯雄さんの話しによれば、仕止めた穴グマの四肢と口を縄で結び、沢や山を越えて曳いてくるのだという。これをクマ曳きといい、今もその道々、昔ながらの「クマ曳き唄」を歌うのだという。

秋山の猟師たちは、クマの入った穴を、その形状の違いによってタカス（高巣）・ネダカス（根高巣）・ネアナ（根穴）・ツチムロ（土室）・イワアナ（岩穴）・アオリ（土アオリともいう）の六種類に呼び分けている。

タカスは巨木の中が空洞になっているもので、その入口が高い所にあるものをいう。ネダカスはタカス同様、巨木の空洞なのだが根に近い、低い所に入口があるものをいう。ネアナというのは、大木の根と根の間にできた穴であり、ツチムロは土の穴であり、イワアナは崖や急傾斜の岩場などにある穴である。アオリというのは、大木などが強風や雪崩などで傾き、根が、土を抱いた格好で持ちあげてできた空洞を指す。いずれにしてもこうした穴は自然にできたものであり、クマは自分で穴を掘るということをしない。ただ、入り口を塞いだり、寝る場所をならしたりということはする。

この日獲ったクマはタカスとよばれる穴で獲れたものであった。このクマも体長五尺（一五〇センチ）強のオスグマで少しやせていた。銃弾は首に命中しており毛は黒々としてつやがあった。一見して若いクマだと分かった。

この穴グマ猟だが、まずアタリやカジリを見て回ることから始めるのだという。アタリというのは木の幹などにクマがつける爪跡のことで、カジリとは若木などをクマがかじって残す歯跡のことである。

アタリやカジリについては、山田長治さんの語りを聞こう。

「クマはそ、秋になったれば、かなりの大喰いになるもんだ。ひと冬越すんだから、そりゃ大変な量を喰う。秋は山のなり物もみのるから、トチでもクリでもナラでも木の実ならやたらとって喰う。山ブドウやアケビも喰うんだ。クマも考えてちゃんとビタミンもとってるんだ。クマって奴は、喰うだけ喰って寝て、また起きて喰うんだ。それでそろそろ雪だってころになるっていうと穴をさがす。クマは穴ならどんな穴でも入るっていうもんじゃねえ。やっぱりクマの好きな穴ってものがあるんだな。こう中へへーってみると、少し明るいような、光のあるような所に入りたがるもんだ。だから猟師だったって一から十まで穴を見て歩くんじゃねえ、クマの入る穴ってもなあ、おおよそ見当つけてるわけそ。それで気にいった穴みつけたったってすぐに入らねえな。穴のまわりを歩き回って、毛干しってことするんだ。毛干しってな、毛を干すんだよ。ひと冬湿気た毛のまま穴へへーっちまうってえと、虫もつくんだろうな。クマって奴は湿気を嫌う獣だから、それで陽当りのいい所で柴をからめてベッドみたいな格好に床をつくるんだ。その上にひょっこり乗って寝る。それから穴へへーるんだ。そっでも穴へへーるって時には木の幹をひっかいたり、かじったりし

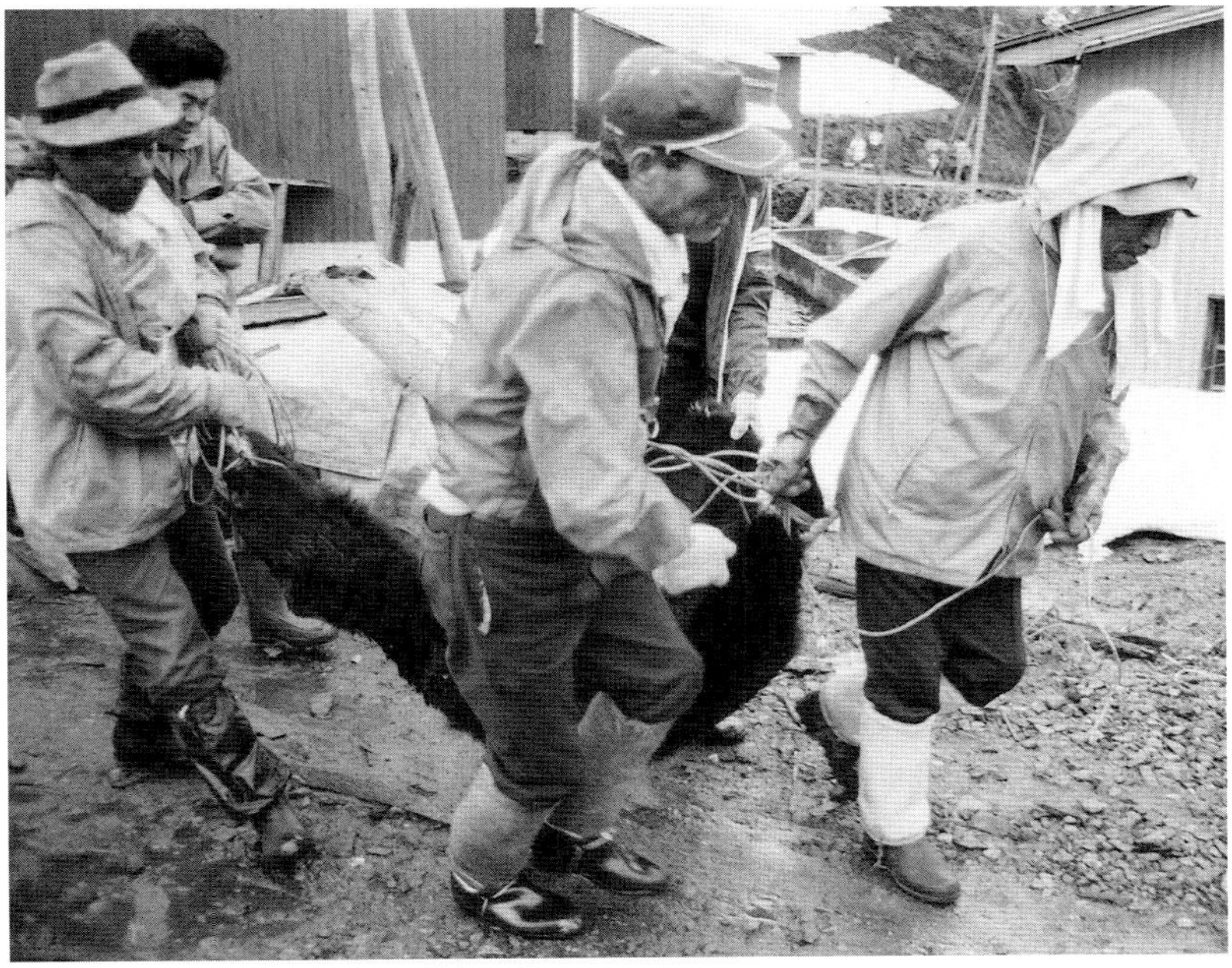
穴グマ猟で獲れたクマを運ぶ猟師たち

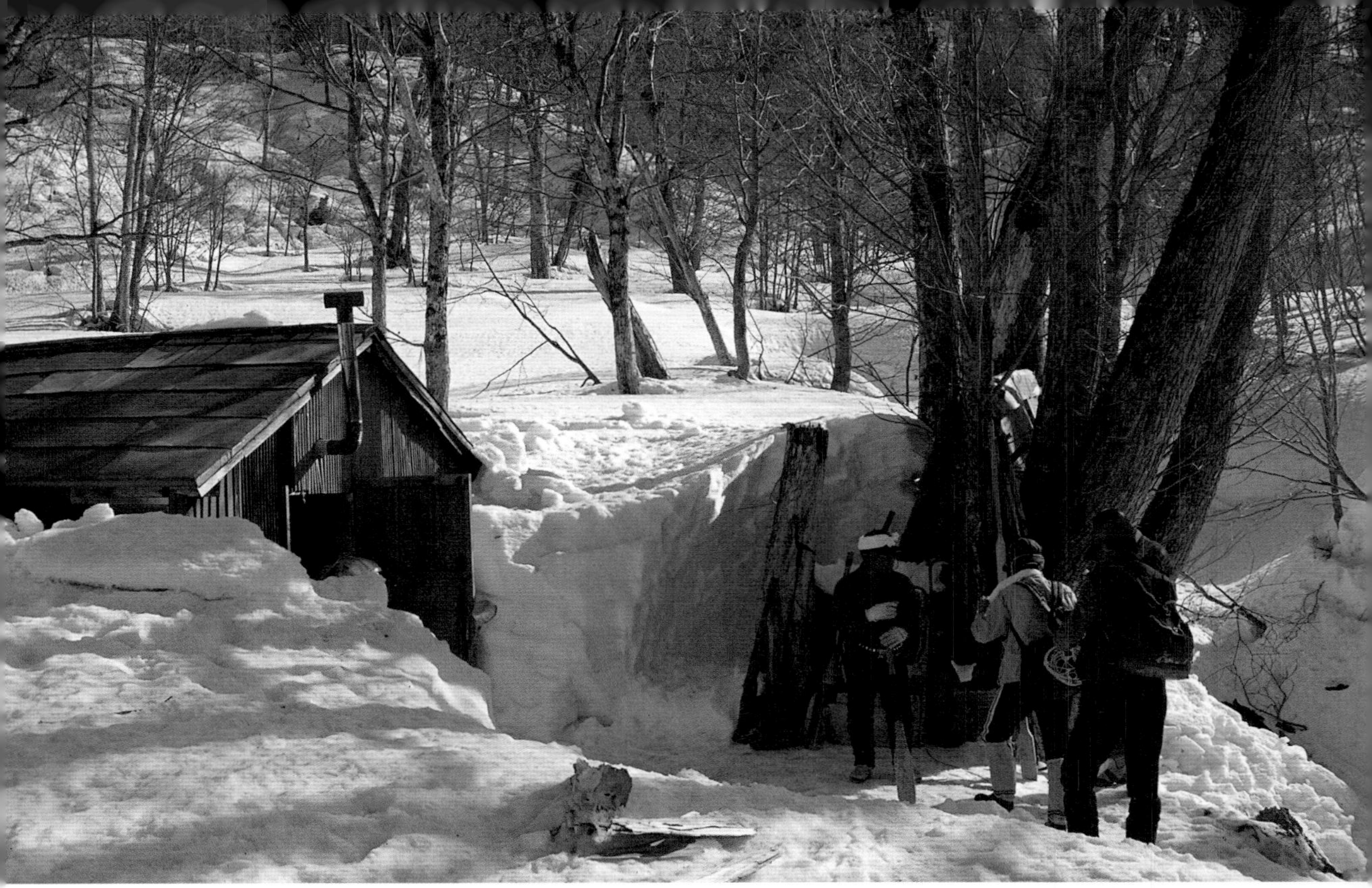

小赤沢の檜俣の小屋。春先の4月初旬に小屋に入り、穴グマ猟の拠点として用いていた。しかし穴グマ猟が自粛され始めた1986年以降、小屋の使用頻度は極端に落ちた

て、これオラたちアタリとかカジリっていってるでも、そういう跡つけてから穴へへーるんだ。腕のいい猟師ってもなあ、毛干しの跡とかアタリ見て、どこの穴へクマがへーったか一発で見分けられるもんそ。こりゃあ誰でもできる仕事じゃねぇ、やっぱその人の器量だと思うでも」

どうしてクマが穴に入る前にアタリやカジリなどの跡をつけるのか、猟師たちに尋ねてみたがよく分からない。ただ、一つの解釈としては、クマが自分の存在を他のクマにしめす縄張りの印《しるし》ではないかということであった。なお、このアタリやカジリを見て歩くのはクマが穴に入る一二月半ばごろのことだという。

長治さんはさらに語ってくれた。

「オラたち猟師ってもなあ穴のクマ獲るのがほんとうの仕事だったもんそ。二十五年くらい前まではカモシカ(日本カモシカ)も獲ってよかったから、正月三日が過ぎるとへー、もう山へへーってさわいだもんだ。寒のそれこそ二月ぐらいまで雪こいでカモシカを獲る。それがひとだんらくつけばこんだ穴クマそ。そんころなれば、穴グマのいい時期なんだ。どうしていいかってば、クマは食べるものも食べねぇで穴へへーってるんだから、胆もある。皮の毛も、そろって柔らかくて、品物としちゃ、一番いいころだ。オラたちは猟師なんだから獣を獲るのが商売そ。だから獣が一番いい値の状態の時に獲ったもんなんだ。だからアタリで見当つけといて、クマがいい状態になるまで待つわけなんそ」

穴グマ猟が最も盛んにおこなわれた時代は大正から昭和二十年頃だったといい、その時代には二月から三月に

ニホンカモシカの親子。ニホンカモシカは昭和30（1955）年に国の特別天然記念物に指定され、捕獲禁止の特別保護獣となった。しかし昭和10年頃までは、その毛皮と美味な肉のため重要な狩猟対象動物であった

かけて山に泊り込みで猟をし、多い時には穴グマだけで一〇頭も獲った年があったと聞いた。

クマが穴に入っているかどうかの確認は、大変勇気のいる仕事である。確認からクマを獲るまでの過程を福原直一さんに聞いた。

「まず穴に入ってるかどうかっていうのは、穴をのぞいてみるんだけれども、穴が浅い場合とか深くてもまっすぐな穴なら、穴の口からのぞいてみる。クマって奴は穴へ入ると、何かしてるわけで、穴の様子が違ってるんだ。どっかかじってたりとか、ガサガサあらしてるとか、だからのぞけば大体わかる。だでも、穴が深くて、中で曲がってる場所なんかでは、人がもぐって見てくるわけだ。それでいたとなるとヤライっていうのを支《か》うわけだ」

ヤライ（矢来）というのは、クマがいきなり飛び出してこないように、穴の入口に支っておくものだ。ヤライに用いる木は、枝の張っているものを使う。その穴の深さによっても異なるのだが、二～三メートルの長さのものので、木の根元の方から穴へさし込んでいくのである。このヤライを入れると、大方のクマは怒って外へ出ようとする。しかし、ヤライが邪魔してクマは入口近くで悪戦苦闘することになる。

クマはヤライを押し出そうとはせずに、自分の方へ引き込もうとする。ところがヤライの枝が邪魔してうまくいかない。そこを銃でねらうのである。クマの前足（手）は自分の側に抱き込む動きはできても逆に押す動作ができない。これはクマの悲しい骨格上の性《さが》なのである。

「ヤライを支ってても出てこない時はそ、そのあたりで長い棒をこさえて、ヤライの横から穴につっこんで、中をかんましてやれば、起きてくるし、まんがいち穴が途中で曲がってる場合でも、穴のまわりよく見て歩けば、小さな風穴みたいなもんが空いてるすけ、そっから棒つっこんでつっついてやれば、クマは出てくるんだ」

と直一さんは、穴グマ猟の様子を生々しく語ってくれた。

今回、タカスで獲ったクマの場合の猟の手順というのは、おおよそ次のようなものである。

まず、クマの入っていたタカスは、穴が根元近くまで空いており、穴のある木は少し傾いていて、ヤライを支うのが、難しかったようだ。それでも何とかヤライを支い、クマのいる根元近くの木の腹をたたいて追い出しをかけた。するとクマはヤライに組みついたのだが、なかなか銃の撃てる形にはならなかったという。そこで今度は木の腹に鋸や鉈で穴を開けて、棒でクマをつっついてみた。すると怒ったクマはすさまじい勢いでヤライに組みつき穴の口から肩口までを出してきた。そこをねらって撃ち一発で見事に仕止めたのだが、なんとクマは穴の底へ落ちてしまった。それを穴からひきずり出すのにたいへん手間どり、一晩、タカス近くで野宿し、やっとクマを穴の底から引っぱりあげたのだという。

穴グマ猟は危険なもので、何人かの猟師が怪我をしている。今から三十年ほど前に実際にあった話だが、支っておいたヤライがはずれ、クマがいきなり飛び出してきて、猟師の一人に背後から組みつき、するどい爪で頭の皮をベロリとはいでしまった。幸いにも、はがれた皮はくっついて、命に別状はなかったという。また、穴の中で格闘の末にクマを仕止めたという武勇伝も語り継がれている。

ともかく、この時にタカスで射ち獲られたクマが、この年唯一の穴グマであった。また、この翌々年からは、クマの地域個体群保護のため穴グマ猟については自粛することになり中止された。

出グマ猟

さて、出グマ猟なのだが、秋山では出グマをとる猟場を巻き場と呼んでいる。この巻き場は私が地図の上で確認しただけでも二五ヶ所あり、話だけで聞いている所も加えると三五、六ヶ所あるようだ。山ならばどこにでもクマがいるというのではなく、クマが出やすい場所があり、そこで獲るのである。そのような場所を「クマのつき場」と秋山ではいう。

●クマの巻き方

巻き場で実際にクマを巻く様子を描いたのが上の図で、ノボリマキの場合である。巻き場全体が見わたせる所にメアテが立ち、ヤバにホンヤバ、カタヤバがついている。オイッコは沢の下流側から登り、また斜面を横切りながら、クマをヤバへと追い上げていく

春のクマは一般に早朝と夕刻の二回採食に歩き、日中は雪がきれいに溶けた、しかもよく乾いた日向の斜面でごろごろ過ごしているという。とくに木の根の下などにいることが多く、ふつうの人の目ではなかなか見分けがつきにくい。巻き場というのは、こうしたクマのつきやすい場所であり、過去の猟においても獲った確率の高い場所なのである。もちろん巻き場以外で獲ることもあるのだが。

猟師たちは猟場に入ると親方の命令にしたがって動く。親方というのは狩猟経験の豊富な長老であり、猟師の指導的立場の人である。猟場に入っていざ巻いて獲ろうという時も、親方がその場の地形やクマのいる場所などから判断し、巻き方を決める。

巻き方には大きく分けると二つある。

・**メクラマキ**　クマがいるかどうか確認せずに行なう巻き狩りで、過去、何度も獲っているような巻き場では、この巻き狩りをおこなうことがある。

・**デマキ**　ミマキともいう。クマがいることを目認したり、足跡などから確認をとったうえで巻き狩りをおこなう。

さらに、デマキは三つに分かれる。

・**ノボリマキ**　斜面にいるクマを下から勢子が追い上げ、尾根で射手《しゃしゅ》がクマを迎え撃つ方法。

・**オロシマキ**　ノボリマキの逆で、斜面にいるクマを勢子が追い下ろしていき、下で射手が迎え撃つ方法。

・ヨコマキ　クマを斜面にそって横に追い、尾根で射手が迎えて撃つ方法。

　秋山での一般的な巻き方は、デマキによるノボリマキである。これが、最もクマの習性をうまくとらえている。クマは追われると斜面を駆け上がり、いち早く尾根に出ようとする。しかし、尾根ならどこにでも出るかというとそうではなく、秋山では「ダル」と呼ばれる尾根のたるみの部分に出ようとするのである。これを利用して、巻き狩りをおこなう。

　まず巻き場に着くと「トキリ」ということをする。クマの足跡、つまりクマの「トアト」を切って見るのである。巻き場をはさむ尾根をぐるりと歩き、尾根付近の土や残雪を細かく見てクマの足跡を探し、クマが巻き場の中へ入っているかどうかを見きわめる。足跡が尾根を横切って巻き場の斜面に入って行き、足跡の進んだ方向の尾根にクマの出て行った跡や、後もどりした跡がなければ、その尾根にはさまれた区域（巻き場）内にまだクマがいることになる。トキリによって確認されるといよいよ巻き狩りが始まる。

　ところで、巻き狩りにはそれぞれの役目に応じて呼び方があり、勢子をオイッコ（追子）といい、射手をヤバテ（矢場手）という。そして全体が見わたせる所から人の動きの指揮をするメアテ（目当）がおり、この三者の息があってはじめてクマを獲ることができる。

　巻き場には、ヤバテが立つヤバという場所があり、前述した尾根のダルがヤバになっていることが多い。ヤバは人をも指す言葉だが、ヤバにはホンヤバ（本矢場）とカタヤバ（肩矢場）がある。その場合は、ホンヤバが射手でカタヤバがホンヤバの補助役である。

　ヤバテを勤める猟師は銃の腕が最もすぐれた人であり、目の前にクマがくれば百発百中の名手である。メアテは、ほとんど親方がつとめる。クマの動きをす早く読み、オイッコの動きを微妙に変え、ヤバテの前にクマが行くように指揮をするのである。オイッコは、ホーイ・ホイ・ホーイと声をたてながらゆっくりクマを追いあげて行くが、これもかなりの熟練した猟師でなければ勤まらない。つまり巻き狩りには、誰でもすぐに勤まるという役目はないのである。

　巻き狩りの際の人員の配置は、その時の人数によっても異なるが、最も少ない時で三人で巻いて獲ったことがあるという。この時は、メアテ、ヤバテ、オイッコが各一名ずつで、メアテがオイッコもかねたというが、やはり人数が少ないと逃がす確率も高くなってしまう。かといって、多すぎてもクマにさとられてしまい、これも逃がす確率が高いらしい。ちょうどいいのが一〇人前後だということだ。現在は、春の有害鳥獣駆除による特別猟期として春グマが位置づいており、猟は五人以上でおこなわなくてはならないことが法律で決められている。

　また、この巻き狩りの際の指揮の伝達にはゴーが使用されている。ゴーというのは弾の薬莢《やっきょう》を用いて鳴らすのである。このゴーについて福原直一さんはいう。

「クマを歩きながらみつけたり、早く人をそこに集めたりする時には、早ゴーってのを吹くんだでも、ピョーピョーピョーピョーって続けて早く鳴らす。それから実際に巻きが始まった時なんかは、おいってばピョー、何だってばピョーと吹いて、互いに意志の伝達するわけそ。

初夏、小赤沢集落周辺の段丘の緩斜面上は青々としたイネで埋まっていた。水田は小赤沢では明治以降にようやく拓かれたというが、現在は約12町歩あまりが耕作されている

それで巻いてる時はメアテが大きくピョーと吹けばみんなメアテの方を見るから、メアテが手で合図したりしてな、そうやってるでもな。それで巻くと今度は鳴り始めるんだでも、これもメアテの合図でオイッコが声あげ始める。その時はもうメアテも声出していいすけ、今、ホンヤバの下《しも》にいくー、とか上《かみ》のカタヤバへいくーっていってヤバテやオイッコにクマがどっちいったか知らせてやるわけそ、とにかくヤバテからクマやオイッコはめったに見えねぇんだし、クマは繁みの中からヒョイって出てくるから、ヤバテはじっとメアテの声聞きながら待つだけだ。用たししたくたって、くしゃみしたくたって、音はたてちゃいけねえし、動いてもいけねえんだ」

巻き場の中で何もかもが見えているのは、メアテだけの場合が多く、クマを追うオイッコ自身、クマが見えないこともある。このためにたえずメアテの声に聞き耳をたてていなければならない。

実際にヤバテがクマを撃つのは二〇メートル内外、近い時には五、六メートルまでひきつけることもある。さらにヤバテは、クマのどこを撃ってもよいということはなく、正面であれば肩口かみけんを、横からであれば、「アバラ三枚」（心臓）をねらうという。ねらいが少しでもくるうと、せっかくの胆《い》を撃ちぬいてしまうこともあるし、急所をはずすと一発でしとめられなくなる。これを半矢《はんや》というが、手傷をおったクマほど危険なものはなく、またクマに対しての礼を失ったことになる。

山田長治さんは、火縄銃時代のヤバテについてこう語ってくれた。

「火縄銃の時代はそ、槍も持って歩いたもんだ。火縄銃ってのは湿気にあっちゃどうしようもねえ品物で、火薬がしけって弾が出ねえってこともあるんだ。目の前にはクマが来る、鉄砲は弾が出ねえ、それに火縄ってな、一発でしょう。一発はずれちまうとそんでしまいだから、今度は槍を使う。クマと人間の一騎打ちになる。槍はそ、まずクマと面と向かったら、槍先で地面をたたいて、オィって声たてる。するってえとクマは両手広げて立つから、そこを今度は、クマのふところにもぐるようにしてクマの月の輪に槍先あてて、地面からクマの胸にそ、たてかけるようにスッとあてがって、後は逃げるんだ。するってえとクマは前へたおれて人間追っかけようとするから、自分の重さで槍がささるってえ格好になる。昔のヤバテは度胸ひとつでもってやったもんそ」

巻き狩り

この巻き狩りに途中までだったが同行させてもらったのは、昭和六十一年四月二十四日のことであった。朝七時に小赤沢の県道に集合。猟場は鳥甲山西側の山々とのことだ。前日すでにクマの足跡を確認しており、クマのいる場所の見当もついているらしい。その朝は、じつに良い天気であった。ぬけるように青く広がった空に、真白な鳥甲の峰々が天を突くように聳え、ひときわ際立って見えた。

集まって来た猟師たちは、誰もが先の二股になったホウの木でつくった杖を持っている。杖はついて歩くだけでなく、雪面にさし、Yの字の部分に銃を乗せ、銃座としても用いるし、雪渓などの急斜面を下る時には、この杖に体をもたせかけて一気にすべりおりるのである。つまり、杖でグリセードをするのだ。

猟師たちは皆、長靴をはき、肩から銃をさげている。腰のベルトには二〇発程度の実弾がさしてある。金色にキラキラと輝く弾丸や、黒々とした金属質の光沢を放つ猟銃を見ていると、やはり怖い気もする。

「あのさー、俺たちはハンターとは違うんだよね、ちょっとね」

と山田忠雄さんが仲間を待ちながら話し始めた。

「俺たちはさ事故がいちばん怖いから、事故がおこらないように細心の注意してるよ。鉄砲はね、たとえ巻き場に入ったって弾つめないんだよ。巻き場に着いて、やっと鉄砲の袋をとるだけでさ。弾をつめるってのは、獲物をこの目で確認した時か、明らかにそこにいるという時だよ。それに、安全装置のピンをはずすのはね、獲物が目の前に来た時だよ。俺たちはアマチュアじゃないんだから、ちょっと違うんだよね」

秋山では、今日まで猟銃による事故は一度も起きていない。それは誰もが銃のあつかいに対してこのうえもなく慎重であるからだ。いざ銃をかまえても、獲物とうまくタイミングが合わないと、その場ですぐ弾をぬきとってベルトにもどす。無理して引き金を引くことは絶対しない。また引き金を引く時には弾がどこに落ちるのか、獲物の周囲の状況や獲物の背後がどうなっているのか、

●秋山の狩猟形態

期間	猟の種類	人員	猟名（小赤沢）	対象となる動物	その利用	料理名	加工	商品として出された地域
1月～2月	ウサギ猟	個人	ワナガケ（罠猟）	ウサギ　その他	肉A　骨A　皮D、E　内臓A	ウサギ汁　ゾウフ汁（内臓）　骨タタキ（団子）	皮―皮ヤジとりから皮はりまで	津南
		個人	ウサギ狩り	ウサギ				
		個人	ワンダラ猟					
		集団	マキ狩り					
1月～2月	＊カモシカ猟	集団	シシ狩り	日本カモシカ	肉A、骨B　皮C、D　内臓A、D	シシ汁　ゾウフ汁	毛皮―皮ヤジとりから皮はりまで	草津、中野、発哺、湯田中
3月～5月上旬	クマ猟	小集団	アナグマ獲り	日本ツキノワグマ	肉A、D　骨B　皮D　内臓A、B、D	クマ汁　ゾウフ汁	毛皮―皮ヤジとりから皮はりまで　なめしは十日町（かつては秋山でもした）　胆―ミズイからホシイまで	毛皮は十日町、津南　胆はかつて草津、発哺、現在は十日町、津南　肉はかつて草津、発哺、現在は村落内で売られる
		集団	デグマ獲り					
8月～10月	クマ猟	小集団	秋グマ獲り					
		＊？	オス（罠猟）					
			オトシ（罠猟）					
10月～11月	＊バンドリ猟	個人	バンドリ獲り	ムササビ	肉A　骨？　皮D　内臓A	汁	毛皮―皮はりまで	十日町、津南、中野
	＊その他の猟	個人～集団	罠で獲ることが多い	ホンドタヌキ　ホンドテン　ホンドイタチ　日本ザル　日本アナグマ　日本リス　ハクビシン	肉A　骨E　皮C、D　内臓A	汁	テンの皮―皮はりまで	テン、イタチは中野、十日町

A＝自給用食肉、B＝自給用薬品、C＝衣類（防寒具）、D＝商品、E＝捨てる（焼く）

＊＝現在おこなわれていない猟

秋山では、大型獣の猟から小型獣の猟まで、幅広い猟がおこなわれてきた。クマやカモシカなどの大型獣は、主として奥山での猟であったが小型獣の猟は集落周辺の片道3、40分ほどの範囲でおこなわれた。これは共有地内、もしくは共有地よりも少し奥の山での猟であった。小型獣を獲るのは銃も用いたが、罠猟も盛んにおこなわれた。小型獣用の罠はオトシとか箱穴と呼ばれる箱状のもので、中にエサを吊しておいた。このオトシで獲られた獣はイタチ・シロイタチ（オコジョ）・テン・タヌキなどであった。またバンドリ（ムササビ）・イヌムジナ（アナグマ）・ハクビシンなどは、小型獣でも奥山で獲ることが多かった。その他、ウサギ猟は共有地内で獲ることができた。ウサギはかつて猟師ならひと冬に5、60羽は獲ったといわれるが、現在では10羽獲れば多い方である。ウサギのワンダラ猟はワラで編んだ鍋敷き状のものをウサギの頭上に投げ、タカの羽音をまねた威嚇猟で、現在でも何人かの人がおこなっている。獣がむらの生活にはたした役割は、経済面ではクマ、バンドリ、テンが重要であったが、食生活面から見るとウサギ、タヌキ、カモシカが重要であった

秋、イネ刈りも終わり、庭先の柿の木の実が鮮やかな黄色に染まった。標高の高い秋山郷の柿は渋柿である

11月中旬、小赤沢の集落に初雪が舞った。例年、初雪は10月下旬から11月中旬、12月半ばには根雪となる

矢先の確認をしないことには安全装置すらはずさない。つまり、銃を撃つ人は獲物と対峙《たいじ》した瞬間に、こうした弾道と着弾点の確認を、おこなわなくてはならない。

秋山では、弾道をヤミチ（矢道）といい、弾が獲物に対して手前に下がると「下がり矢」、獲物の背を越えてしまう弾を「上がり矢」といっているが、特に上がり矢を嫌う。弾道が獲物の背を越えてしまうと、その向うに何があるのかよく分からないからだ。まして、獲物が尾根上にいる場合は、尾根の向うの沢や斜面に誰がいるか分からないのでこの上もなく危険であり、尾根を越える弾は絶対禁止である。こうした銃に関する厳しさは猟をなりわいとしてきたむらむらでは今でも守られていることであり、それは秋山に限ったことではない。

猟師たちがそろうと出発である。猟場の近くまでは車で行く。車はいったん新潟県側に入り、前倉からは林道を走って、長野県に入った。広大な鳥甲牧場をぬけて五宝木へ。そこで三人の猟師が加わり、車はダイグラ沢近くまで行き、そこから先は徒歩となった。

この日参加した猟師は一〇名。沢ぞいに奥山を目ざして歩き始める。春の雪がサクッサクッと足下でここちよい音をたてる。風は春の匂いであふれている。まわりのブナの木は、鮮やかな色合の新芽をふいている。猟師たちは最初のうちこそにこやかに雑談しながら歩いていたが、猟場が近づくにつれて口数がへり緊張感が高まっていく。私は、二年前、新潟の三面でもクマ猟に同行したのだが、その時、雪渓で足を滑らせ、滝の中へ転落してしまった。猟師たちについて歩いていると、あの時の恐怖がまざまざと甦ってくる。

結局、この日、猟師たちが二手に分かれて一方が尾根に向い、一方が沢沿いに向った分岐点で、私は猟師たちと別れた。そこから先は猟師たちだけの世界なのだ。

午後になると天候が急変し、猟師たちが向った鳥甲山西側の山々は、雲の中に隠れてしまった。私は宿で連絡を待ったが、夜になって猟のなかったことを知らされた。秋山は雨となった。

クマの腑分《ふわけ》

秋山では、クマが獲れると、むらへ丸ごと運ばれ軒下にさげるのがふつうである。穴グマ猟の場合は、穴を発見した人の家の軒下に、出グマ猟の場合には、射止めた人の家の軒下にさげられる。そして、腑分の後におこなわれるクマまつりは、これらの家が宿をつとめるのである。奥山で獲った時などむらに持ち帰ることが困難な場合や、幾日も泊り込んでの猟の場合には、山で腑分をおこなうこともある。どうしてクマを集落内に持ち込んで腑分するのかというと、腑分の際に第三者が立ち合うことでクマの胆が本物であることを証明するためだという。

「昔は猟で生活をたてたのが猟師だったからね。クマを獲るっていうとね、津南の街まで丸ごと曳いていって、買い手立ち合いのもとで腑分したもんなんだな。そうしないと胆が本物かどうか証明のしようがねえわけだ。それでそういうことしたもんなんだね」

と、福原初吉さん（大正十三年生れ）はいい、さらにクマ猟がいかに大きな現金収入源であったかを教えてくれた。

「オラが十五歳（昭和十三年）の時に、冬働きで東京へ出るのに汽車賃が五円かかったでも。東京でひと月働いてやっと五円だったね。五ヵ月ほど東京で働いて、二五円稼いで村に帰ってきたら、春のクマ獲りだてんで連れられていって、こん時クマがひとつ獲れて、一人分の分け前が肉二貫目と、皮と胆を売った金が一人七五円だったな。そん時親父が喜んで、あーこれで一年の金は十分だ、あとは百姓やればいいっていったの憶えてるな。だから猟やってる人からみたら、冬、働きに出るなんて、馬鹿らしくて。クマ獲りっていうのは、そんくらい金になったもんなんだな」

特に、クマの胆は「クマの胆一匁、金一匁」といわれたほど高価な商品であった。今でも、クマの胆は一匁目（三・七五グラム）五万円が相場である。秋山ではクマの胆一匁米一駄（二俵）といわれ、現在でもこの換金レートは生きている。とてもではないが一般人には手が出ない。さらに毛皮もその大きさや毛並み、皮の質などによっても異なるが、およそ皮の長さが七尺（約二一〇センチ）のもので二〇万円前後が相場である。つまり、胆も大きく、毛皮も良質となれば七、八〇万円になることもあるのだ。

腑分には何度か立ち合ったのだが、じつにみごとにクマをさばいていく。肉の一片も無駄にせず、きれいに骨から肉をはなす。腑分はまず、皮をさくことから始まった。皮をさくことを「タテル」という。腑分に用いるのは、コガタナと呼ばれる刃渡り一五センチ余りの刃物である。腑分はこのコガタナ一本でおこなわれる。

まず、クマの下顎と唇の間を縦に切り口を入れる。そしてその切り口から一気に性器へ向けて刃を進め、性器とヘソの間よりやや性器によった所で刃を止める。クマの胸の月の輪がパックリと割れ、厚く白い脂肪の層が現われる。次に、両手首のつけ根から胸の月の輪へ向けてさき、両足首のつけ根から性器の上へとさく。ここまでは、年季の入った猟師が一人でおこなう。それだけ経験を積まないと皮をタテルのは難しいのである。後日知ったのだが、獲ったクマを一晩軒下にさげておくのは、むらびとにクマを見せるということだけではなく、クマを良い姿勢で硬直させ、皮をさきやすくするためでもあるという。

皮をさき終わると、数人がかりで皮を剥ぐ作業となった。そして皮を剥ぎ終わるといよいよ腹を裂いて胆をとり出すのである。

胆《い》とは胆《たん》のうのことで、胆汁を貯えておく袋状のものだ。中は液体である。腹からとり出した胆はすぐ麻糸で口をきつくしばり、薪ストーブ上の火棚に吊される。胆はこの状態で一〇日ほど干され、半乾きの状態で二枚の杉板の間にはさみ、ひもできつく結わえられてさらに室内で干される。時おりクマの脂でしめしながらさらに一四、五日干され、完成品となるのは、クマの腹から取り出されてからひと月余り後のことになる。

胆がとり出されると後は肉、内臓、骨に分けられる。内臓は猟師言葉で様々に呼び分けられている。ヤツワレ（心臓）・クロチモ（肝臓）・マメ（腎臓）・オビ（小腸）・オーブクロ（大腸）などである。内臓は細かく切って、クマまつりの汁に入れ、御神酒とともにむらびと

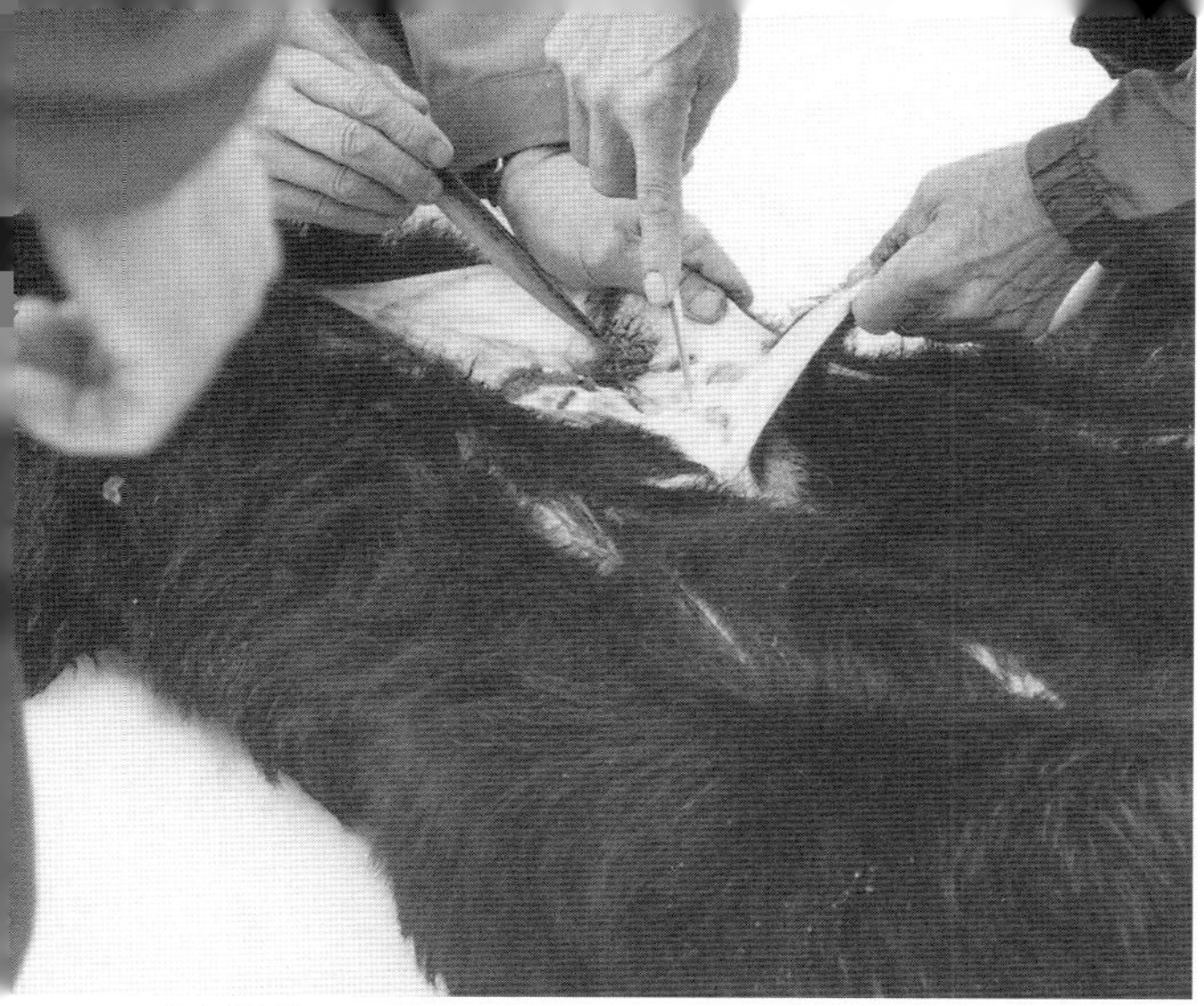
皮を剥ぐ

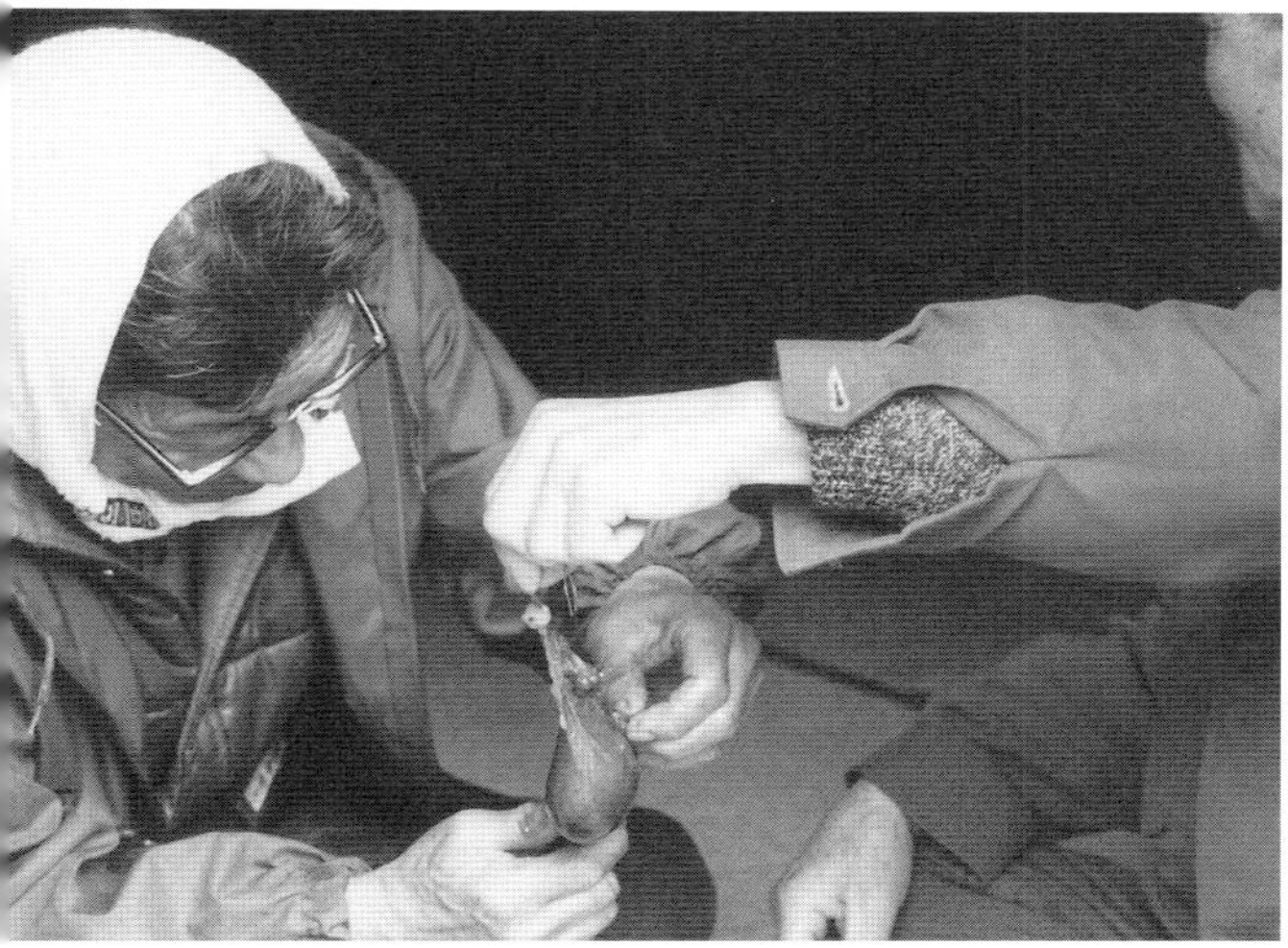
腹部からとり出された胆は中が体液で、すぐに口を絹糸できつくしばる。この状態をミズイといい薪ストーブ上の火棚に吊し、乾燥させる

干しあがったクマの胆。この状態をホシイという。大きい方の胆は、相場で60万円前後、小さい方の胆は30万円前後である

にふるまわれる。この汁を雑腑《ぞうふ》汁という。クマは、雑腑汁だけでなく、脂身や肉も汁にしたてて食される。調理法は、鍋の中で一時間ほどコトコトと煮る。日本酒を少し加えて煮ると、内臓も肉もやわらかくなってうまい。煮あがるとアクをすくって、ダイコン、ゴボウ、ナガネギなどを入れ、醤油で味つけする。

肉は、むらの中の欲しい人に分ける。現在キロあたり二五〇〇円で分けてもらえる。たまに外から来た人が腑分にばったり出会って買っていったり津南などから予約が入ることもあるが、それ以外にむらの外へ出されることはまずない。

クマ肉について山田長治さんはこう語ってくれた。

「昔から、むらの者がクマの肉食べるなんてことはなかったな。それほど獲れもしなかったし、昔は肉を買える人は少なかったからそ。猟師の家じゃ肉ばかり食べるっていうことあったでも、他の衆はウサギぐれぇ食べたでも、なかなかクマだのカモシカだのっては、食べられなかったもんそ。クマの肉で一番うまいところはヘッタだ。ヘッタってなぁクマの手そ、塩ゆでして食べるんだでも、こってりして、これはうめぇんだ。肉はアバラの肉がうめぇんだ。それに頭の肉もうめぇもんだ。クマの頭って奴はそ、頭一貫目あれば肉が六〇〇匁ある。四分六で肉の方が多いんだ。それに手と足の肉なんだでも、肉の目方でいやあ手の方、前足の方が余計あるんだ。クマの肉はそ、血をどっと吐かした肉ほどうまいんだ」

この腑分に立ち合って驚いたことなのだが、クマの内臓をさばいていたら腸の中から多量のカモシカの毛が出てきたのである。聞いてみると、春のクマ猟で獲れるクマの三頭に一頭ぐらいの割合で、カモシカを食べている。それも若グマが多いという。増えすぎたカモシカは縄張り争いに敗れ、傷つき弱ったところをクマに食べられているのではないかということであった。

腑分の際に残った骨は、欲しい人に無料で分ける。クマの骨は、神経痛にきくというので老人たちに喜ばれる。骨はカンナで削ってそのまま食べたり、煎じて飲んでもよいという。中には、蒸し焼きにして、黒焼きにしてから飲む人もある。

ところで、剥いだ毛皮の加工なのだが、秋山でおこなわれる毛皮の加工は皮はりまでで、なめしは津南や十日町の業者がおこなっている。皮や胆の加工にはかなりの技術が必要で、現在これができるのは秋山郷でも二人だけである。越後秋山では上結東の滝沢正茂さん、信濃秋山では小赤沢の山田長治さんである。皮の加工は、根気のいる作業で、まず皮ヤジとりという作業から始まる。皮ヤジというのは毛皮の内側についた脂のことで、これをホウチョウと呼ぶ刃渡り三〇センチ余りの刃物で削りとっていくのである。

「オラ、この皮ヤジとり始めてもう十六、七年になるんだ。このヤジってえのをとらねえと、そっから腐って毛がぬけてだめなんだ。この削ったヤジも、もったいねえから汁に入れて食べるんだ」

と山田長治さんはいう。皮ヤジをとり終わると、木枠に皮をはって陰干しし、さらに日向で干す。干しあがるまでには二十日前後かかるという。

●信濃秋山郷の狩りをめぐる交通と交易

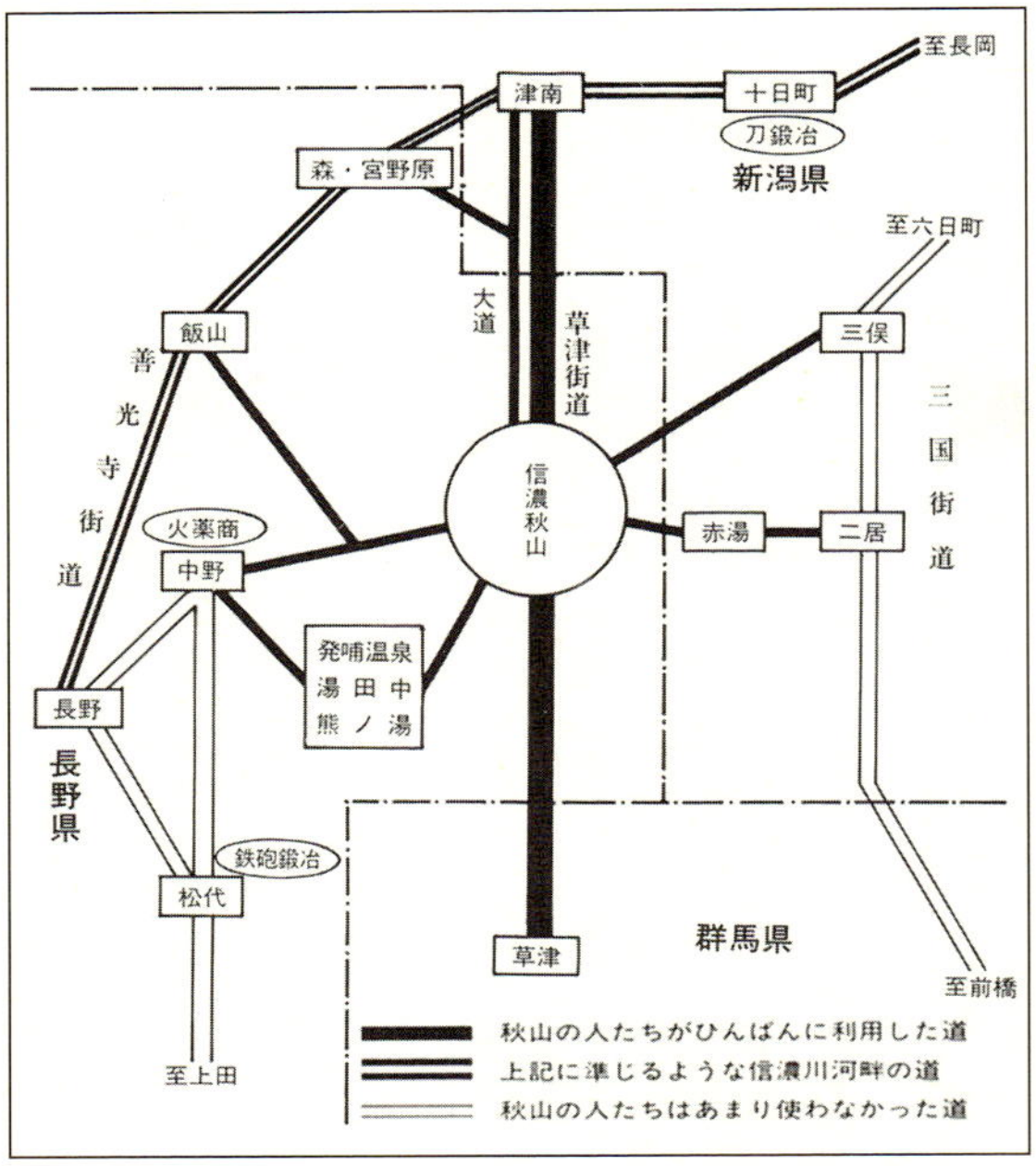

信濃秋山のむらむらの交通と交易は、昭和16年に津南—小赤沢間の県道が開通したことによって、徒歩や牛馬での輸送から、車にたよる時代へと移行した。図は、県道開通以前の秋山の交通交易を狩りを中心に描いたもので、当時は新潟側よりも、長野県内の奥志賀や志賀の温泉郷、中野、群馬県の六合《くに》村や草津温泉などとより深いつながりをもっていた。一見して閉ざされているように見える秋山は、広い地域と交易をはかってきたのである。狩りに用いられた道具だが、火縄銃の時代から、火薬や鉛を中野の火薬商から買い求め、銃が故障すれば松代の鉄砲鍛冶へ出した。ヤリは十日町の刀鍛冶にうってもらった。そして獲物は、草津や湯田中などの温泉地、毛皮などは中野や十日町の毛皮商人に売ったのである。江戸後期津南の大割野から中津川右岸にそって草津に至る草津街道が開かれ、牛による米、塩の輸送が明治20年代まで続いた。しかし、それ以前すでに秋山の人々は、草津と深く交易をくり返えしていた。こうした交易は狩りに限らず秋山の産物である、木工品（コウスキ、コネバチ、下駄など）、繊維（麻、イラ、繭）なども人の背や牛馬の背で大道と呼ばれる道をへて森、宮野原などの谷の外へと出された。そうすることによってむらびとは現金収入を得、米、塩、木綿などを得ることができた。秋山の人々は、買い物に中野に出ることが多かった。中野からは膳椀、木綿、などを買い求めて来た。また秋山には多くの職人が入って来ていた。クリ師と呼ばれた木地職人、カガラとか棒屋と呼ばれた鍬の柄などを専門につくる人々、鍛冶屋、ウルシ掻きなど、他に聖や修験者たちもこのむらむらに立ち寄った。狭い谷に住んだ人々は、平野部に住む人々よりも広い世間を知っていたのではなかろうか

初雪。小赤沢の鎮守社の十二神社(右)と、苗場神社の里宮

2月12日、山の神のまつりの日は、まず自宅の神々に燈明をあげ、それから十二神社へ参詣する

カツラの木は神のやどる木といわれ、山の神まつりの日、むらびとたちは、12本の枝のはったカツラの木に、一枝ごとに短冊をつけ、十二神社に奉納する

なお、猟師たちがクマの体長をいう場合、この木枠にはった皮の長さをもって、何尺という。

こうして腑分し、さらに加工して売って得た収入は、全体の一割を穴グマなら発見者が、出グマならば射止めた者がまずとり、残りを猟に参加した人たちが平等に分ける。

猟に参加した人たちはクマ獲りの仲間といい、かつては猟師だけに限られたものではなかった。猟がむらの近くでおこなわれるような時は、むらびとこぞって参加することもあった。そのころのクマ獲りの仲間について、阿部滝義さんはこう語ってくれた。

「オラ、猟師でねぇけどさ、昔二度、むらのそばでクマ獲りの仲間になったんだよ。昔はなごやかなもんで、クマ獲るとクマ曳く縄を結ぶまでに行けば仲間になれるっていってさ、分け前もらわれたんだ。昔、前倉の猟師がクマ追って矢櫃《やびつ》ってところの上まで来たんだって、そん時、川原で仕事してた衆が今声出せば仲間になれるてんで皆して声たててさわいだんだって、そしたら、そこにね大赤沢の爺ちゃんが褞袍《どてら》着て散歩してきて、唄うたってたんだね。そしたらそれみんなクマ獲りの仲間になっちゃって分け前もらわれたんだ。昔の猟師ってのは気前よかったし、のんびりしてたんだ。大赤沢の爺ちゃんは褞袍姿で分け前もらっちゃったんだ」

猟師たちが分配などでむらびとに寛大であったことや、むら近くでの猟にはむらびとがこぞって出たというのは、猟師がむらでどういう役割をになってきたかということに深く関係してくるのだが、とにかく猟師たちは分配については何人といえども平等にあつかったのであ

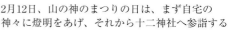

る。

狩りの掟

今でも、秋山の猟師たちは、狩りの掟を固く守っている。

「猟師っていうもんはそ、いいかえれば勝負師や職人みたいなもんなんそ。だから身の穢《けが》れを嫌う。縁起《えんぎ》もかつぐもんなんだ。ふつうの生活ではなんでもねぇことなんだでも、山へ一るとなったらへー、あれしちゃなんねえ、これしちゃなんねえって、とにかくうるさく昔はいったもんだ。オラ、今だってこれ守って、ちゃんとやってるんだ。山の猟ってものはへー、山の神様の気持ひとつできまってしまうもんなんだ」

山田長治さんはそのようにいい、様々な山のきまりを教えてくれた。

「まず、猟師は穢れ火ってやつを嫌うんだ。穢れ火ってのは、祝言とかお産とか、人が死んだとかそういうことがあった家の猟師はもちろんだでもその家に行って、その家の火でつくったものを口にしたらへー、もう山はだめなんだ」

祝言はめでたいことだが、秋山の猟師は祝言火を最も嫌い、この火の通ったものを口にすると、その年の春はまず猟には出られないという。次に嫌うのが、産火《さんび》である。子が産まれると、男の子なら四八日目、女の子なら五〇日目に宮参りをするのが秋山では一般的であるが、この宮参りがすむまで猟には出られない。そして、死火《しにび》は一週間猟を休まなくてはならない。

猟師は縁起をかつぐ。特に、日付には気をつかう。

「オラの親父は、猟の時期になると毎日暦をながめてたね。月の六日、日の七日はよくないとか、六日に山に入って九日に帰ってきちゃいけないとか、仏滅や不浄の日はいけないっていってね、山に入っても不吉なことがあれば、いったん家に帰って出なおしたりしていたね」

と福原初吉さんはいう。なお、「月の六日」という時は月頭の六日のことであり、「日の七日」という時は、毎月の七日、一七日、二七日のことである。

このほかにも、猟に用いるリュックや銃などは猟に出る前には、火打石を打って悪霊を払っておくという。ひとたび火打石を打った物を人がまたいだり、蹴とばしたりすると猟に出るのを止める。また、猟に持っていく食料をみると、麺類は猟が長びくといって嫌われている。

また、猟に出る朝は、口笛や歌は厳禁になっている。山の神は歌が大好きなので、朝、歌うとその場に居座ってしまい、獣を人に与えるのを忘れてしまうのだという。さらに猟に出れば、無駄口をたたいてはいけないし、死や女性のことについては禁句になっている。

こうした山にかかわるタブーは、猟師たちの日常の信仰に深く根ざしている。猟で得た獲物は、すべて山の神からの授かりものなのである。そのために、猟師たちはことあるごとに、「おつとめ」をする。

たとえば、猟で泊り込む小屋や、リューと呼ばれる岩穴には、山の神が祀られている。猟師たちは朝晩灯明をあげ、「禊祓《みそぎはらい》」・「高天原《たかまがはら》」の祝詞《のりと》もしくは、「心経（般若心経）」のいずれかを唱え、猟の安全と、獲物が授かるように祈るのである。クマが獲れた日の夜は、粳米《うるち》

鳥甲の峰々は屋敷組のハコ（猟場）。この岩と崖が、クマ猟の舞台になる

を炊き、サワグルミの木で小さな杵《きね》をつくり、それでもって椀の中で餅に搗く。それをケンサイとかバンダイ餅といっているが、丸めたものを一二個、山の神に供え、それから「おつとめ」をするのである。なお、この「おつとめ」は、猟の期間中のみならず、自宅でも、朝晩おこなわれている。

小赤沢の鎮守は、山の神を祀る十二神社。毎年二月十二日がまつりである。むらの人たちはこの日を「十二講」といい、全戸で祝い、誰も山には入らない。この日には、猟師だけではなく、小赤沢の全戸主が十二神社に参拝する。その時に、粳米の粉でつくったカナコと呼ぶ粢《しとぎ》を一二個と、山の神の宿り木とされるカツラの枝に和紙の短冊一二枚を結びつけて持っていく。それら一二枚の短冊には、猟師ならば銃や弓矢、クマの胆などの絵を描き、山師なら鋸や橇《そり》、農家なら稲穂や米俵などの絵を描き、供える。

組と猟場

現在、秋山の猟師たちが猟場としているのは猟友会の担当区域内の栄村の山々である。しかし、三十年ほど前までは、かなり広い範囲を猟場としており、しかも狩りが猟師個々の勝手にまかせるのではなく、きちんとした組を作り「持前」とか「ハコ」とよばれる縄張りを持っていたということである。

表は秋山の三つの組、小赤沢組、屋敷組、和山組という各々の猟師組の猟場と泊り小屋をしめしたものである。例えば小赤沢の場合、戦後間もないころは組の親方が山田文五郎（故人）という人で、この猟師をリーダーに小赤沢や上ノ原の猟師がついて文五郎組と呼ばれていた。文五郎組は当時、小赤沢五人、上ノ原二人の七人の組で檜俣《ひのまた》川中流に小屋を持ち、苗場山、檜俣川、新潟県湯沢町の赤湯温泉、清津川上流域のボウ沢から三国山地の山々へと国境を越えて猟をしていた。当時は、まるで

●信濃秋山郷の猟師組

	クマ狩りの組（親方）	組をつくる集落（組の構成）	小屋場	持前（ハコ・猟場）
秋山	小赤沢組（山田文五郎）	小赤沢 上ノ原 五宝木	檜俣の小屋	苗場 檜俣 赤湯
秋山	屋敷組（山田金太郎）	屋敷（小赤沢、和山なども加わることがある）	清水小屋	鳥甲 リュー沢 清水 志賀
秋山	和山組（島田政成）	和山（屋敷、上ノ原、小赤沢も加わることがある）	渋沢の小屋	渋沢 野反湖

県境意識というものがなく、時には新潟県側の大赤沢や、清津川流域の旧三国街道の宿場町、三俣《みつまた》、二居《ふたい》などの猟師たちと合同で猟を行《おこ》なったりもしていたのである。

これら三つの秋山の猟師組の猟場を地図に描き込んでいくと、秋山の谷から東へ西へ南へと遠征していたことが分かる。この当時の猟について福原直一さんは次のように語った。

●上信越国境地帯の猟師組の動き（昭和25年頃）

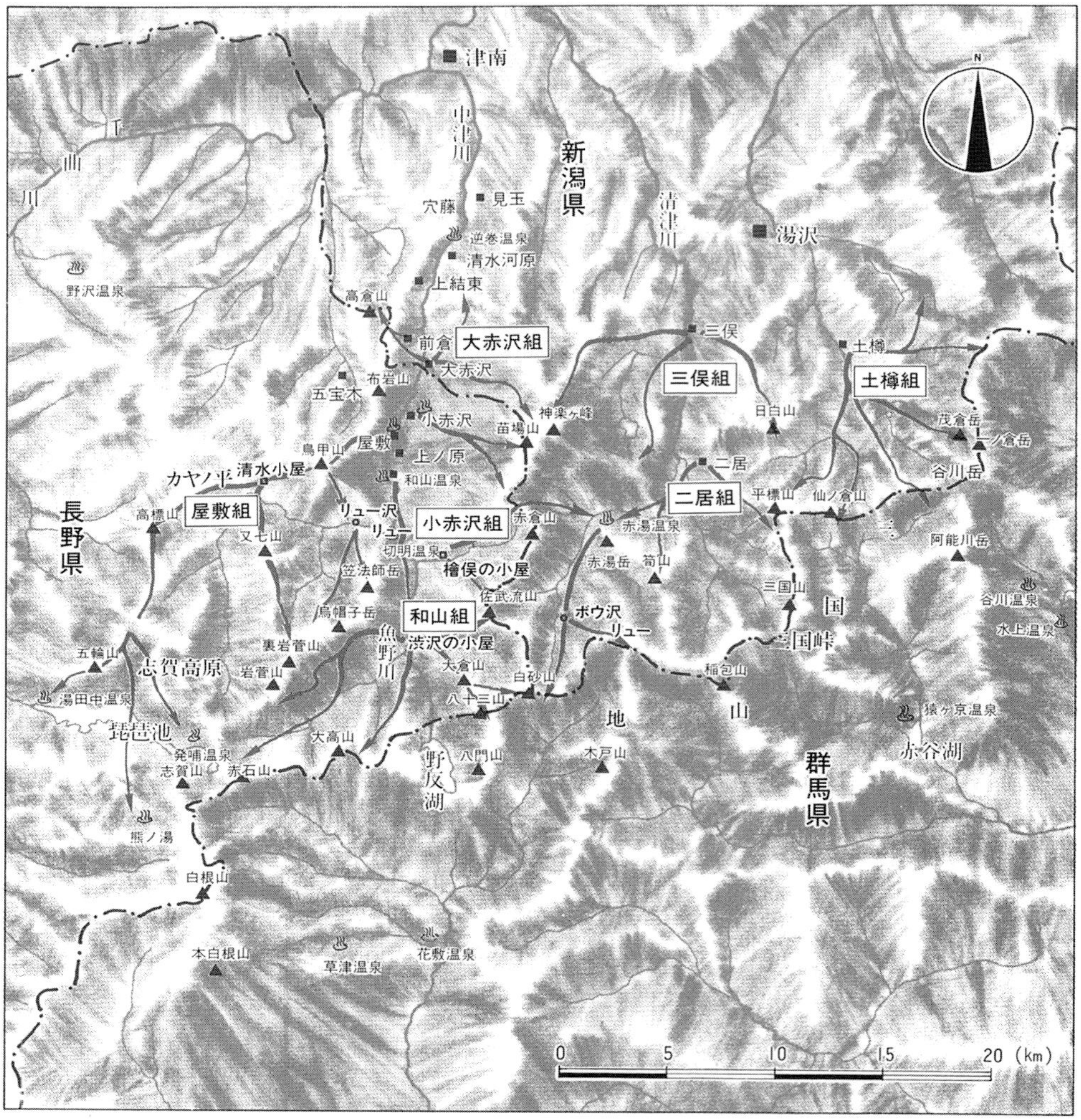

上信越国境にある三国山地は、古くからかっこうの猟場とされてきた。そのため各猟師組はそれぞれの縄張りをもっていた。互いの争いをさけるために分けられた猟場（縄張り）は流れ水（沢・川）をもって境とするのが一般的であった。猟師の世界は、行政上の区分とはまったく違った境界をもっていた。例えば、追ったクマが沢を越え、他の組の猟場に入れば、追うのを止めた。現在でも小赤沢の猟場から大赤沢の猟場へとクマが逃げると「あのクマ、はねけえっておめえの山さへーたすけ」と電話で連絡するほどで、猟場感覚は今でも根強い。なお三俣や二居の猟師組は大赤沢、小赤沢の猟師組と度々合同で猟をおこなった。二居組は東方の土樽組とも合流し福島県只見方面へも遠征していた。こうしたことは同じく秋田マタギの流れを引く者としての強い仲間意識の現われであり、また互いの腕を競う場でもあったようである。これらの猟場はおのおのの猟師組の祖、秋田の旅マタギ以来受け継がれてきたものと考えられる。なお群馬県側については未調査である

●信濃秋山郷におけるクマ猟の行動領域図

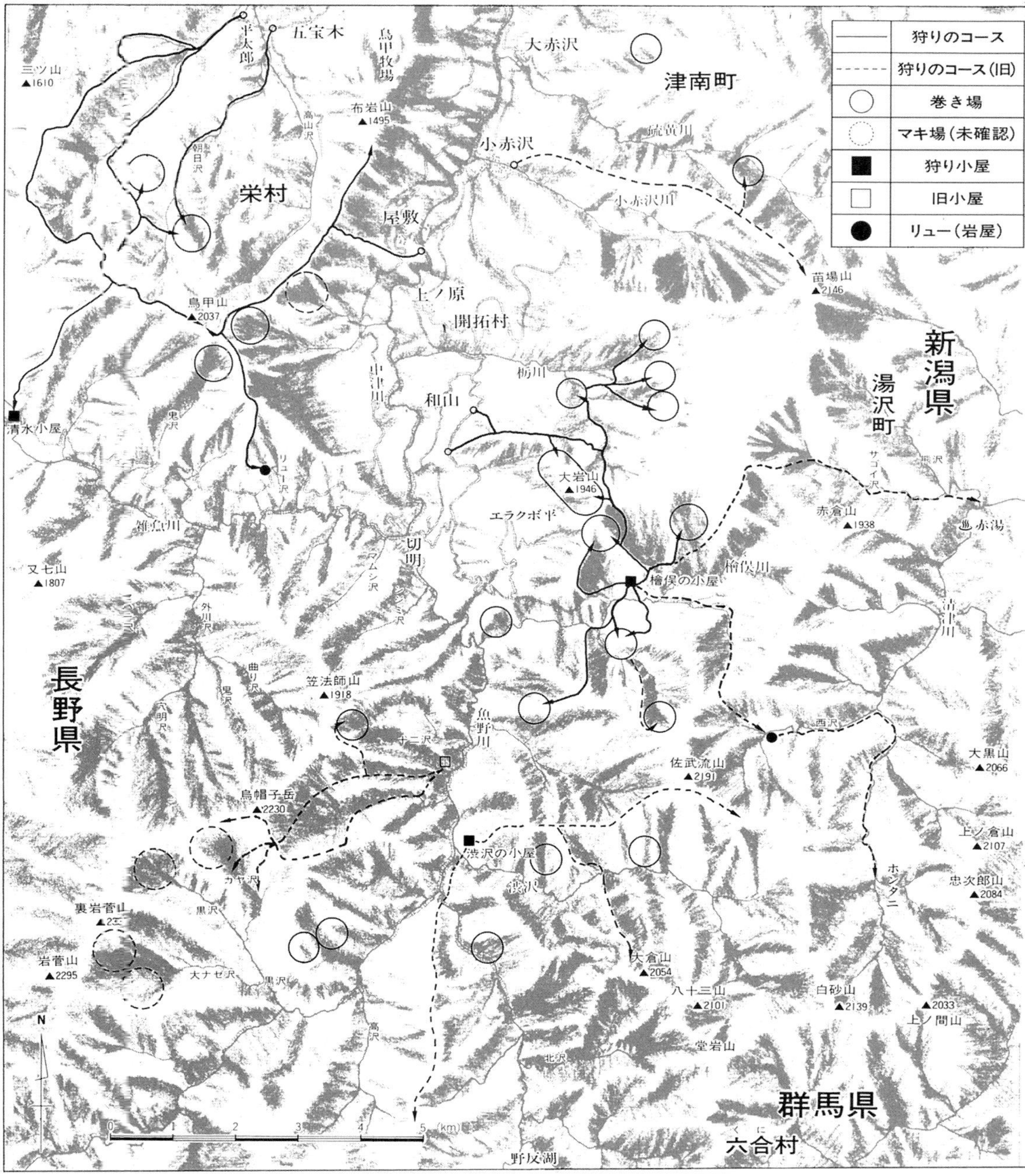

図は小赤沢組を中心に描いた春のクマ猟の行動領域である。信濃秋山郷周辺の山々は上信越高原国立公園区内にあり、鳥獣保護区、特別保護区等の関係で猟場はかつてと比べると、いちじるしく狭くなっている。狩りのコースはほとんど尾根道をとるが、その地形や巻き場の関係で沢ぞいになることもある。巻き場も図にしめした場所以外に、まだ何ヶ所かあると思われる。巻き場の多くは岩場で、かなりの難所である。たとえクマを射止めても、場所が悪いと、クマが200メートルも崖や斜面をすべり落ちてしまうことがある。特にナゲと呼ばれる断崖はクマも人間も通れない難所をいうが、こうした所にクマが落ちると、後の仕事に手間どることになる。現在小赤沢組は、４月の１週間ほどを檜俣の小屋を前線基地にして猟をおこなっているが、それ以外は車で猟場近くまで行くので、泊りがけであった猟も日帰りができるようになっている

「今はそ、クマ狩り中心の猟なんだでも、昔はカモシカも盛んに獲って生活してたもんなんそ。カモシカ獲りにはオレもずいぶん遠くまで歩いたけれども、群馬県の山まで足を伸ばしたことが二、三回あったな。そんころは、山に入れば、ひと月も山に入ったままで猟をしたもんだった。山で泊るのはリューつてオラたちいってるでも、岩穴に泊って歩いたんそ。このリューつて奴は夜寝るったって寒くてしょうねぇんだ。いやシンシンと冷えて、つらかったもんだ」

天候がくずれれば五日も六日も岩穴に泊り、天候が回復すると猟に出るという毎日で、一日平均一頭のカモシカを獲ったものだという。カモシカ猟は一、二月と寒さの最も厳しい時期であり、積雪も最も多い時だけに、山の移動には大変な体力と精神力がいったという。

当時の猟師組には約束ごとがあった。それは互いの猟場をおかさぬことであり、小屋の使用についてもうるさかったという。そのあたりのことを福原初吉さんが話してくれた。

「昔の猟師の組ってもんはそ、たとえば文五郎組の人であれば檜俣の小屋を使えたけども、他の組の人は、特に猟の時は泊ることできなかったもんそ。まして小屋に泊って文五郎組のハコで猟はできなかったな。まあ緊急の時は使ってよかったでも。だから他の組のハコに猟に行きたい時は、そん組の仲間に入って行ったもんなんそ。そのへんは、同じ秋山の猟師だからお互いに融通がきいたんだな」

この猟場のハコは、猟師組から猟友会組織となった現在でも守られている。

クマ獲り文五郎

猟師組の話しを聞いていくうちに、驚かされたことがあった。それは、秋山のほとんどの猟師が小赤沢の親方であった山田文五郎に猟を習い、猟師組も文五郎によってもたらされたということだ。さらに、この山田文五郎という猟師が小赤沢に登場するまで、信濃秋山には鉄砲というものがなく狩りの用具といえば、槍のみだったというのである。

現在の小赤沢の猟師の親方、山田長治さんは文五郎の長男であり、私がよく話を聞かせてもらった福原初吉さんは、三男なのである。

「文五郎という人は、新潟県側の大赤沢にある石沢という家に、明治十六年に生まれたんだな。親は石沢長松っていう人だでも、やっぱ猟で暮らしをたてたんだ。文五郎はこの人の一一人の子供の二男として生まれた。文五郎という人は、生まれながらの猟師そ、大赤沢で生まれて、小赤沢で八十三歳で亡くなるまで、人生の大半を山を歩いて、冬は猟師、夏は百姓と川の漁（マス・イワナ漁）をして生活をたてたんだな。若いころは下駄作りの職人をして、親の反対を押して好きになった小赤沢の女性と一緒になって、新潟県の三俣という町の山奥の八木沢っていう所、そこの山の中に小屋を建てて、かかと下駄職人の弟子一人、それに兄弟の娘を一人あずかって、四人で暮らした。そのころからもう、猟は人並み以上の腕をもっていたんだな。それで山小屋生活するうちに娘が産まれ、大正になろうかというころ、五人して八木沢の山から、この小赤沢へ帰ってきて、かかの山田の家の婿としておちついた。そして、この小赤沢川の川辺に家を建てて生活を始めたんそ。

ところが、大正三年の小赤沢川の鉄砲水で家も家財道具もみんな流されて無一文になってしまった。運がよくて、家族はみんな助かったんだでもせっかく苦労して建てた家流されてしまってつらかったと思うな。それで、今、兄貴（山田長治さん）が住んでいる家建てたんだけども、その家を建てるのに当時の金で七〇円の借金をした。新潟側の前倉っていう所の人から借りたんだけども、その人はそりゃ七〇円でも、幾らでも借すでも、どうやって返すつもりだいって、文五郎に聞いた。すると文五郎って人はいったんだな。オラ、猟をやって返すって。そしたら、前倉の人が、そんな猟で返すったって、七〇円も稼げるもんじゃねえだろうって、いったんだでも、文五郎はいやー、かならず返すって啖呵《たんか》きって、七〇円借りて家を建てた。そのころは、一年の生活費ってのが三〇円にもならなかった時代そ。それが、その年の冬から春、毎日山に入って一年にもならねえのに百何十円も猟で稼いだ。獲ったのはクマ三頭とバンドリ（ムササビ）そ。バンドリは百何十も獲った。とにかく家の借金は、ほんとうに猟だけで返してしまったんだな」

そのように、福原初吉さんは語ってくれた。

当時、秋山の人々は驚きの目をもって文五郎の働きぶりを見たに違いなく、また、猟がどれほどの現金収入になるのかを思い知らされたことだろう。それ以来、むらびとの何人かは文五郎の弟子となり山の猟と川の漁とを学び始めたのである。

山田長治さんは、山猟と川漁の才能にめぐまれた文五郎の系譜について、その流れが上信越の山々を旅し、山猟と川漁で生活していた秋田マタギと深くかかわっていることを教えてくれた。

「オラの親父の文五郎ってぇ人の実家、まあオラの先祖っていうのは、秋田マタギで、秋田の打当《うっとう》（現在の秋田県北秋田郡阿仁《あに》町打当）て所から来たもんなんそ。秋田からこっちの山まで旅してきて猟をしてた忠太郎っていう人が、この苗場の山からおりてきて大赤沢に入った。そして、大赤沢の藤ノ木っていう家があるでも、そこの婿にへーったもんなんだ。ところが、その忠太郎って人には秋田に息子がいて、この息子が親の後を追って大赤

背に村田銃、横に猟犬を連れた故山田文五郎

小赤沢組初代親方山田文五郎（右）と、二代目親方山田長治さん（写真提供＝山田長治氏。上の写真とも）

沢に来た。この息子が松之助っていう人で、オラの先祖にあたる人だでも、松之助っていう人もやっぱり秋田には帰らねぇで、大赤沢の石沢っていう家に婿に入った。秋田のマタギは昔かなりこの辺の三国からして苗場、志賀方面まで猟をしてたもんなんだ。オラの親父はそのマタギの血をひいて、猟のことだら神様のような人だった。他の猟師はクマ獲り文五郎っていってたもんだった」

この秋田マタギに関する伝承は多くの人たちから聞いたが、内容はほとんど同じで、ただ忠太郎と松之助は兄弟だったという話もあった。ともかく秋田の打当から来た二人の旅マタギが大赤沢に入ったことは間違いないようであった。

秋山郷と秋田マタギ

さて、大赤沢に入った秋田マタギから、小赤沢で猟師組の土台を築いたといわれる初代親方文五郎、二代目親方の山田長治さんまで、何とかその流れをたどれないものだろうかと調べてみると文五郎が、大赤沢の石沢家に入った秋田マタギの松之助から三代目にあたることが分かった。さらに、文五郎の祖父にあたる松之助が、文化六年（一八〇九）前後の生れであることも分かってきた。そして、大赤沢に秋田マタギの松之助が入ったのは文政九年（一八二六）頃であることまでわかってきた。また前述した鈴木牧之は文政十一年（一八二八）に秋山を訪ね『秋山記行』を記しているが、この中で牧之は、秋田マタギと湯本（現在の切明）で出逢い、話しを聞いている。

や、夜に入れば、約束を變ぜずして、狩人ふたりの内壹人訪来〔り〕たり。齢は三十とも見え、いかにも勇猛にして、背に熊の皮を着、同じ毛の銃卵を前に置き、鉄張の大煙管にて煙を吹出す風情、天晴《あっぱれ》なる骨柄に見うけぬ。此處に始めて行燈《あんどん》あれども、燈しん一筋にて明りも鮮《あざやか》ならず。予は小座敷の隅に此様子を窺《うかがい》、持参の大蠟燭を燃し、秋田狩人を座敷へ呼寄せ、一と通時宜の挨拶演《のべ》終り、國處は羽州秋田の邊り哉と尋るに、城下より三里隔たる山里と答ふ」（平凡社・東洋文庫「秋山記行」より）

と牧之は秋田マタギと逢った夜のことを記し、秋田マタギの様相まで細かく伝えている。牧之は、この湯本以外でも秋田マタギについてむらびとから聞いており、牧之が秋山を訪ねた頃すでに秋田マタギが秋山周辺で山猟や川漁の生活をしていたことが分かる。

また、「栄村史」の年表中にも次のような記録がある。

「弘化三年（一八四六）丙午年、巣守総代長瀬村甚右ェ門、志久見村何右ェ門より、秋田の猟師が三、四十年前より秋山地内に移住し巣鷹山中で恣に猟をして居るので制止方願出」

詳しいことは分からないのだが、藩政時代の秋山の周辺には巣鷹山と呼ばれる山が何ヶ所もあった。これは山の固有名ではなく、当時、将軍や藩主が好んでおこなった鷹狩りに用いる鷹を特別に保護した山のことであった。鷹の巣づくりに適した山を保護するために巣守と呼ばれる人たちがこの山の管理をおこない、人の出入りや木の伐採を禁じた特別の区域なのである。こうした巣鷹山で小赤沢にもっとも近かったのは大赤沢の対岸にある高倉山などがそれである。その巣鷹山に秋山に移住した秋田マタギが入って猟をしているので、止めさせて欲しいと巣守の総代が代官所に願い出たというのが、右の記述の内容である。この記述によると、弘化三年から三、四十年前、つまり文化・文政年間に秋山に秋田マタギが移住していた可能性もある。

　これらの記録と大赤沢に入った忠太郎、松之助親子が関係しているのかどうかは不明であるが、文化・文政の時代に秋田マタギ、それも出稼ぎ猟として諸国の山々を歩いていた旅マタギが秋山周辺に来ていたことは分かるのである。

　秋田の旅マタギが入ってクマ猟が伝えられたのは秋山だけではなく、前述した三国街道の宿場、二居、三俣には長吉、長松という兄弟の秋田マタギが入りクマ猟が盛んにおこなわれるようになったという伝承がある。

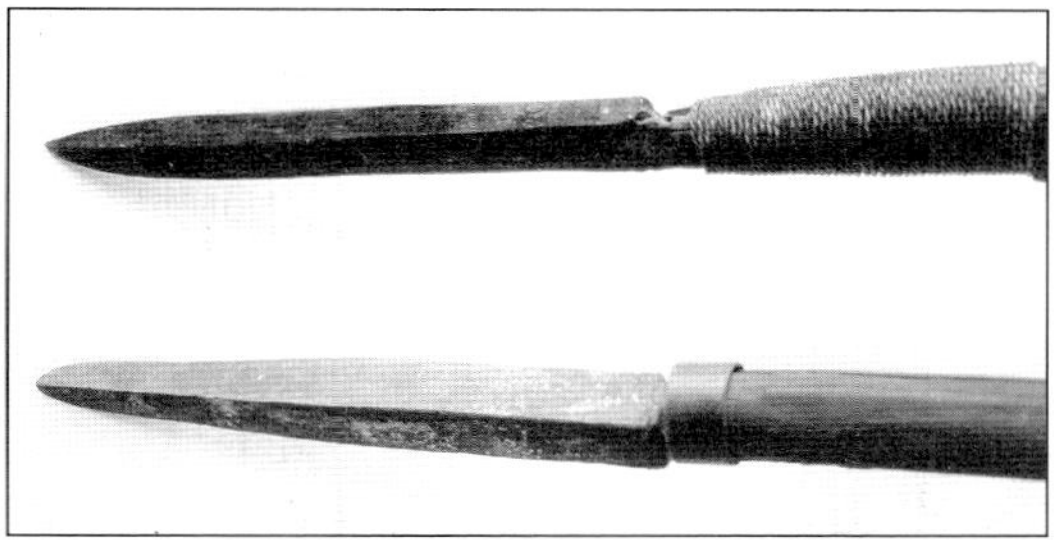

秋山で使用された平槍（上）と三角槍（下）。平槍は火縄銃と共に秋田マタギがもたらしたものとされ、それ以前から用いられていたのが三角槍。火縄銃の時代だけでなく村田銃が入ってきてからも、銃のない人は槍を使った。かつて集落周辺に掘られたオトシという罠に落ちたクマは槍によって仕止められたという。カモシカ猟では、槍で突くということはあまりせず、ハンゴスキなどで撲殺することが多かった

　また秋田マタギが秋山に入ったことを裏づけるものとして、クマ猟の技術だけでなく狩猟用具や狩猟装束、言葉といったものの中に秋田の影響を見ることができる。例えば狩猟装束であるが、カモシカの毛皮を使用したテカワ、カワグツ、キカワなどは、秋田マタギ以前には秋山になかったといわれている。雪袴は秋山では木綿で作られたがこれも秋田マタギから学んだもので、それ以前は寒中に山に入るにしても股引ひとつであったという。これらは伝承だけでなく秋田との技術的類似があるとされている。秋山ではクマが絶命することをサナジルとかサジッタといい、秋田の血をひく山田長治さんは時おり会話の中でクマをイタズといっているのを耳にしたが、これらの言葉は秋田のマタギ言葉である。前述した穴グマ猟の穴の呼び名や、出グマの巻き方の呼び名なども、秋田と共通もしくは類似するものが多い。

●秋田マタギの流れ

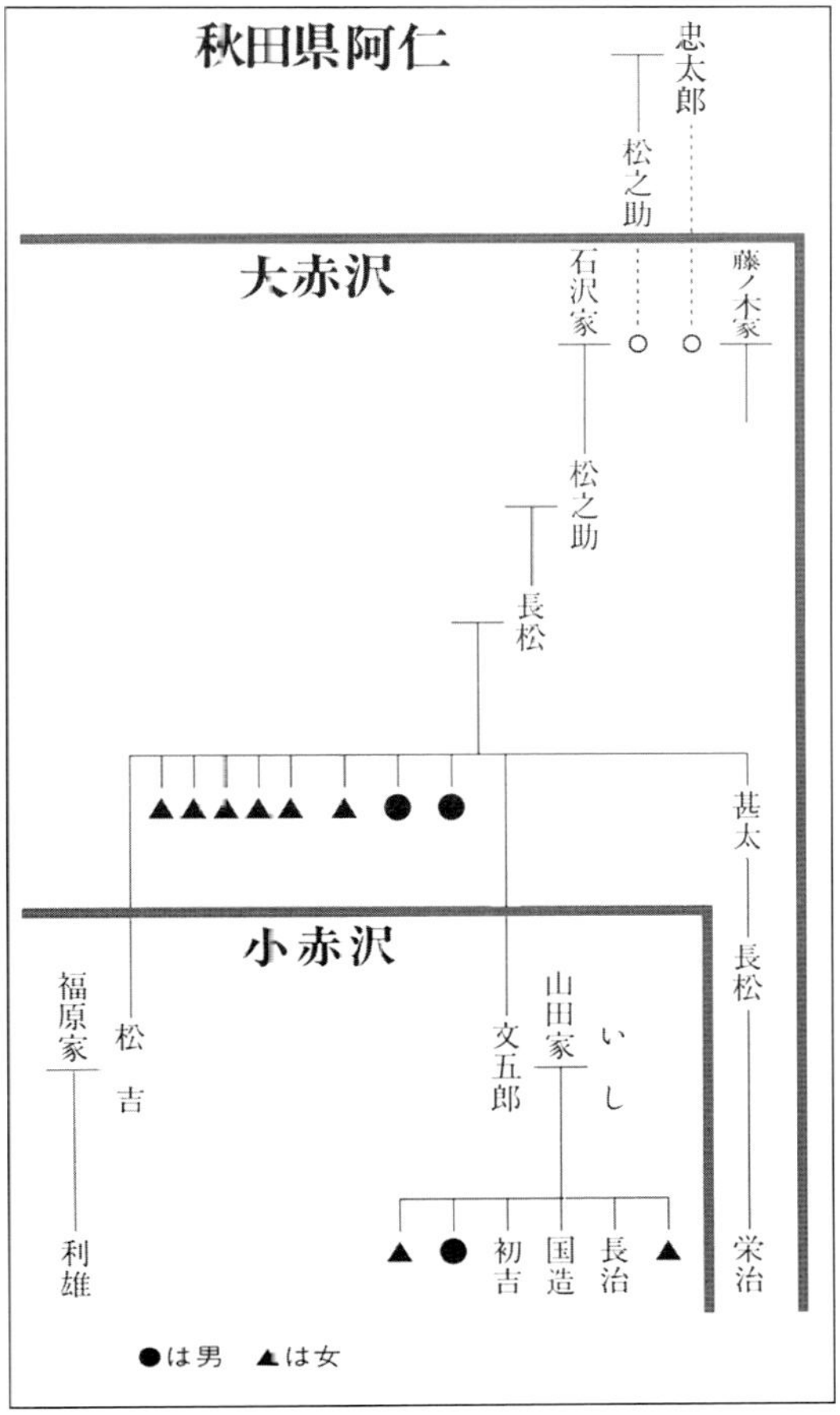

●狩猟装束図

明治から大正初期にかけて使用された狩猟装束を復元した図である。それぞれの素材はカサにはカサスゲと呼ばれる短いスゲを用い、ハバキにはガマを使用した。ソデボウシ、ワタ入れのドウフク、ユキバカマには木綿、キカワ・テカワ・カワグツにはカモシカの毛皮を用いた。杖、銃架、雪カキベラとして使用したハンゴスキはブナを、ヤリの柄はホウの木を使用した。カンジキは雪質の変化にともなって変えられた。1・2・3月の降雪期には輪カンジキをはき、3月半ば過ぎて雪がしまってくると、二本のツメのついたツメカンジキを用いた。4月半ばになると雪は凍って固くなるため、カワグツからワラグツに変え、カナカンジキを使用した。腰にはクマの毛皮で作ったドウランと呼ばれる煙草入れとナタを下げ、さらに背負い袋としてタスというヒノルで編んだものを用いた。下の写真は現在のクマ猟の装束。腰のベルトには、実弾、散弾、空砲など、20発あまりの銃弾が入っている

しかし、類似点ばかりではなく相違するものもある。それは例えば前に記した、ヤバ、ヤバテ、ヤミチ、ヤライなどのように、火縄銃時代以前の弓矢を使用した頃を思わせる言葉である。

「オラの親父がいってたでも、秋田じゃ鉄砲のぶち手をブッパっていうでも、秋山の者にそういってもわからねぇからヤバテっていうんだって。秋山には槍はふたいろあるでも、平槍と三角槍だ。この平槍でもなぁ秋田のマタギが持ってきたもんで、それまでは三角槍しか秋山にはなかったもんだっていうことも聞いたな」

と山田長治さんはいう。

さらに、秋山では狩人を猟師という。かつては殺生《せっしょう》、殺生人《せっしょうにん》などといい、マタギとはいわない。秋山でマタギといえば秋田の猟師を指していうのである。こうしたことから、秋山には、秋田マタギ以前からなにがしかのかたちで猟がおこなわれていたであろうことが、想像できる。

では、なぜ秋田マタギが秋山に入り、定住までできたのだろうか。秋山でなにがしかの猟がおこなわれていたとすれば、秋田マタギと地元猟師の間でトラブルはなかったのだろうか。

その疑問をとく鍵は、私が秋山の猟でもっとも興味をもった罠猟にあった。それもクマを獲るために掘られた、

オトシと呼ばれる落し穴である。この落し穴は現在ほとんど埋まってしまっているが、小赤沢の周辺では二ヵ所、屋敷や上ノ原、和山の周辺にも数ヵ所残っている。このオトシは、穴の口が約一五〇センチ、底の広さが約一八〇センチ、深さが約二七〇センチの中広の穴である。この落し穴で最も形状がたもたれて残っているのは、上ノ原集落横にある落し穴であるが、どう見てもプロの猟師の罠ではなく、農民の手によるもののように思えてならなかった。

問題は、このオトシの位置である。小赤沢の場合の二ヵ所というのは、いずれも旧焼畑地のはずれに掘られているのである。このオトシの役割は秋、山のなりものが不作である年など、むらの近くまでおりてきて、畑作物を荒らすクマを獲るためにあったのではないか。

そのあたりをふまえて現在の狩りの領域と、行動を簡単に図化（一二九頁）してみた。現在の狩猟行動をみると大きく二つに分けられる。ひとつは春のクマ狩りに見られるような、むらから遠く離れた奥山での猟である。これはきわめて攻撃的な猟といえる。これに対してもうひとつは夏から秋、耕地を荒したり、人家近くに出没するクマを獲り事後届けを出す猟で、小赤沢でも毎年二頭前後獲られている。この獲られた場所は集落近くの水田や時には人家のすぐそばということさえある。こうした猟は前者の攻撃的な猟に対して、防御的な猟といえる。

このような防御的な猟は古くからあったと思われる。つまり秋田マタギが秋山に入ってきた時代以前から、狩猟と農耕のバランスの上にむらが成りたっていたのではないか。そしてオトシという罠はむらびとによって掘られた、素人による獣害防止のためのものではなかったか。

そこへ鉄砲という、当時、限られた猟師のみが鑑札を受けて所持できた武器を持ち、獣のあつかいにもたけ、さらに猟を現金収入に結びつけることのできた秋田マタギが入ってきた。銃もなく、槍のみであった秋山の人々にとっては、願ってもないことだったに違いない。つまり、秋田マタギが秋山の谷へ入り定住することができた大きな理由は、獣相手のむらの用心棒、雇われマタギとしての役割が大きかったのではないだろうか。

こうしたかたちで秋田マタギが秋山に定住したなら、地元猟師がいたとしてもトラブルは起こらなかったであろう。逆に地元猟師は秋田マタギについて猟を学びさえしたに違いない。

私は以前にもまして秋田マタギ、とくに旅マタギに心を強く引かれている。

秋田へ行ってみたい！それも秋山猟師のふるさと阿仁へ……。

野生との対峙

私が秋山で強く感じたのは、自然とむらの営みのバランスがうまく保たれているということであった。むらむらの景観を見ていると、人々が長年にわたって築いてきた営みの姿勢が感じられる。

図は狩りの行動と村の景観を小赤沢をモデルにパターン化したものである。集落が中央にあり、そのまわりに耕地があり、共有林があり、その外が奥山になっている。奥山からU字型に集落に入り込んでいるのは尾根であ

中津川対岸から望む雪の小赤沢の集落。背後には台地状の苗場山の山塊

り、この先端に鎮守社がある。この尾根は神域になっている。このパターン図の中で村人たちの生活領域と、野性の獣たちの領域とがぶつかりあうのが共有地ということになる。特にこのゾーンでは、小型獣（ウサギ、タヌキ、イタチなど）との接触も多く、かつては小型獣をねらった罠はこのゾーン一帯に多くかけられ、今もおこなわれている冬期間のウサギ狩りもこの一帯が猟場となっている。しかし、このゾーンを越えて耕地を荒らすとなれば、人間は獣を追い出すか、もしくは駆除するしかない。特にクマのような大型獣であればなおさらであり、このゾーンと耕地の接点附近に多く大型獣用の罠がもうけられたようだ。

　近世以後の新田開発から今日の自然林の伐採へと、獣たちの生息域は急速にせばめられてしまった。獣たちの個体数の減少は狩猟によるものよりも人間そのものの存り

●狩猟の行動パターン図

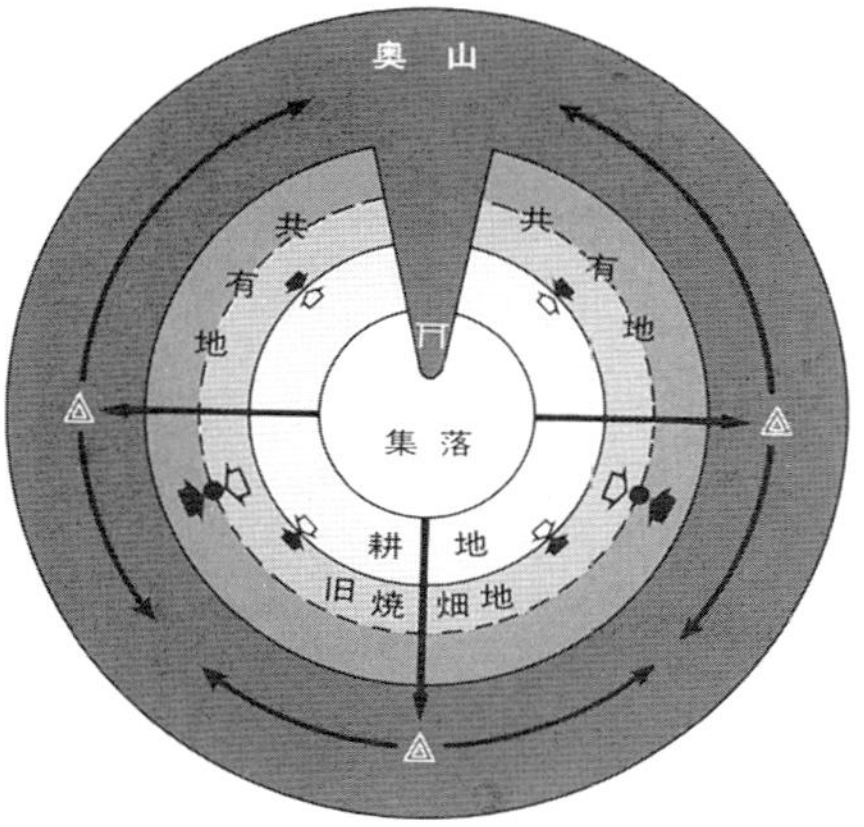

現在の動き	△	狩り小屋
	→	奥山での猟
		獣の侵入圧
		人間の対抗
かつての動き		獣の侵入圧
		人間の対抗
	●	オトシ

図は、小赤沢の集落をモデルに描いた狩りの行動パターン図である。かつては焼畑中心の村であった小赤沢が、この100年あまりの間に水田中心の村へと移行した。そのために焼畑地であった所が植林地と水田に変わり、現在の景観になったのである。これを焼畑時代の景観にひきもどしてみると、集落の周辺には樹木はほとんどなく、まるで畑の中にあったような形になる。集落周辺の森林は、苗場山から鎮守社裏へ下がってくるU字型の尾根に沿った一帯に残り、集落と森林の距離は現在よりもへだたりがあった。つまり集落を中心として畑と焼畑地が広がり、その外に共有地の林があり、奥山の森林帯があるという形だった。それに、冬のカモシカ猟、春の熊猟、夏秋に耕地に侵入する獣に対する害獣駆除や罠猟とを加え、パターン化したものである。

方に問題があるように思える。このような日本全体の流れの中にあって、秋山のような山村では、獣と人間がまだまだ接触をくり返しているのである。秋山の人々は猟師に限らず日々、「野性」と対峙して暮らしているのである。そしてむらびとたちは常に自然の変化を見つめ自分たちの行為が自然にあたえる影響に注意をはらい、自分たちの力と自然の力のバランスを保とうと努力しているのである。その努力というのは「欲望」をおさえるということであった。例えば猟師たちは、欲望にまかせて獣を獲ったのではなく、これで生活できるという収入を得れば、銃をおいたのである。

　また、小赤沢集落の総会に同席した時のことだが、神社やお堂などの周囲の除草にどのような薬品を用いるか、その薬品の毒性はどうなのか、人が手間をかけて除草するほうがいいのかと、ささいなことのように思われる問題に、むらびとたちは真剣な討論をかさねていた。秋山のむら

●自然採集暦

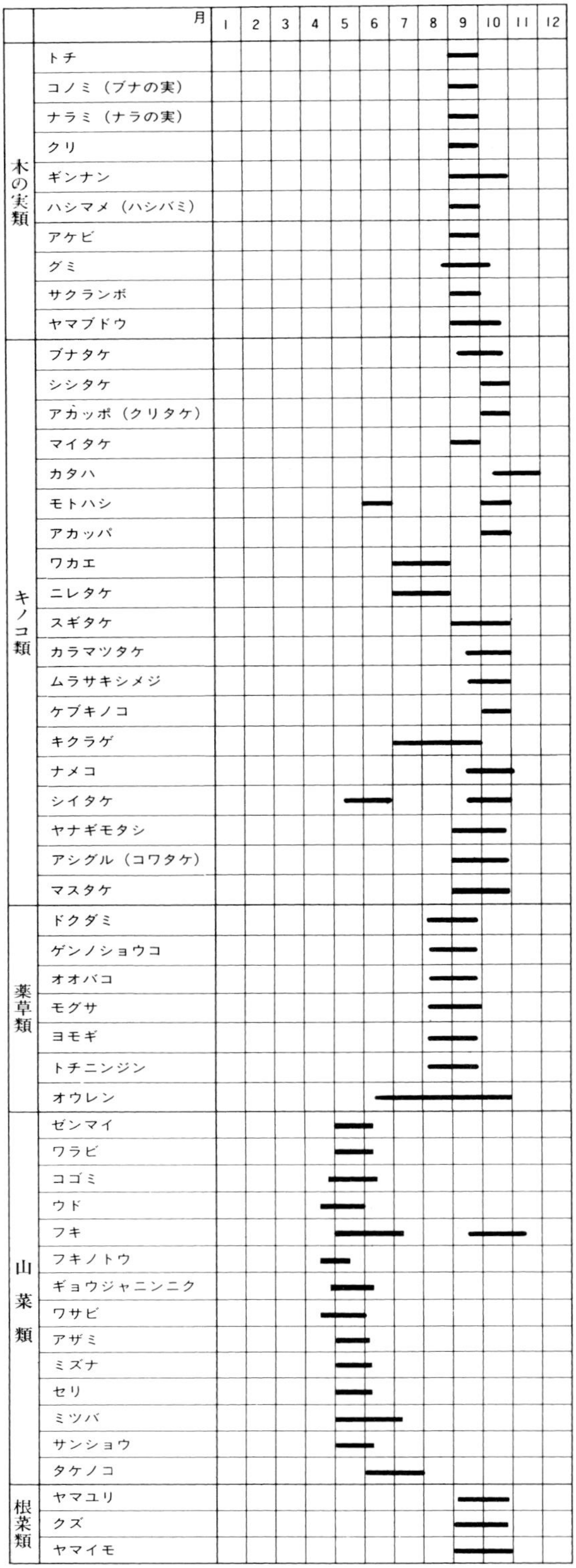

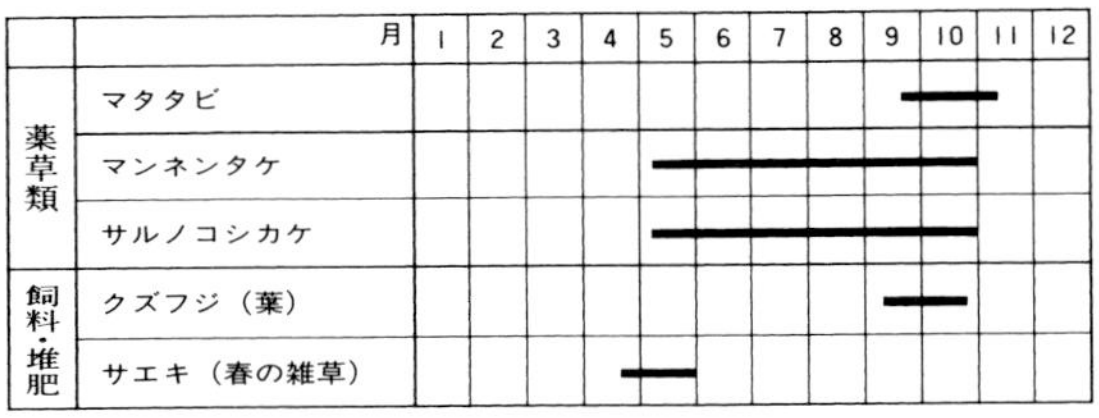

秋山は山の幸に恵まれた所である。狩猟、川漁の他、春先から晩秋の降雪に至るまで採集される山の幸は山菜、キノコ、木の実、薬草と多彩である。これらの採集活動は主に女性の仕事であった。かつては山ノ口という採集物に関する留山制度があり、トチの実（保存食）、イラ（繊維）クズフジの葉（飼料）、アケビ蔓（加工品原料）などがそれであった。山ノ口は区長が口あけの日をきめて、むらじゅういっせいに入って採集したのである。特にヤマフジの葉は天日に干してたばね、下流の新潟側の相吉、谷内などの水田地帯のむらむらからとれる稲藁と物々交換した。履き物や縄などの細工や堆肥にかかせなかった稲藁の入手は、秋山に水田が拓かれ始める明治期まで物々交換によっていたのである。春の山菜や秋のキノコなどは天日に干したり、あるいは塩漬けにして冬場の保存食とした。またタケノコ（ネマガリダケ）、フキ、マイタケ、ナメコなどは現在大切な現金収入源になっている。山から採集され、家まわりの池、あるいは集落近くの湿地等に移植し栽培されたものも多々あった。ヒノル、カサスゲ、イワスゲ、ガマ、キガヤなどがそれでミノやゴザ等を編む素材であった。またワサビなどは家横のセギ（堀）のはたや集落近くの山の一画に移植され株をふやしている。現在ではゼンマイも株を山から降ろし畑の一画に栽培され始めている。奥山にあるものを集落近くや家まわりに移植し、半栽培されるものは数多く、自然の力を利用することにたくみなむらびとの知恵である

むらが美しいのは、こうしたむらびとの努力のたまものだろう。

また、猟師たちは獣を獲って生活の糧としてきた人々であり、獣に対する思いは並みではない。人生の大半を獣とつきあってきた人々のみが知る境地とでもいうのであろうか。

山田長治さんが酔いのさなかでつぶやいたことばが胸に深く残った。

「クマって野郎は、いい野郎そ………」

『山田清蔵日誌』から

文●田村真知子

　中津川の西岸、布岩山《ぬのいわ》の大岸壁直下にあるのが秋山郷屋敷《やしき》の集落である。秋山民俗資料館はこの屋敷の山田庄平・みや夫婦が、自分たちの生活を支えてくれた道具類を大切にしておこうという、ごく自然な気持ちから作り上げた資料館で、クズヤ（萱葺き）の住宅がそのまま展示室となっており、秋山観光の一つの名所でもある。

　山田家の先代は山田清蔵といって、大変な勤勉家、倹約家であった。農業のほか小商いをし中津川流域の森林伐採業やダム・発電工事関係の資材物資を運ぶ駄賃稼ぎもし、粟《あわ》・稗《ひえ》・米や味噌あるいは金を借りに来る人も多かった。

　清蔵は明治七年に生まれ、昭和四十五年に九十五才で没し、一生を農業中心に生き、決して投機的なものには惑わされず、堅実一本で通した人のようである。そして明治四十二年から昭和四十一年までの日記を残した。一日一行から数行という決して詳細な記述ではないが、生き生きと秋山の生活を浮かびあがらせている。

　例えば、大正六年の日誌には、

「六月十七日曇り　白沢畑荏種《えだね》マキ終り　山畑終り」

「十月十六日晴天　春松方カヤカリ　宮之原石田鶴松上り泊り、七月ヨリ後ダチン金一円六十銭泊料五泊一円二五銭……」

「十一月二日雨　ドウフコ粟キリ」

と、このように記されている。

　私はこの日記を書きおこして秋山へ持って行き、庄平さんに見てもらった。

「じつは私もちゃんと読むのは初めてで」と言いながら読みすすんでいくうちに、庄平さんは唸った。

「うちのジイチャンは朝早くから夜もおそくまであれだけ働いていて、一体いつこの日記を付けたんだろう。えらいもんだ、うちのジイチャンは」

　今例にあげた「大正六年日誌」をもとにして一年間の農作業の流れと村の中の行事を中心に暦風にまとめたのが下段である。

　大正六年というと中津川上流の雑魚《ざこ》川、魚野《うおの》川流域の木材伐り出しと、川流しによる搬出が盛んに行なわれていたが、村人の生活を支えていたのは山畑、焼畑での雑穀栽培であった。しかし自給には足りず、粟や稗・蕎麦《そば》を一升二升と借りてその日暮らしを余儀なくされている家もあった。

　明治三十八年に秋山を歩いた田中救時は屋敷で清蔵に会っており、その時の記録によると、清蔵の家では男一人女二人で畑二町歩をつくり蚕・木鉢・山稼ぎで家計の補いをするとある。田についてはふれていないが、大正にはいるとすでに長俣《ながまた》と北川原《きたがわら》には田を造成していた。昭和二十一年庄平さんが養子に入った頃には、畑より田に重点が置かれていた。もっともこういう家は秋山では例外的であ

大正六年 農事暦

（　）内はこの日からの連続しての仕事、もしくは行事を行う日数
（大正六年は二月六日から書きはじめ、一二月二二日で終わっている）

月日	農作業その他	行事その他
二月　六日		旧正月一五日 村中田租宅地税集金
八日	竹細工（8）	
一一日		旧正月二〇日 和山へ年始一泊
一二日		
一四日		旧正月二三日三夜待
二〇日	味噌豆煮始め	
二八日	味噌豆煮終わり 一石三升	
三月　三日	竹細工終わり。ザル、 カゴ計四四個作る	
四日	ワラ仕事（2）	
五日		旧二月一二日山神祭
七日	春初めて薪を山へ 取りに行く（2）	
一〇日	厩からコエ（汚れた 敷き草）を出す	
一三日		法印来泊　三夜待
一七日	ミノ作り（3）	
一八日		彼岸の入り 万三方・本家庚申あり
一九日		
二二日	コエ引き始め（5）	
二六日	ワラ仕事（2）	
二七日	ムシロ編み（2） 計四枚編む	
三一日		平次郎方庚申あり
四月　二日	コエ引き終わり	
五日	ハルッキ伐り（4）	
七日		夜寄合い総代渡し 田租集金
一〇日	内仕事	
一一日		伊勢参拝出発（9）
二〇日		御送り祝い休み（3）
二三日		旧三月三日節句休み
二四日		屋敷温泉入湯（2）
二六日	白沢木割（2）	
三〇日	鍬柄をすげる	
五月　一日		上ノ原栄作方普請（2）
四日	杉苗六〇〇本 桑苗一〇〇〇本購入	上田稲荷様参拝

る。秋山のように毎年のように冷害やら雪害を受けている所で苦労して田をひらいても割に合わないのだが、大正から昭和二十年代まで、発電工事や道路工事で稼いだ金をつぎこんでの開田が盛んに行なわれた。米への憧れと、焼畑栽培の雑穀を米に換算すれば田の二分の一にすぎないということが、開田を支えたのだろう。

　村内の雪が消えるのが五月。秋、十月過ぎるといつ雪がくるかわからない。大雪のあと粟や稗あるいは稲の刈り入れをする年もそう珍しくないのである。大正七年の日記には十月二十四日夜大雪、二十七日雨の中稲刈りをし、畑物の取入れが終ったのは十一月二十日と書かれている。

　雪との競争で取り入れが終わると、萱の雪囲いをめぐらした薄暗いクズヤに籠もって、降り積もる雪の重みにたえて春を待つ。ずっと時代は下るが、昭和四十何年かの大雪の年、庄平さんは東京へ出稼ぎに出、家にはみやさんと中学生の息子二人だけが残され、雪に家がきしんだ。隣のおじさんが「このままでは家が潰れる」と雪下ろしを手伝ってくれ、息子たちは一週間かかって屋根を掘り出した。屋根の雪を降ろすのではなく、家の廻りの雪壁へ投げあげるほどの大雪であった。鈴木牧之が『北越雪譜』の中で雪見酒などとは本当の雪を知らない者の言うことだと書いているが、雪の恐ろしさは昔も今も変わらない。

　そういう雪に埋もれた家の中で、男は竹細工をし、木鉢・杓子《しゃくし》・雪かき用の木鋤《こすき》などの木工品をつくった。あるいは切明《きりあけ》や白沢《しらさわ》あたりの山中に小屋掛けをして杓子材や下駄材を伐り出した。竹細工は昔から行なわれていたものとは思うが、うち続く飢饉対策の一つとして、明治三十一年に副業の竹細工奨励に伝習教師が派遣されている。また、秋山で作られた杓子は大赤沢の人が大正元年に群馬県六合《くに》村から杓子職人を招いて始めたものが秋山一帯に広がり、「宮島シャクシ」にばけて安芸《あき》の宮島まで出荷された。

　こういう木工やワラ仕事、竹細工に精を出

●屋敷を中心とした秋山郷地図

七日	田オコシ	
九日	苗代カキ	
一〇日	大雪内仕事	
一一日		上ノ原佐ェ門方普請(2)
一二日		平七方普請　夜寄合い
一三日	味噌仕込み	
一五日	ジャガイモ植え	見玉村屋根屋三人泊り
一六日		観音堂屋根普請(10) 屋根屋日当計三三円三〇銭、米一戸当一升四合集める
一七日		惣右ェ門方・万三方庚申あり
一九日	切明畑(4)	
二三日	村内糯粟播種	
二四日	北川原大豆播種	
二六日	切明畑大豆小豆黍	
	他播種(5)	
三〇日	〃　畑物播種	
	終わり一四人手間	
三一日	秋山畑(2)	
六月 一日	ドウフコカンノ焼き	
	(3)手伝い計二人	
四日	ドウフコ粟播種	
五日	ドウフコ小屋かけ	
	春カイコはき始め	
八日	ドウフコ粟播種	
	終わり	
九日	白沢畑(7)	
一六日	白沢畑荏胡麻播種	
一七日	山畑播種終わり	
一八日	田仕事(5)	
一九日	田かき畦ぬり(4)	
二三日	田かき手伝いに行き	
二四日	苗取り手伝い一人	
二五日	田植え手伝い計四人	
	(2)	
二七日	ジャガイモサク切り	
二八日	粟草取り	
七月 二日	桑取り(4)	
三日		法印三夜待に来る　夜、宮祭り　半夏
一〇日	蚕雇い(3)	
一五日	切明草取り始め	
一七日	繭かき(3)	幸作方庚申あり
	約一三貫三八円	
二一日	田草取り	

すのは節分過ぎである。十二月にはまだ収穫後の後始末があり、一月には正月行事が重なる。一、二、三、七、十一、十三、十五、十六、二十、二十三日と何らかの行事があり、その前日には準備がある。歳の暮れも似たりよったりで節句すぎにならないと正月気分が抜けない。

　女たちは秋に剥《は》いでおいたエラ（野生のイラクサ）の皮で糸を紡いだり、シナノキの皮で縄をない、あるいは半年の労働に痛んだ衣類の繕《つくろ》いをした。当時は木綿が主であったが、衣類の繕いは本当に時間と手間のかかる仕事だった。

　木材の搬出は、明治二十七年秋山に入った直江津製材会社に始まり、明治四十年に北越製材会社が屋敷、上ノ原、和山《わやま》の共有地の立木を買って伐採を始め、下駄材や杓子材などを求める山師なども入り込んでいたが、深い山中からの伐り出しは困難を極め、むしろ雪のある時期のほうが搬出が楽であった。伐り出した丸太は中津川にほうりこんで信濃川まで素流《すなが》しにし、そこから筏《いかだ》に組んで流していた。

　養蚕がこの辺りで盛んになったのは明治末期であるが、桑畑を仕立てる余裕はなく、蚕は主に山に自生している山桑で飼った。大正六年は繭の値がよく、清蔵の日記では七月に上繭一貫四円五十銭とある。同じ頃粟一升十三銭、稗一升六銭、大豆一升十三銭五厘、味噌一貫四十銭で売っている。蚕が良いと言っても飼える家は何軒もなかったようだ。

　春もまだ雪の深い三月、来年の薪にするハルッキ伐りと半年溜まった厩《うまや》の敷きカヤを掻き出すコエ出しで農作業が始まる。三尺四方ものジロ（囲炉裏）に燃える火一つを頼りに冬を越す秋山では一年に五坪から十坪の薪を燃した。一坪は三尺×一間×一間の薪の山をいう。今でも村のあちこちに薪山が見られるし、家の軒下や土間には、伐り揃えられた薪が背丈程に積まれている。火持ちのよい薪を得るには芽ぶく前に伐採し、一年間かけて乾燥させる。立ち枯れの木は、すぐ燃えてしまって火力がない。

　厩は中門《ちゅうもん》造りの家の中門部分にあり、土間床を少し低くして、萱を次々に敷き重ねていけるようにしてある。それを年に二回か三回掻き出し、堆肥に積んでおいて、雪のあるうちに橇《そり》で畑や田に運んだ。過燐酸石灰を使うようになったのは明治三十年代。清蔵の日記にも時折過燐酸を駄賃で運んだという記載があるが、使われた量は微々たるもので、堆肥、厩肥、人糞尿が中心だった。どの家でも馬なり牛なりを飼っていたのではないようで、少し時代が遡るが、明治三十一年に信濃秋山全体で戸数約七十、牛二十八頭、馬は不明、あるいは旧堺村全体で明治三十一年に牛十、馬二五三、同じく大正八年に牛十二、馬二三四という記録がある。大正九年で旧堺村戸数六五二であった。〔信濃秋山は下高井郡堺村のうち。堺村は昭和三十一年に下水内郡水内村と合併して、下水内郡栄村となる。〕

　五月になるといよいよ畑が始まるが、地図でみてわかるように、近くにある畑より遠くの山畑の方が多く、どの家も小屋掛けをし、泊り込みで出かけることも度々だった。ところで、山畑というのは山林を焼き払ってひら

	二三日	秋山畑草取り（2）	土用丑の日休み
	二四日	ジャガイモ掘り	
	二九日	ドウフコ草取り（7）	
	三〇日	あけびツル取り	
八月	一日	この日口明け	
	五日	長俣蕎麦播種	
	八日	白沢草取り（2）	
	一〇日	村内蕎麦播種（2）	
	一一日	北川原草取り（2）	
	一三日	桑取り（2）	
	一四日		万三方庚申あり
	一五日		十二神社祭礼
	二一日	切明畑草取り（5）	
	二五日	エラはぎ	
九月	一日	杉木の伐り出し（3）	
	三日	イワスゲ（屋根葺き用縄材）刈り	
	六日	杉木伐り出し（2）	
	八日	ひ草（厩の冬の敷草）取り（2）	
	九日	コエ出し	
	二二日	白沢イワスゲ刈り	
	二六日	切明畑黍刈り（4）	
	二八日	フジハ（葛葉）取り（3）	
一〇月	一日	前日より大雨大水	
		籾ひき	
	六日	和山八蔵方萱刈り	
	九日	白沢黍刈り	
	一三日	春松方萱刈り（3）	
		白沢、滝の沢にて	
	一五日	長俣蕎麦刈り	
	一七日	天宮岩エラはぎ（2）	
	一八日	白沢荏胡麻収穫（3）	
	二〇日	ドウフコ粟刈り（4）	
	二二日	コエ出し	平七方へ普請の頼母子 白粟五升渡し
	二四日	切明畑大豆おとし（2）	
	二五日	村内ハゼ掛け	
		蕎麦刈り	
	三一日	稲刈り	
一一月	一日	切明畑物取り終わり	
	二日	ドウフコ粟切り（2）	
	五日	初雪　内仕事	
	八日	上の方畑物収穫終わり	

いた、焼畑（カンノ）のことで、春の農作業が一段落したあとで山林を伐採し、夏の陽で乾燥させて火をつけるナツガンノと秋に伐採して翌春焼くハルガンノとがあり、そのうちナツガンノが多かった。一度焼いた畑は、地味の肥えている所では十数年も作れたという。やせている所は四、五年で山に戻した。毎年カンノヤキをするわけではなく、その家の労働力に応じて、数畝から一反くらい焼いた。

山畑で作るのは粟・蕎麦・稗・黍《きび》・荏胡麻《えごま》（荏種）・大豆・小豆・大根・蕪で、ナツガンノの場合はまず蕎麦をバラ播きにして秋収穫し、冬を越して翌年粟を播く。ハルガンノは粟を播き翌年蕎麦、それからは連作にならぬよう粟と大豆・荏胡麻・小豆などを交互につくり、最後は蕎麦・黍・荏胡麻で山にもどした。

しかし大正から昭和と家数も多くなるにつれ焼畑をひらく山にも余裕が少なくなり、休閑年数が二十年前後だったのが、十年から十五年くらいに短くなった。ということは地味が落ちるということで、焼畑で最も主要な粟が明治三十年代に反当たり一石から二石五升も取れたのが昭和二十六年ころでは八斗以下になっていた。戸数は信濃秋山で明治三十一年約七十戸、大正が不明であるが昭和二十六年で約一三〇戸である。

収穫期になると昼間刈り取り、夜、脱穀した。たとえば粟は、根元から刈り取ったのを小屋まで運び、鎌の刃を上に向けて足で押さえ穂を両手で持って押し切った。ジロの上に、うっかり立ち上がると頭をぶつける程の高さに木枠が吊ってあり、そこにクドと言って、萱で編んだスノコを広げ、夕方、そこに粟の穂を八斗から一石ものせる。翌朝、一度上下を返して乾燥させ夜になってから小屋の中で打ち叩いて脱穀したから、その埃で部屋の向こうがかすんで見えるぐらいだったそうだ。

山中にある焼畑は雑草と鳥獣との根くらべ、智恵くらべである。

雑草の種を入れないように、畑には裸足で入るくらいの注意をはらっても雑草は年がたつ程に生え方もひどくなる。七月、八月は草取りに追いまくられた。下の暦で除草日数をみてほしい。

鳴子《なるこ》、案山子《かかし》、鳥追い、獣罠……。それらは現代ではいささか郷愁を持って使われる言葉になってしまったが、秋山ではいまだに現実問題なのである。焼畑が盛んにつくられていたころはカンノを取り巻くように熊罠がしかけられ、集落の周辺には兎罠が仕掛けられていた。

昨年（昭和六十一年）秋、山の成物《なりもの》が不作で熊が里に下りてきて北川原に入り込み、トウモロコシの熟した実だけを選んで喰い、稲の穂を手でしごいて食べ、薬師様の裏の小豆畑を全滅させ、白沢では蕎麦畑の真中で昼寝をし糞を残していった。本篇で語られている秋田マタギが秋山へ招かれたのも当然のことといえよう。

糯黍《もちきび》は鳥に喰われるので、完熟を待たずに刈り取った。大正の頃は山も深く熊が里まで来ることはめったになかったが、鳥や虫の被害は今以上であったろう。黍に尺取虫のような虫がつくとあっという間に広がって、虫が黍を喰う音で畑全体がザワザワ沸き立つようだったという。虫につかれたら手のほどこしようがない、というのが実情であった。

今、かつてのカンノには杉の植林がすすみ、農業の比重はずいぶん低くなってしまったし、田にはグリーンアスパラが幅をきかせている。もちろんカンノはとうの昔、昭和三十年代で作られなくなってしまったが、それでも集落近くの畑には蕎麦、黍が多い。もっとも、こういう雑穀や栃の実は今では御馳走なのかもしれないが。

九日	冬用の薪取りに行き	
一〇日	蕎麦おとし	
一三日	内仕事	
一四日		当家庚申あり
一五日	大根取り	
一七日	北川原大豆取り	
一八日	白沢ひ草刈り	
二二日	内仕事	
二三日		万治郎方帰り祝い
二九日	家の冬囲い（2）	法印来泊
一二月 三日	桐の根元に覆いをする（2）	
六日	才吉方へ粟背負い手伝い	
七日	薪を山から運ぶ（3）	
一一日		小赤沢松太郎方頼母子あり
一二日	もみカチ（臼で挽いてノギをとる）三石	
一三日	もみひき	
一四日	大豆落とし終わり	
一五日	馬の物拵え・合わせ（2）	
一六日	もみカチ	
一九日	わら仕事（2）	
二一日	コエ出し	

葛西の肥船

下肥雑記
―町と村をつなぐもの―

文・須藤 護
写真提供・葛飾区郷土と天文の博物館

上　江戸の下町は水路が重要な交通路であり、下肥も船で運ばれた（江戸景観図屏風）
下　綾瀬川を帆をかかげてゆく肥船（年代不明）

私は葛飾区《かつしか》の金町《かなまち》で八年ほど過ごしたことがある。奇跡的にも、初めて応募した公団住宅の空屋募集の抽選に当り、金町の駅前団地に入居することになったのである。昭和五三年の新春のことであった。二DKの高層アパートであったが、今までのそれとくらべて、ずい分広い住まいであった。

公団のアパートに入居してまもなく、長男が生まれた。よく晴れた日などはその長男を自転車に乗せて、わずかに田園風景の残る水元《みずもと》公園や江戸川《えどがわ》土手を走った。まだ新興住宅のすきまをぬってきれいに手入れされた畑が点々とみられ、いかにも農家らしいゆったりとしたたたずまいをみせる民家も点在していた。新興の住宅はその農家の庭先を間借りしているかのように密集して建てられている。一見して住人の新旧の見分けがつけられた。しかしこのようにして自転車で走り廻っていたときは、聞き書きはほとんどしていない。たまに長男の機嫌のいいときに農家の庭先に入っていって、世間話をきく程度のものであったが、それがとてもおもしろかった。

それに何の前ぶれもなく、ぶらり訪れても、気軽に相手をしてくれる人が住んでいることが、またよかった。そして農村や山村を歩いている時と同じ感覚で人々に接することができたときは、何かすがすがしいものを感じ、心がなごんだ。葛飾区はまだよき時代の雰囲気を残しているところであった。

その後家庭の事情で実家のある千葉県へ移ったが、ありがたいことに葛飾区との縁は切れずに今日なお続いている。そしてなるべく一人で歩くようにしているので、聞き書き用のノートを携えて行くことが多い。

●水郷葛飾の物成●

葛飾区は江戸川区とともに、東京二三区の中では最も東に位置している。西を荒川《あらかわ》区、東を江戸川にはさまれた低地上にあり、北は足立《あだち》区と埼玉県三郷《みさと》市、南は江戸川区に接し、江戸川の東は千葉県の松戸《まつど》市、および市川《いちかわ》市になる。江戸時代はもちろんのこと、明治に入ってからもこのあたりは、東京の町へ供給する米や野菜の産地であり、静かな農村地帯であった。江戸時代の葛飾は武蔵《むさし》国葛飾郷《かつしかこおり》といい現在の葛飾区のほかに江戸川区、墨田《すみだ》区、江東《こうとう》区も含まれている。武蔵国葛飾郡にはこのほか鷲宮《わしみや》町、三郷市、栗橋《くりはし》町、幸手《さって》町など、埼玉県東南部の六市町村も含まれている。一方下総《しもうさ》国葛飾郡という地域がある。この方は千葉県の西北部を中心にして、埼玉県と茨城県の一部が含まれている。このように葛飾郡は武蔵国と下総国に分かれているが、もとは一つの文化圏をもった地域であり、古くは葛飾は下総国に属していた。まだ未調査の部分が多いのであるが、地名が共通しているばかりでなく年中行事や言葉などにかなり共通する文化をもち合わせているという。いずれにしても、感覚的には千葉県生れの私が抵抗なく入っていける土地柄であることは事実である。

それが何かの都合で武蔵国と下総国に分けられた。その時期は江戸時代初期であったという。そして武蔵国葛飾郡の方は、葛飾郡の西に位置しているために葛西《かさい》とよばれた。葛飾郡は二つに分けられたけれども、江戸に対する米や野菜の供給地には変わりはなかった。江戸時代初期の葛西地方の耕地の状況を知る資料として、『武蔵国田園簿』（正保元年＝一六四四年）がある。これによると葛西地方は上ノ割、下ノ割、本田筋、新田筋の四つの地域に分けられている。上ノ割は現在の葛飾区の東部、下ノ割は江戸川区内、本田筋は葛飾区の西部と墨田区の北部、そして新田筋は墨田区南部と江東区に大きく分けることができる。江戸川と隅田川にはさまれた葛西地方をそのまん中を貫通する中川によって東西に分け、さらにそれぞれを南北に分けて四分割した形である。

このうち、畑面積に対して水田面積が最も多いのが下ノ割（現在江戸川区）で、実に九四・五％を占め、次に本田筋が八三・三％、以下新田筋七六％、上ノ割七五・二％となっている（プラネタリウム・郷土資料館資料調査報告書、昭和六〇年、葛飾区教育委員会刊による）。

上　新宿（葛飾）の水田。田植に先立ち、水田に下肥をいれたものである（明治初年）
下　金町はネギの産地であった。その取り入れを行う農婦（大正13年）

葛飾区においては西部の方が水田面積の割合が多く、東部は比較的畑の面積が多かったことがこれでわかる。その後江戸の町の人口増加にともなって、野菜の生産も盛んに行なわれるようになっていった。そして幕末のころになると葛飾区全体で水田と畑の比率が七対三ほどになっていたという。しかも江戸時代初期から元禄のころ（一六八八～一七〇三年）までに、米の収穫量が三倍以上増えているというから、江戸時代を通して水田も畑もかなり開発されていたことが想像できる。低湿地に立地しているこの地方では、畑地がなかなか確保できなかった。そこで水田の中に盛り土をして畑地を造成した。これを島畑《しまばた》とよんでいる。

江戸の町へむけて出荷していた野菜は、ウリ、ナス、ネギ、コカブ、カブ、ダイコン、ダイズ、レンコン、フユナ、ミツバ、ゴボウ、インゲン、フキなど多くを数えている。明治時代に入ってから作られるようになったものを含めて、葛飾の特産物としてよく知られていたのが金町のネギ、コカブ、シソ、茶、新宿《にいじゅく》のネギ、上千葉、下千葉（現在の堀切《ほりきり》）のコカブ、シソ、ホソネダイコン、青戸《あおと》のツケナ、細田《ほそだ》のナスなどがあり、その周辺部では小松川《こまつがわ》のコマツナ、亀戸《かめいど》のダイコン、三河島《みかわしま》のナッパ、ダイコン、西新井《にしあらい》のエダマメ、町屋《まちや》のショウガなどの畑作作物であった。このうち金町のコカブやシソは、福神漬の材料として明治以降に本格的な生産が始まったものである。野菜類は農民の手によって、千住《せんじゅ》、神田《かんだ》、本所《ほんじょ》、京橋《きょうばし》などの市場に運ばれ、江戸市民に供給されていた。

表Ⅰ

- **武蔵国新座郡新倉村の百姓19名の下肥汲取り場所―寛政３（1791）年**
  神田、下谷、本郷、駒込、本銀町、通新石町のうち25ヵ所
- **武蔵国豊島郡徳丸本村の百姓71名の下肥汲取り場所―慶応３（1867）年**
  湯島、小石川、本郷、下谷、谷中、飯田町、麹町、浅草、神田、日本橋、新橋のうち146ヵ所
- **武蔵国豊島郡戸塚村の百姓6名の下肥汲取り場所―天保13（1842）年**
  牛込、市ヶ谷、音羽のうち10ヵ所
- **武蔵国豊島郡角筈村の百姓10名の下肥汲取り場所―寛政３（1791）年**
  飯田町、四谷、麹町、市ヶ谷、成子町のうち10ヵ所
- **武蔵国多摩郡押立村の百姓6名の下肥取り場所―寛政３（1791）年**
  四谷、鮫ヶ橋、麹町のうち6ヵ所
- **武蔵国多摩郡下連雀村の百姓5名の下肥汲取り場所―寛政３（1791）年**
  内藤新宿、四谷、麹町のうち6ヵ所
- **武蔵国荏原郡上馬引沢村の百姓3名の下肥汲取り場所―天保14（1843）年**
  渋谷のうち7ヵ所
- **武蔵国荏原郡太子堂村の百姓28名の下肥汲取り場所―慶応３（1867）年**
  渋谷、麻布、赤坂、青山、四谷、麹町のうち65ヵ所

●下肥を運んだ葛西船●

葛西地方では米も野菜も、商品作物として重要であった時代が近年まで続いた。品質のいい作物をつくり、しかも収穫を上げていくためには、肥料を確保することが必要である。そして葛西地方で使われた肥料のほとんどが、江戸（東京）市中から出る下肥《しもごえ》（糞尿《ふんにょう》）であった。

江戸市中の下肥汲取りの範囲は、おのずと決められていたようである。『江戸学事典』（昭和五九年・弘文堂刊）によってその範囲を抜き出してみると表Ⅰのようになる。

ここに出てくる地域は江戸市街の中心部から西北部にかけてであるが、それぞれの町場の近郊の農家が、下肥汲取りの役目を担っていたことがわかる。葛西地方からは本所、深川《ふかがわ》、浅草《あさくさ》、吉原《よしわら》といった下町を中心に汲取り場所をもっていたとみられるが、なぜかこの地方の記述がない。これは私の推測であるが、輸送手段に問題があったのではないかと思われる。江戸西部では下肥の輸送に大八車や牛馬を用い、東部から北部にかけては水路が発達していたため主に船が使われた。この船を肥船《こえぶね》といった。肥船は葛西方面の人々が主に運行していたので葛西船《かさいぶね》ともよばれていたという。

馬と船では下肥の輸送量のちがいが大変大きかった。下肥を運ぶ単位を一荷《いっか》という。一荷は二斗入りの肥桶二個分のことで、天秤棒の両端につるし、一人でかつぐことのできる量である。駄馬で運べる量はせいぜい二、三荷であろうと思う。これに対して肥船になると一艘につき五〇荷が標準であった。肥桶一〇〇個分は軽く運ぶことができた。この輸送手段のちがいによって、江戸西部の農村のように個々の農家が出かけていくのではなく、肥汲みと輸送を専門に行なう業者らしき人がいたのではないかと思われるのである。

『葛飾区の歴史』（入本英太郎著・昭和五四年名著出版）によると、江戸城本丸の汲取りを一手にひきうけていたのは葛西の百姓権四郎であったという。権四郎は船三艘を江戸城の堀につないで下肥汲みを行ない葛西方面に送っていたというのである。また各地の河岸《かし》には下肥売捌《うりさばき》人がいて、世話人を通じて各村々へ配送したという。その本には、

> 葛飾郡飯塚村（現葛飾区水元飯塚町）の中川河岸にも肥宿《こえやど》や会所《かいしょ》が設けられ、輸送・販売もしだいに組織化され、同村の約八割が本業化し、農家が副業だったという

とも記されている。つまり葛西地方においては、大量輸

送手段であった肥船が使われたので、下肥の汲取り、輸送、販売が企業的に行なわれていたことがわかる。

●肥船の行く先●

船による下肥の輸送は明治以降も続いた。ここで葛飾区新小岩《しんこいわ》在住の菊池武一さん（明治二五年生）と、同下千葉（現東堀切）在住の杉浦新太郎さん（大正九年生）夫妻、及び金町、柴又《しばまた》の有志の方々の話を中心にして、当時の様子を素描してみたい。

菊池さんは肥船の船頭の経験の持主であり、杉浦さんは平均的な農民であった。なおこれらの聞き書きは、葛飾区教育委員会の堀充宏さんの協力に負うところが多い。

この地方で肥船をもっていた多くは、大農クラスの家と、一部の自作農であったという。肥船をもつということは大変な財産で、耕地を一町歩もつのと同じくらいの価値があり、俗に肥船一艘を一町株といった。船をもった家は数十軒もの家の下肥をくむ権利をもち、それを自家用として使うほかに、他の農家にも販売していたのである。たとえば先に述べた三艘の船で江戸城本丸の下肥を一手に引き受けていた葛西の百姓権四郎は、三町歩の耕地をもっているのと同格の株をもっていたわけである。

上　綾瀬川を運行する肥船。胴幅の広い櫓船である。岸に見える塀は小菅刑務所（年代不明）
下　綾瀬川堀切付近。川岸の田畑に工場が建ち、高い煙突が並んだ（年代不明）

下肥汲取りの権利は、一般には肥船をもつ人が、家作《かさく》を多くもっている大家《おおや》さんに話をつけ、買い受けたという。その謝礼はきちんとは決められていなかったようである。大体の標準として、一軒の家で一ヵ月に一荷の下肥をとるとして、一ヵ年で一二荷になり、その謝礼が大根一五〇、ナスの場合で一五〇個から二〇〇個程度であったという（葛飾区史上巻）。

菊池さんは大きな農家の作番当《さくばんとう》をつとめていた。作番当は作男《さくおとこ》の頭であり、この家が肥船をもっていたために、船頭をも兼ねるようになったのである。菊池さんが主に出かけたところは日本橋蛎殻《かきがら》町周辺であった。蛎殻町まで行くには、中川を下って北十間《きたじゅっけん》川、もしくは竪《たて》川、小名木《おなぎ》川といった水路に入り、隅田《すみだ》川に出る。そして隅田川を下って両国《りょうごく》橋の手前で神田川や日本橋川に入ったという。

船を出すのは一〇日に一度くらいの割合であった。船には櫓《ろ》がついていたが、帆をかけて、風も利用した。南風にのって川を下り、北風にのって川をさかのぼるのである。風ばかりではなく、潮の干満も利用した。旧暦の一日と一五日は大潮になるので、それを利用したのである。大潮はムツイッパイといい、明け六《む》つ（午前六時

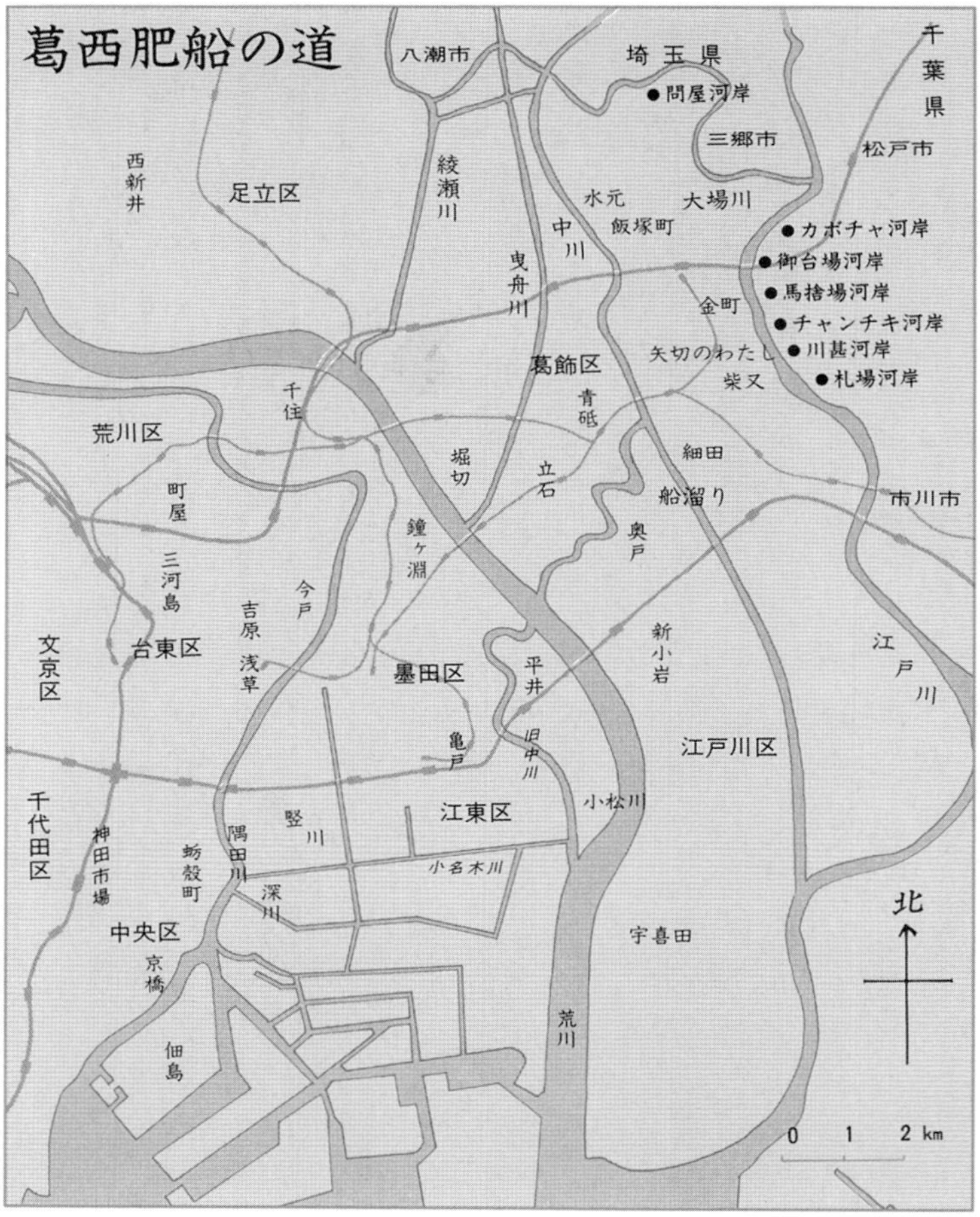

頃）に潮が満ち、午後一時にいちばん干潮になる。潮いっぱいになるときに川をさかのぼり、干潮時に下ると比較的楽に船を操ることができたという。潮いっぱいになる時間は一日一時間ずつ遅くなり、一週間で小潮になる。その時間を見合わせて船を出すのである。旧暦の九日、一〇日はコシオのコッポといい、干満の差が小さくなるので、船の上り下りには利用できなかったという。

櫓、風、潮のほかに、櫂《かい》も重要な操船の道具であった。大正時代のことであるが、旧東京市内の竪川や小名木川には蒸気船が運行されており、蒸気船が通ると波にあおられてとくに空船のときは操船がやっかいであった。また小河川から中川や隅田川に出るときは、川の流れにのせるのが大変むずかしかった。このようなときは櫂を巧みに操ってのりきっていく。

このようにして東京市内で汲みとった下肥は葛西地方の農家に運ばれていくのであるが、その経路もさまざまであった。新小岩や平井《ひらい》周辺では中川ぞいの河岸を利用した。中川ぞいにはいくつか河岸があって、周辺の農家は耕地に一番近い河岸から下肥を運んだ。

また上小松《かみこまつ》、下小松《しもこまつ》、奥戸《おくど》周辺の農家では、奥戸の船だまりに入ったハシケ船とよばれる小型の船に積みかえて曳船《ひきふね》によって耕地の近くまで運んだという。中川は大変蛇行の多い川で、所々に湿地帯があった。その湿地帯を利用して現在の奥戸橋の上手に船だまりがつくられていた。この船だまりの近辺には、川船をつくる大工が五、六軒かたまっており、船の新造や修理にあたっていた。

葛飾付近の船溜り。こんな狭い川にも肥船は往き来した（年代不明）

いわば中川舟運の一つの基地のような役割を果たしていた。ここにハシケ船が待機していて、大型の肥船から積みかえたのである。大正から昭和にかけて肥船は一〇〇荷（二〇〇桶）ほどの荷を積むものもあり、ハシケ船はその半分の五〇荷ほどの下肥を積むことができた。ハシケ船を曳くときは、買い手がロープで船を曳くのを手伝ったという。これをスケットといった。

船だまりは鐘《かね》ヶ淵《ふち》にもあった。鐘ヶ淵は墨田区の北端にあり、綾瀬《あやせ》川と隅田川の合流地点である。大正中期に荒川《あらかわ》（荒川放水路）が新設されて、荒川と隅田川にはさまれた形になっている。ここも湿地帯であったようで、明治二二年に埋め立てて鐘ヶ淵紡績が進出した。しかしその後も一部の湿地帯が残されて船だまりになっていたのである。この船だまりにも肥船が待機していて、旧市内から運ばれてきた船が着くと、船頭が交代したという。つまり市中をまわる船頭は鐘ヶ淵までがその役目であり、各農家をまわる船頭は満杯になった肥船に乗って船だまりを出ていくのである。このような船頭は各村に一人か二人はいたが、とくに水元飯塚（前出）と江戸川区の宇喜田《うきた》が多かったという。

鐘ヶ淵からは二つの経路があった。その一方は中川おちといって、隅田川から中川に出て、江戸川区や千葉県の市川方面に運んだようであるが、具体的な経路はわからない。ただ鐘ヶ淵に集まる下肥は浅草方面のものが多かったようである。それについてはおもしろい話がある。市川の台地上にはイモ畑が多かったが、このイモ畑からドメンという直径二センチほどの素焼のメンコがたくさん出てくるという。明治に入るとガラスの石けりや紙のメンコに変わるのであるが、このドメンは浅草の今戸《いまど》でつくられ、付近の子供たちの遊び道具としてもてはやされていたようである。堀切の杉浦さんの話によると、当時の鼻たれ小僧がドメンを持ったまま便所に入り、あやまって落したものが汲上げられた下肥に混じって市川方面に運ばれ畑に撒かれたのではないかという。市川方面のようにたくさんは出ないが、堀切、青砥《あおと》、立石《たていし》あたりの畑からも、ドメンが少しずつ出ているという。

　さて、鐘ヶ淵からのもう一方の経路は綾瀬川のぼりといった。隅田川から綾瀬川をのぼり、綾瀬川から大場《おおば》川に入って埼玉県八潮《やしお》や三郷の方へ行く経路である。葛飾区水元方面や埼玉県の近郊農家では、綾瀬川のぼりの船から下肥を買っていた。大場川ぞい（現在の水元六丁目のあたり）には問屋河岸という河岸があった。ここには大きな肥料問屋があり、水元付近や埼玉県へむけての基地になっていたと思われる。また綾瀬川にかかる水戸橋（小菅《こすげ》の東京拘置所の西南部）付近には宿船《やどふね》が碇泊していたという。宿船というのはこの川を往来する船の船頭に食事を提供する船で、いわば陸上でいう茶屋のようなものであった。肥船の船頭たちもこの宿船をよく利用したという。そして葛飾区西北部の堀切の農家ではこの小菅の河岸から下肥を買い、耕地の近くまでかついで運んだ。

　葛飾区東部の金町、柴又方面へは、もっぱら江戸川が活用された。江戸川までどのような経路で船が入ってきたかはまだ未調査であるが、この川ぞいにもいくつもの河岸が設けられていて、やはり河岸が下肥購入の拠点になっていた。上流からみていくとカボチャ河岸（東金町《ひがしかなまち》）、御台場《おだいば》河岸（東金町）、馬捨場《うますてば》河岸（金町）、チャンチキ河岸（柴又）、川甚《かわじん》河岸（柴又）、札場《ふだば》河岸（柴又）などである。金町は上、中、西の三地区に分れているが、主に金町上の人々はカボチャ河岸から、そして金町中、西の人々は馬捨場河岸から下肥を上げたという。馬捨場というのは農家や馬喰などが飼っていた馬が死んだとき、運んで葬る場所である。いわば馬の墓地であった。御台場河岸の由来はわからないが、この河岸の周辺には瓦や煉瓦を焼く工場が多く、主にそれらを積み込むために使われていたという。

　一方柴又の人々はチャンチキ河岸、川甚河岸、札場河岸を利用した。川甚は柴又帝釈天《たいしゃくてん》の門前にある川魚料理屋で、古くから人々によく知られていたために、その名が河岸の名としてつけられたものと思う。この河岸は別名矢切《やぎり》の渡しともいい、柴又から対岸の千葉県松戸へ渡る渡し場でもあった。現在でも日曜日には川舟が運行しており、とくに同名の演歌が流行してからは、その客数もずい分増えたという。川甚河岸の近辺にも瓦を焼く大きな工場があって、瓦の搬出にも利用されていた。チャンチキ河岸にしても川甚河岸にしても、柴又帝釈天の門前町らしいしゃれた名前で、金町のカボチャ河岸や馬捨場河岸とは、ずい分雰囲気がちがう名であることがおもしろい。札場河岸はここに高札場があったためにつけられた名である。

　このほかにも江戸川には河岸があったが、川甚河岸のように渡し場でもあり、下肥だけでなくこの地で生産された物産を積み出す場として使われた例が多かったようである。いわば人間や物資が出入りする玄関口であった。

　河岸に着いた肥船は、大きな水路のある地域ではそのまま耕地の近くまで入っていくか、小さな船に積みかえて運ぶ。水路のないところでは天秤棒でかついで、耕地の近くにつくってある肥溜《こえだめ》にあける。河岸から耕地までが遠い場合には、河岸の近くに肥溜をつくり、いったんそこにあけることもあったという。これは埼玉県三郷市

上　中川平和橋付近。川の中に鳥居が建ち水神様が祀られている（年代不明）
下　肥を積みあげた荷車とそれを曳く馬。橋は綾瀬川にかかる水戸橋（昭和18年）

江戸川松戸渡船場。丸太を並べた桟橋に船が着く。対岸は松戸（明治41年）

の例であるが、農業を手広くやっている農家では、肥船を予約しておいて、肥船が来る日は何人もの人を頼み、肥桶運びをしたという。一艘分の下肥（約五〇荷）を運ぶのに一日では終らなかった。そのようなときは船頭を自分の家に泊め、風呂に入ってもらい、酒なども出してゆっくりしてもらったのである。なお、肥船には船の前の方に三畳敷きほどの寝泊りできる部屋を備えており、七輪《しちりん》も置いて煮炊きもできるようになっていた。

●一反に二〇荷の下肥●

下肥を一番よく使うのは田植の前であったから、二月頃から下肥の準備をしておく必要があった。水田の場合は理想的には、一反につき二〇荷の下肥を入れると米がよくできた。一町歩の水田をつくる人は二〇〇荷、二町歩の場合はその倍の下肥が必要になる。それに三、四反の畑をつくっていると、合計で六〇〇〜七〇〇荷ほどの下肥を用いたようである。

肥溜は、かなりしっかりしたものをつくった。まず耕地の近くに、底が直径六尺、背丈ほどの深さの穴を掘る。容量を増やすために地表面にいくにしたがって口を広くする。肥溜の底には、直径が六尺ほどの、大きな桶をすっぽりとはめ込んだ。また壁面はツノマタを煮てその中に石灰を加え、さらに貝殻を細かく砕いたものをしっかりと塗り込む。簡易的な漆喰壁である。ツノマタは海藻の一種で、石灰と貝殻をつなぎとめるフノリの役割をした。貝殻は千葉県浦安の海岸まで取りに行ったという。また手軽に煉瓦が得られるところでは、壁面に煉瓦を積み上げることもした。これに草葺きの屋根をかけて水が入らないように工夫したのである。瓦が得やすいところでは、瓦葺きの屋根をかけた立派な肥溜もあった。

底の直径が六尺ほどもある肥溜には、大体二五荷ほどの下肥が入ったという。少なくとも一反五畝から二反歩ほどの耕地がまとまっているところには、このような肥溜をつくっておき、肥船から運んだ下肥を溜めておいたのである。

このほかに下肥をたくさん使う時期には、ただ穴を掘っただけの肥溜もあった。これを素掘りといったが、短期間であれば意外と地面に浸透することがなかったという。また籾《もみ》貯蔵用に用いている大桶を一時的に使用し、下肥を撒き終ったらきれいに洗ってまた籾貯蔵に用いるという例もあった。下肥を大量に使う時期の工夫の一つである。

下肥は需要の多くなる田植前になると、多少値段が高くなった（表Ⅱ参考）。高くなったばかりでなく、水でうすめたものがよく出廻った。供給する量が追いつかなかったことと、それに乗じて船頭が大いに稼いだのである。船には夫婦で乗る場合が多かったという。下肥の量がまに合わなくなってくると、朝早くカミさんが南京袋を持って新聞紙をひろい歩く。そして新聞紙をちぎっては下肥の中に入れていく。それは東京下町では昭和三〇年代まで、落し紙に新聞紙を使っていた家が多かったからである。さらにそれに水を加える。朝早くこれをやっておくと、目的地に着くころまでには新聞紙が黄金色にそまり、見分けがつかなかったという。しかし農家ではちゃんとわかっていて、これを水肥《みずこえ》といって嫌った。そして上流に行けば行くほど下肥の値段が高くなり、水の量が多くなる傾向があった。

経済的余裕のない農家では早くから下肥の準備ができない。そのため仕方なく水肥を買わなければならなかった。しかし水肥ばかり持ってくる船頭は「あの人のは水肥だからだめだ」といって敬遠されることもあった。百姓も受け身ばかりではなかったのである。

●近郊農村の変貌●

葛西の肥船についてはまだわからないことが多いが、この地方で使用した下肥の量は相当なものであったであろうことは推測できる。先に述べたように葛飾区内ばかりか葛西地方全般にわたり、なおかつ千葉県や埼玉県にも下肥は送られていた。江戸（東京）の町をひかえていたからこそ作物の生産がさかんに行われ、またそこで生産されたものが江戸へ送られることによって、市民の食生活がまかなわれてきたことを人々の話の中から感じとることができたのは大きな収穫であった。

この肥船による下肥の輸送は昭和一〇年代に終った。杉浦さんの話によると、埼玉県三郷方面ではトラック輸送にかわり、葛飾区堀切近辺ではそれ以前から荷車や牛車で、個人的に取りに行く人が多くなったようである。東京市街が周辺に拡大し、遠くまで行かなくても下肥が得られるようになったからであろう。

杉浦さんは向島玉《むこうじまたま》の井《い》の遊廓と錦糸町《きんしちょう》方面が、肥汲みの範囲であった。その後葛飾区自体が市街地化し、耕地が次々と宅地化され下肥はより近くで取れるようになった。その後清掃車が市街をまわり、各農家の肥溜に肥を入れていくようになったので手間がずい分はぶけたという。

ちなみに東京都清掃局で下肥の汲取りを始めたのが、

表II

定

下肥壱船ニ付　　下小松村　直段

正月	代金壱両貳朱也
二月	代金壱両二朱銭六百文
三月	代金壱両三分二朱銭四百文
四月	代金壱両貳分銭六百文
五月	代金壱両貳分銭四百文
六月	代金壱両壱分貳朱也
七月	代金三分貳朱銭四百文
八月	代金壱両也
九月	代金壱両貳朱也
十月	代金壱両銭四百文
十一月	代金壱両也
十二月	代金壱両銭貳百文
メ金	拾四両銭三百文

前書之通下肥直段取極御奉行所様江奉書上御聞済ニ相成候間判取帳江定メ直段相記現金たか其買方印形いたし売買為致可申候万一判取帳所持無之船猥ニ売買為致申間鋪候事

弘化二巳九月　　組合　惣代

上の文書は幕末の肥船一艘分の下肥の直段（値段）である。正月から始まって三月が一番の高値がつき、四月、五月の値段が一般に高いことがわかる。田植の準備から田植時期にかけての期間である。これに対して下肥の需要がほとんどなくなる七月は、極端に値段が安くなっている。この文書によると、葛飾区下小松村（現葛飾区新小岩）では、船頭の組合があって、下肥の値段が協定され、組合員以外の者は下肥の取引が禁止されていたことがわかる（佐藤喜紘氏蔵）

水路として使われた川のほとりは子供たちの絶好の遊び場であった（年代不明）

昭和三〇年で、この時はまだ肥桶を使っていたが、昭和三四年から清掃車による本格的な清掃事業が始まっている。東京の市街地拡大によって、下肥の処理方法が大きく変わり、江戸時代以来続いていた葛西の肥船はその役割を終えたのである。

葛飾の郷土史研究に力を注いでおられる入本英太郎氏によると、葛飾区に都市化のきざしがみえはじめるのが、明治時代後期に常磐線《じょうばんせん》が開通してからのことであるという。常磐線は明治二九年に田端《たばた》—土浦《つちうら》間が開通し、翌三〇年には亀有《かめあり》、金町駅が開業している。次いで大正元年、押上《おしあげ》—江戸川間、同二年に、高砂《たかさご》—金町間に相次いで京成電車が開通し、常盤線金町駅や亀有駅、京成立石駅周辺などは、昭和一〇年ごろには市街地の形成が進んだ。

そして静かであった農村地帯に人口が集中しはじめるのは、大正時代の中期以降のことで、河川の流域や鉄道の駅近くに大小の工場が進出し、さらに関東大震災による人口流入が、それに拍車をかけたという。金町周辺だけみても、駅の北側に大東紡績、中川沿いに三菱製紙、江戸川化学、日本紙業が進出し、江戸川沿いには瓦や煉瓦をつくる工場があった。

大正一二年九月におきた関東大震災は幸いにしてこの地域は比較的被害が軽くすんだために、本所、深川、浅草など、東京下町の羅災者が大量に流入し、主として葛飾区南部に定着した人々が多かったようである。おもしろいことに、下肥の供給範囲とぴったり重なっている。以後昭和七年には東京市への編入があり、さらに第二次世界大戦後いちじるしい復興をみせ東京都の人口膨張にともなって、葛飾も農地が宅地として造成され、戦前以上の人口集中の現象がみられるようになった。戦後の葛飾区の人口集中は都心部や下町からの移住もあったが、とくにその立地条件から千葉、茨城、埼玉の各県からの移住者が多く、北関東や東北地方の出身者も少なくないという。

近郊農村が市街化してくると、下肥肥料はだんだん使いにくくなった。その臭いに隣近所から苦情が出はじめ、子供が落ちる危険性があるので、肥溜が次々と取りはらわれた。そして住宅地の間に点在する畑には、化学肥料がまかれるようになった。この変化は昭和三九年の東京オリンピックを契機にして、顕著にみられるようになって、長く続いた下肥を通しての町と村の交流は終わりをつげたのである。

（この報告をするにあたり、葛飾区教育委員会社会教育課、及び葛飾区立図書館に大変お世話になり、写真の提供を受けた。改めてお礼を申し上げたい）

野菜売りと肥引き

文・写真　小林　稔

ときは大正・昭和、ところは北多摩《きたたま》郡砧《きぬた》村大蔵《おおくら》（現・世田谷区大蔵）。当時の東京市の西郊にあたる村で、ほとんどは武蔵野《むさしの》台地の畑作地帯。ここ大蔵の農家は近世から江戸のまちに野菜物を売りに出掛けていたが、それが本格化して貴重な現金収入になっていったのは大正に入ってからである。大きなまちをひかえた近郊農村にとって、経費があまりかからず、わずかずつでも日銭《ひぜに》の入る野菜栽培は大きな魅力であった。

そして、野菜をまちへ運び込み、市場に卸《おろ》して金を稼ぐだけでなく、まちの家々から下肥《しもごえ》を汲取って帰り、田畑のコヤシにするという日々の営みがあった。江戸（東京）西部の近郊農村は、舟運の利用ができた東部の低湿地帯の村々とは異なって、野菜を運び込むのも、下肥を汲取って帰るのも、陸路を行く大八車が頼りであった。

●大八車を引いてヤッチャバへ

現在、かつての農村の面影をわずかに残す大蔵のある古老から大正・昭和に至る頃の野菜売りと肥引きの話を聞いた。その老人は田畑一町弱（畑が七割）のごく平均的な農家の主人であった。今は悠々自適な暮らしで、その話しぶりも穏やかである。明治三八年生まれの老農の語りは、子供の頃の思い出からはじまった。

「この辺の子供らがはじめて東京のまちを見たってえのは、みんな野菜売りを手伝って行ったのがほとんどだったよ。それで、だんだん向こうのことを知るようになったんだ。あたしらが東京ってえのは省線、今の山手線の向こうがしのことなんだがね。

野菜を積んだ大八車を引くおやじの後について行ったはじめってえのは、尋常小学校六年生、一二、三歳の頃だなあ。たいてい六年卒業で百姓やったんだ。手のない家《うち》では二年生、三年生ぐらいからはもう、学校から帰れば家の手伝いさ。高等科にいく人はよほどの財産家の子供だったよ。この村じゃあ何人もなかったねえ。とにかくそん頃は長男は親の後《あと》をやるってことに決まっていたんだからね。今みてえに自由でなかったからさ」

老人の祖父の頃はまだあまり野菜を多く作らなかったという。どちらかといえば、野菜より穀《こく》の方で暮らしをたてていたが、老人の父の代から次第に陸稲《おかぼ》や麦といった穀物よりも野菜を多く作るようになり、二毛作、三毛作にも作るようになった。大蔵では甘藷、馬鈴薯、大根、瓜類など様々な蔬菜を作った。そして、大正末から昭和に入ると野菜作りはますます盛んになり、大蔵大根の名が市場で知られるほどまでになって、この古老の代になると田も畑に切替えて、野菜作りに専念したという。老人の話はヤッチャバ（野菜市場）の話になった。

「東京の朝の市場《いちば》がはじまるのはたいてい八時頃。そん頃の市場には遠いところで築地《つきじ》とか神田《かんだ》とか京橋浜町《きょうばしはまちょう》があって、近いところは赤坂青山《あかさかあおやま》とか宮益坂《みやますざか》とかだねえ。他にも東京のとば口に市がいろいろあったけれども、よく行ったのは青山にあった市場で松屋《まつや》っていうところだなあ。青山とか宮益坂の市場は、朝四時か五時頃出て行けば充分間に合うんでねえ。でもねえ、値の少しいい築地とか京橋浜町の場合は、夕飯食って夜出掛けて向こう

神田市場は江戸・東京一を誇った青物の集散地
（風俗画報・明治33年）

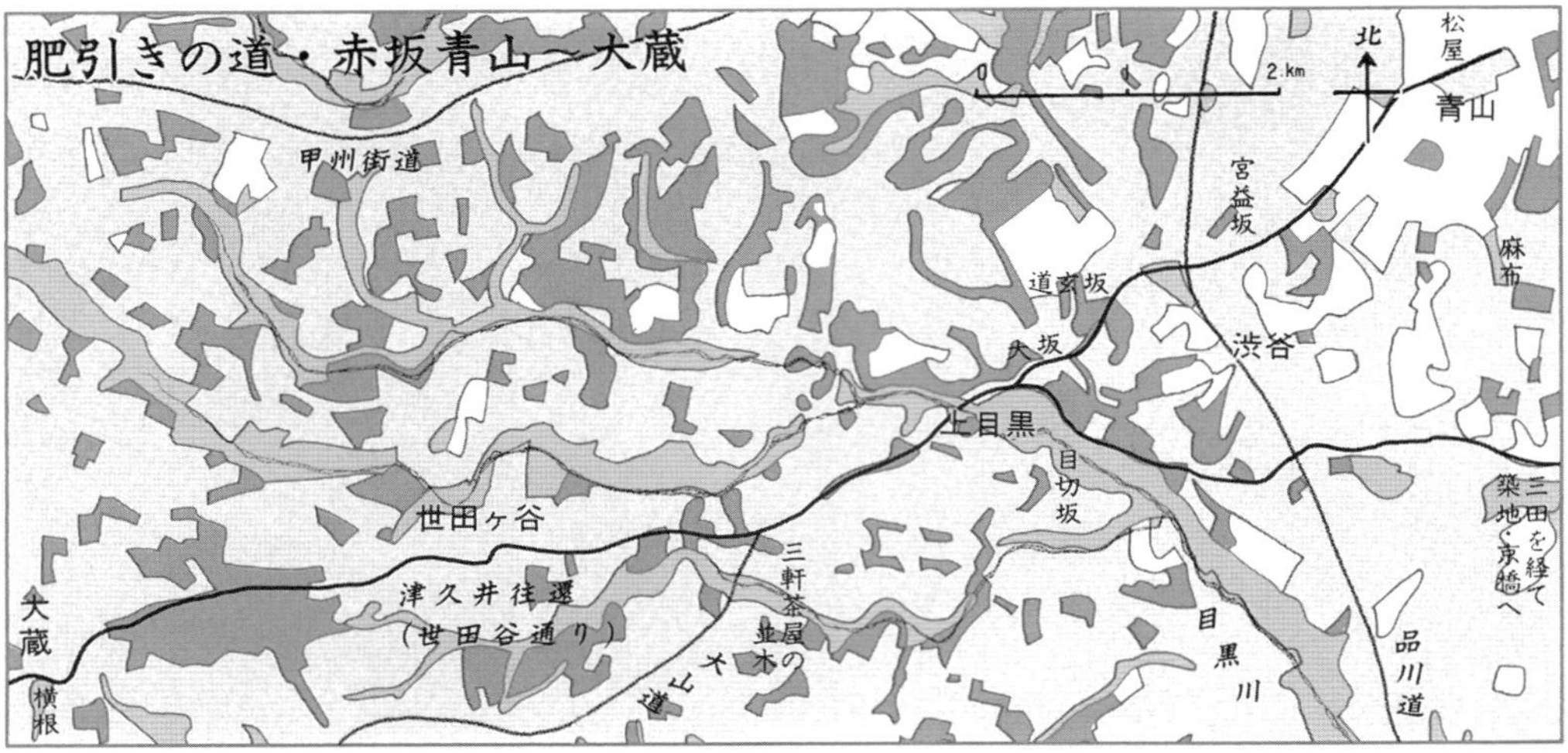

明治一四年の地図に基づく土地利用図
水田　雑木林
畑　その他

の市場で、うとうと夜を明かすんですよ。そうでなくちゃ間に合わねえんだよな。そんで、朝市の他に夕市もあってねえ。大根なんぞの収穫どきなんかは、朝市行ってそんでまた近くの夕市に行ったりなんかしてさぁ、三軒茶屋《さんげんぢゃや》とか道玄坂《どうげんざか》の夕市にね。とにかく、行って帰って来て、また行くんだからねえ、あんた。ずいぶん骨折りましたよ」

　東京市中央卸売市場法の施行される昭和一〇年以前には、東京市域に大小五九の私設卸売市場があった。なかでも大蔵の農家がよく行った青山の青物問屋松屋は、歴史が古く、元禄三年（一六九〇）には、すでに開設されている。

　近郊の農民たちはどこの市場へでも野菜売りに行けた。一定の市場と契約していたわけではないからである。値がよいと聞けば、どこの市場でも自由に出掛けられたのである。だがしかし、

「野菜の相場のいい市場がたってる、と仲間から聞いて、じゃあ、あしたはそっちへ行ってみようかとかいうのは、結局だめなんだよ。だからよく言ったもんですよ、もがいたらだめだってね。市場をあっち行ったりこっち行ったりするようじゃあ、だめだって言ってましたよ。ひとつとこに決めて行けば、いいこともあるし、悪いこともあるんだが、あっち行ってこっち行ってたまたま相場がよければいいけんど、そうしたときは、たいてい安いときにドカッと荷をさばかれちゃうんで大ゾンになるもんでねえ。

まあ、毎日市場へ野菜を持って行かなくちゃなんねえってことはなかったんだ。とくに冬場なんかで寒《さぶ》いとねえ、今日は荷ごしらえすんのよすべえ、なんてことになっちゃうでしょ。ここいらの百姓はみんなそういう気分でやってましたから。で、市場へ持って行く荷が少なくなって、そんな日にはいい値がついたりするんですよ。それでわざわざ寒い日をみつけてさあ、雪がちらちら降りそうだなんていうと、あたしなんかは野菜を取り込んで売りに行ったりもしましたさあ。そのくらいの商売っけがなくちゃあ、野菜売りもつとまりませんでした」

　より儲けようとすれば、ただ多く出荷すればすむというわけでもなかったようである。そのときどきに相場があり、それをにらんで、このときとばかり野菜を搬出するくらいの才覚を百姓も持ち合わせていなければならない時代になっていた。大正から昭和にかけては、東京からかなり離れた農村にあっても商品経済の波が浸透していたのである。

●つらい坂を登って下って

　野菜を市場へ持って行くのにはまた、様々な苦労があった。中でも大量の野菜を積んで大八車の荷が重くなったとき、難儀するのは坂道であった。大蔵から東京のとば口（入口）にあたる渋谷《しぶや》までは、津久井往還（今の世田谷通り）の泥道を通り、三軒茶屋で大山《おおやま》道に入って目黒川の橋を渡ると、大坂《おおさか》や道玄坂の急坂を登り下った。そしてまた宮益坂を

登って青山のヤッチャバへと走ったものである。大坂や道玄坂は百姓泣かせの急坂。これらの坂の登り下りもたいていは一人で大八車を引いて行ったが、どうしようもないほど野菜を積んで行くときは祖父とか妻や子に後押しをしてもらったり、時には同じ道を行く仲間に後押しをしてもらうことがあったと老人はいう。

「きつい坂ではねえ、大八車の下にズリ棒ってやつを付けなくちゃあ降りられねえ。とてもじゃないけどあたしの力だけじゃあ受止められねえんだ。走っちゃうんだよ、止まらねえんだよ、あんた。あとでリヤカーや牛曳き四輪になったときでも、ブレーキをつけたんだよ。そうそう、道玄坂の下にはタチンボってえのがいた時代だったなあ。荷車を押し上げるのにね、坂の下に待ってんですよ。おい、頼むっていうとね、二銭ぐらい払うちゅうと坂の上まで後を押してくれるんだ。今の若いもんがうろちょろしているようなシャレた道玄坂じゃあねえんだ。昔は急でねえ、しかもジャリ道でもってさあ、コロコロしちゃってねえ。空荷《からに》でもたいへんなんだが、行きは野菜、帰りには下肥を積んで帰るときもあって、そんでもって、登ったり下ったりすんだから並大抵じゃなかったんだよ、若いニイサンよ。ところでねえ、タチンボはまあ、それを一応の職としていたらしかったけんども、今考えてみんと浮浪者みたいのじゃなかったのかなあ、たぶんそうですよ。何とかかんとかいっちゃあ、酒でもくらっていたようだったなあ。年寄りだったよ。若い人がやるってんじゃないね。五〇か六〇くらいの所帯を持ってないような、身形《みなり》だったなあ」

まだ「手引き」といって大八車を引いていた頃のことである。大蔵から青山の市場まで三里（一二キロ）の道のりがあった。一里をただ歩くだけでも小一時間はかかる。したがって、大八車を引いて市場まで行くのには三、四時間はかかるので一気に行けるものではなく、休み休み行かねばならなかった。一服《いっぷく》つけるところは、だいたい、坂を登りきったあたりや、日影をつくる並木などのあるところであった。そして当時、市場へ行ったり、人糞を上げに行くのは、まだワラジ履《ば》きの時代であった。

「一日にまーず、ワラジを一足はだめにしたもんだねえ。だからよう、休み場の道っぱたには、ワラジの引っ切れたやつがいっぱい散らばっていたもんさ。今の三軒茶屋の交差点あたりにあった並木ではよく休んだがねえ。そこはワラジだらけだったんだよ。今じゃあ、あのあたりは立派なビルが立ち並んで想像もつかんがねえ。そうだったんだよ、ニイサン」

老人の話は次第に勢いづいてきた。

「市場に着いて荷を下すと、あとは仲介人に一切をまかせんだよ、口出しはできねえんだ。それで売り上げはシキリって帳簿に付けたからさあ、ごまかされるっちゅうことはなかったねえ。金をもらうのに心配はいらなかったねえ。ただ、シキリをもらえるのは、市場の売り買いが終わる昼の一二時頃になってしまうんで、肥上げのねえときは、それまでジッと待っているのも時間がおしいんでシキリをもらわねえで、サッサッと家に帰って昼から畑仕事に精を出したもんさ。シキリをもらわねえで、そのままにしておくやり方を、オキギと呼んでいたなあ。そのオキギは、あとで市場へ行ったときちゃんともらったんだ。その辺はちゃんとしとったねえ。

そんでさあ、市場へ野菜を卸してシキリをもらうまでの時間をうまく使ってさあ、肥汲みにスッとんで御屋敷まわりをすることもあったんだ。そんなときゃあ、野菜も肥桶に詰めて運んで行ったもんさ。下肥を汲む日でないときは籠に入れて野菜を運んだんだがねえ。まあ、そんなことはどうでもいいんだが、肥桶四、五本分の肥を汲みとると、市場まで戻って、そんでシキリをすませて帰ったんだ。そんなときゃあ、行きより帰りが辛かったもんさ。腹も減るし。昼飯はたいてい行きつけの一膳めし屋で食ったなあ。暖簾《のれん》をくぐって、カケっていえば牛めしが出てさ、それを掻き込んだもんだよ。家に着くのは冬時分ならもう日暮れだったなあ。朝、提燈持って出掛けて日が落ちる頃に帰るんだから、ほんとに一日仕事だったのさ。それによ、畑の隅に掘ってある肥溜《こえだめ》に肥を移して溜めておくんだよ。肥溜はね、タタキっていってね、石灰と赤土を練って作ったもんさ。コンクリートで作る前はみんなタタキだったねえ。その他にも、そうだなあ、直径四尺ぐらいの肥を溜めとく樽も畑の隅に置いてあったねえ。そいつはコ

世田谷区大蔵付近に残る畑。こうした畑にも新しい住宅が建ち並びはじめている

ヤシを畑に撒くときに肥溜から移しかえておくもんだ。肥は長く溜めておけばおくほどいい肥料になったんだよ。肥の使い方はね、とにかくいろいろあったよ。作物の種類や撒きどきによって濃くしたり薄くしたり、そうだなあ、灰とか藁とかを混ぜて、とにかくコヤシのほとんどは人糞に頼ってたからねえ」

●肥宿と百姓のかかわり

野菜を市場へ卸すことと肥汲みは密接な関係にあったので、農家にとって、肥を汲ませてもらうまちの家は市場に近い方が便利であり、有利であった。その肥を汲むまちの家のことを肥宿《こえやど》と呼んでいた。

「あたしの肥宿ってえのは赤坂の溜池《ためいけ》に四、五軒、麻布《あざぶ》の市三坂《いちみざか》に四、五軒、合わせて一〇軒くらいあったがね。大蔵の百姓っていえばだいたいこの赤坂、麻布あたりの御屋敷を肥宿にしているもんが多かったねえ。

大正の頃ちゅうと、まだ肥代《こえだい》ってえのを払ってたの。直接肥を汲ましてもらう御屋敷にじゃあなく、御屋敷を四、五軒世話していた差配人《さはいにん》ってえのに前金で払ったんだよ、毎年お盆にまとめてさ。あたしが汲上げに行ってた御屋敷の差配人ってえのは、ちっこい家に住んでた年寄りのおばあさんでね、普段は何か他の仕事をしていてまともな感じの人だったけどね。まわりの御屋敷のここを汲め、あすこを汲ましてやると、何んだか知らねえけど世話してくれてさあ。家作《かさく》の肥を汲むときは大家《おおや》が差配人だったようだが、あたしの肥宿は御屋敷ばかりだったから、そっちのことはよくわかんねえんだ。まあ、古い話だし、肥代を差配人に幾ら払ったかも忘れちゃったけど、そんな大金じゃなかったよ。たかがしれたもんだった。だけんども、差配人を大切にしておかないと、もう来なくていいなんていわれちゃうもんだから、盆暮になると、遣物《つかいもん》をしたもんさ。肥を汲ましてもらう御屋敷にじゃなくてさ、差配人の方に野菜なんかを持っていったんだ。そんくらいまちの人糞っていうのは、この辺の百姓にとっては貴重なもんだったんだ」

もっともこうした差配人がいても御屋敷と農家との間には、また別の触合いもあった。

歳の暮に餅を搗《つ》いて来てくれと頼まれれば、搗いて持って行った。そうすると、御屋敷ではこれを買ってくれた。こうした餅のことを賃餅《ちんもち》といっていたが、これは正月の小遣い稼ぎに最適であった。また、御屋敷は肥汲みに来る農家の娘の奉公先の世話などもした。赤坂や麻布の御屋敷に奉公し、お針を習得した娘も大蔵には少なくなかったのである。このような交流もあったが、農民が御屋敷との関係を何よりも大切にしたのは、御屋敷の下肥は質がよかったためである。少なくとも、当時はそう信じられていた。農家にとって肥の良し悪しは作柄にかかわる一大事であったからである。

ところで、大正末から昭和になると、野菜の需要が急速に増え、下肥の運搬も多くなって、農家では「手曳き」にかえて「牛曳き」をするようになった。その牛は役牛に適した力の強い朝鮮牛で赤牛《あかうし》と呼ばれていたものである。そうすると、大八車では四、五本しか運べなかった肥桶が、一挙に一四本も運搬できるようになった。もちろん、野菜の積荷もそれだけ増えたことはいうまでもない。牛車は四輪で、新品なら百円ぐらいの購入費がかかったのであるが、それでも大蔵の農家では四輪や牛を買うものがだんだん多くなっていった。

「肥桶はね、桝でいうと二斗八升。天秤棒で担いで二本一荷で三〇貫くらい、一〇〇キロ以上もあったんだから、あんた、四、五本も積んだ大八車を引くのはたいへんだったんですよ。坂道なんて登れやしねえ。だから六本も引くような人は力持ちっていわれましたよ。かなり体ががっしりしていて若い盛りの人じゃあなかったら、六本は無理だったねえ。

牛曳きになったちょうどそん頃から、こっちが金を払うから下肥を汲み取っていたのが、金を払うから下肥を持っていってくれというように逆転しちゃってねえ。震災の後でねえ、東京のまちも大きく様がわりしたこともあったのかもしれんが、とにかく、この頃からまちの人口がどんどん増えてもいたし、省線のこっち側にも家はどんどん増えるしよ。肥宿をこっちが捜さなくても、むこうの方から肥を汲んでくれって、頼むようになったんだよ。ほんで、今度は、あべこべにさあ、お金をもらうようになったわけさ。あははは……。

肥代払ってコヤシを汲ましてもらった長い長い間のまあ、しっぺ返しっていうところだなあ。こんだぁあんた、肥桶一本汲んでいくらってことになってさ。肥ガメに半分くらいしかなくったって、いっぱいありましたから、いくらだっていえば、ちゃんと金くれたんですからね。いくらいくらですっていうと、あのう、ソウジヤさん、ちょっと高いんじゃないの、っていうんですよね。ああ、そうですか、高いっていうんなら元に戻しましょう、っていうとシブシブ払ってくれたんだよ。汲んだ分をまたカメに戻されたらさあ、むこうさん困っちゃうでしょう。だからいくらでもボレたんだよねえ。

そんでさあ、若い時分はその金で遊んで遊んでさあ。ちょっと休み日なんかのときにねえ、東京へ出掛けて行くんだよ。子供んときからこうした仕事をやってんから、村に住んでいたって向こうのまちのようすはだいたいわかってんだ。今の若いもんは知らんだろうが、昔は遊廓っていいとこがあってね。新宿《しんじゅく》にもあったしさ、品川《しながわ》にもあったし、近いところじゃ調布《ちょうふ》にもあったんですよ。そういうところをみんな遊んで歩ったりなんかしてさ。ときには遊びすぎて、遅くなっちゃうとね、渋谷からの玉電《たまでん》がねえんだよな。だから、しょうがねえ、あんた、渋谷あたりから円タクに乗ってね。どこまで乗っても一円ですんだんだよ。この辺まで自動車に乗って来たって一円なんだよ。まあ、そんな時代だった。だから、そんなのが面白くてさ、肥汲みに行ってさ、ボッちゃうんだ、へへへ……。あたしたちも、ずいぶん苦しい時代もあったけども、ずいぶんと面白い時代もありましたよ。世の中ちゅうのは、こうしたもんかもしれませんねえ」

八三歳の古老の話はまだ続いた。牛曳きになってから肥宿も二〇軒、三〇軒と倍増していき、一軒につき一月五〇銭ぐらい肥代をもらうのが平均だったという。また、戦中には切符制で行政が関与するようになり、昭和二〇年代後半になると自動車を持った糞尿処理業者も登場し、昭和三〇年代後半からは東京都が糞尿処理をするようになって、三九年の東京オリンピックを境にして、江戸時代から続いた近郊農家による町場の下肥汲取りの形態は消えていったのである。

大蔵のこの古老が、昔ながらの肥引きをやめたのは昭和三五、六年であったという。そのころはもちろん、道玄坂を越えて東京のまちへ肥汲みに行ったのではなく、世田谷の古い村々にできた新しい家々の肥を汲めば、それで充分な量になる時代に変わっていたのである。さらに、コヤシをやる畑もこの多摩川に近い大蔵の村里からさえ、少しずつ消えていく時代になっていた。そして、野菜売りと肥汲みの話を語ってくれた古老の家さえ既に農家ではなく、家作（マンション）の持ち主になっている。長く農業を中心として生きてきた人々はもはや都市化の波に抗しきれなくなっている。

（本稿は東京都世田谷区『新修世田谷区史下巻』昭和三七年、同『世田谷近・現代史』昭和五一年、世田谷区教育委員会『大蔵―世田谷区民俗調査第七次報告書』昭和六二年を参考にした）

明治中ごろの大坂上の立場《たてば》。大八車を引く人もここで一服（東京名所図会より）

小夜ふけの八幡の杜の静もりて
通夜の宮番　寝るもよし　語るまたよし
神やすらけくあれ

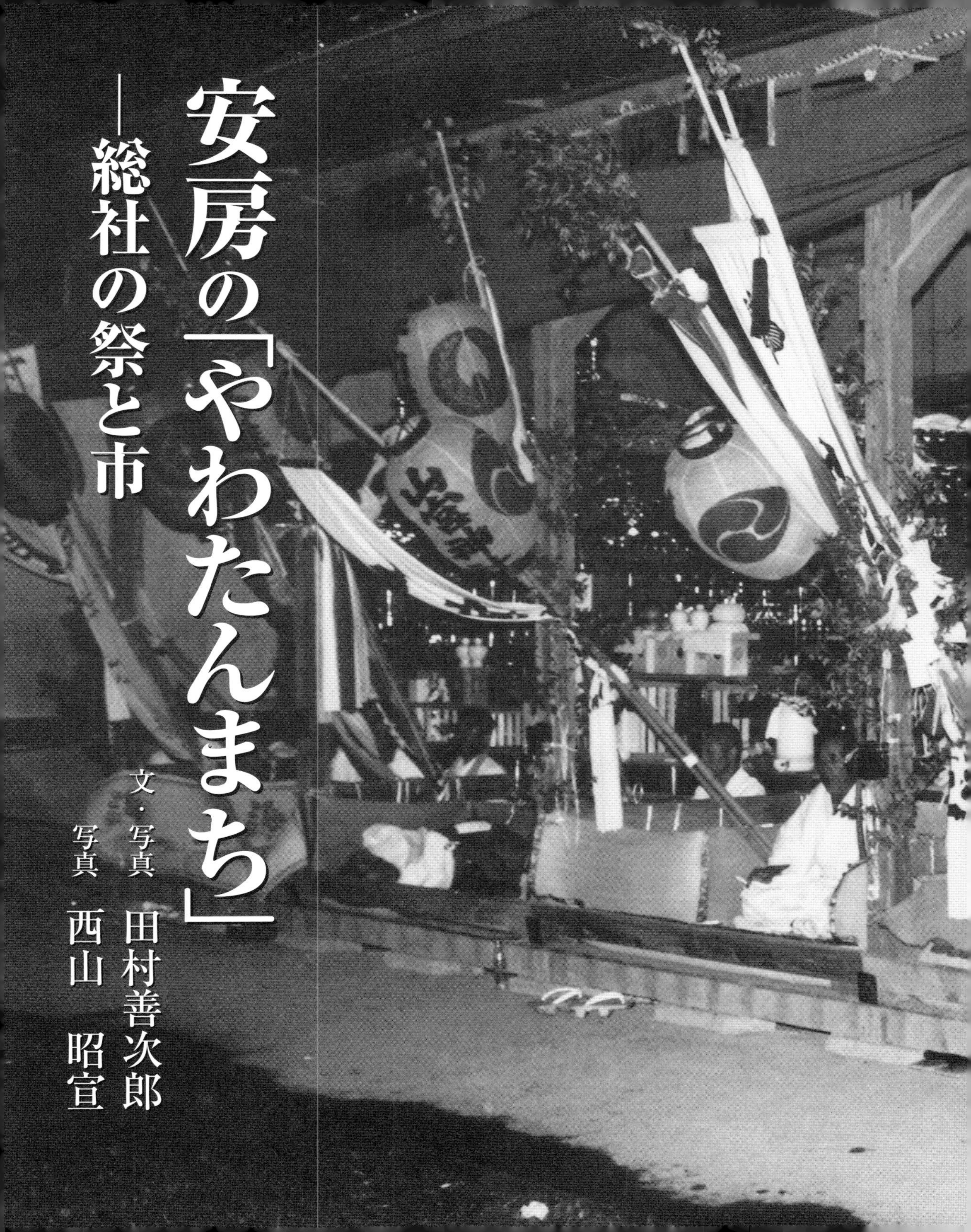

安房の「やわたんまち」

——総社の祭と市

文・写真　田村善次郎

写真　西山　昭宣

「やわたんまち」に寄合う神々

土用波が立つ頃になると、喧騒をきわめた海水浴客の群れも、潮の引くように去って、安房《あわ》の海辺は本来の静けさを取り戻してくる。そしてその頃には、内房《うちぼう》の町、館山《たてやま》では囃子の笛、太鼓の音がきこえだす。現在、館山の中心街となっている北条《ほうじょう》地区の六軒町、神明町、三軒町、南町の四町内と新宿《しんじゅく》町の囃子方が山車《だし》祭りに備えての練習をはじめるのである。これらの町内では、八月二〇日から囃子の練習をはじめるのが恒例になっているという。

館山の人たちは、この囃子の音に「やわたんまち」の近づいたことを知り、生け垣や庭の手入れを急ぐ。このあたりでは海から吹き上げる風が強いのであろう。防風垣に囲まれた家が多い。その生け垣にはマキが多く使われ、二メートルから三メートルほどの高さに美しく刈り込まれ、特徴ある景観を見せてくれるところが多い。中でも館山の北条から八幡《やわた》にかけての一帯はよく整えられたマキの生け垣に囲まれた屋敷が続き、落着いた雰囲気と、ある豊かさを感じさせる。いまでは巡行の道筋が変ったので行なわれなくなったというが、つい先年までは、九月にはいると北条の各町内では共同作業で鶴谷八幡《つるがやはちまん》神社までの道筋のこさばらいをしたものであった。道に張り出して山車や神輿の巡行に防げになる木の枝などを刈り払ったのであるが、家々ではその前に手入れを済ませておいたものである。

館山の人にとって「やわたんまち」は晴れがましく賑やかな祭礼の時である。安房を離れて外に出ていても、この時には帰ってくる人が多い。かつては東京湾をへだてて対岸の三浦半島からも、船を仕立ててやってくる人が多かったという。

「やわたんまち」は九月一四、一五、一六日の三日にわ

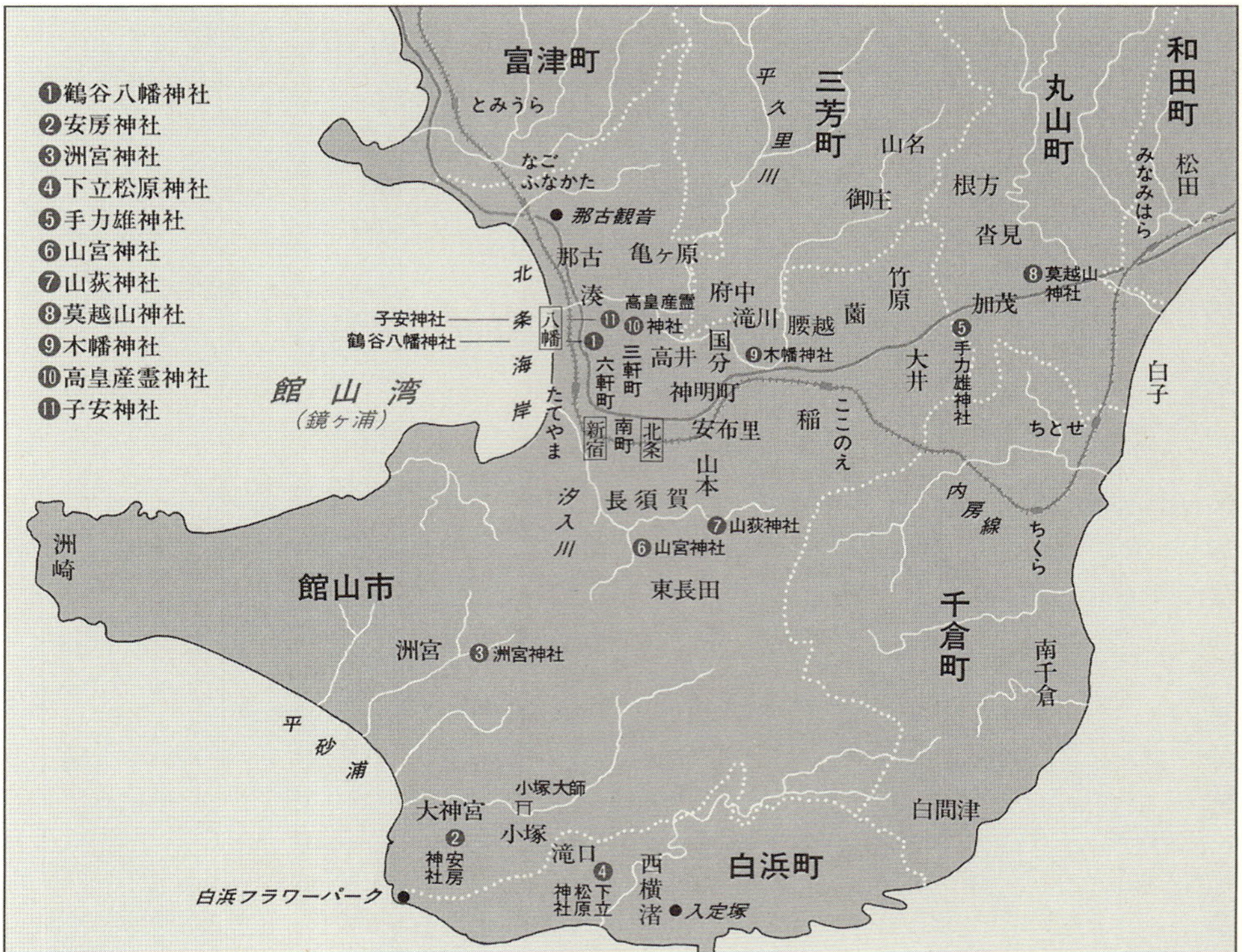

マキの生け垣

たって行なわれる、安房で最も規模の大きい祭りである。「やわたんまち」というのは、八幡《やわた》の祭りということであるから、狭義には館山市八幡に鎮座する鶴谷八幡神社の例祭なのであるが、同時に安房一国の祭りとしての性格も持っていると考えられている。その事については後で触れなければならないが、鶴谷八幡が安房国の総社であり、この祭りが総社の祭りの伝統をひいているといわれているからである。一般には「やわたんまち」、あるいは「やわたんまっち」と呼ばれているが、神社関係では国司祭と称されてもいる。もっとも、国司祭という名称は古くからのものではなく、昭和八、九年頃に安房《あわ》神社の神主が使ったのが定着したというのだが、それも、その名称がこの祭りの性格を言いあてている点があったからであろう。

「やわたんまち」は、鶴谷八幡神社とその氏子である八幡の人たちだけによって行なわれる祭りではない。安房神社をはじめとする安房国の主要な神社一〇社、鶴谷八幡を含めて一一社、の参加をまって行なわれる寄合《よりあい》祭りなのである。

　私はこれまでに本誌で武蔵府中の大国魂《おおくにたま》神社の暗闇《くらやみ》祭（二〇六号）と相模の「こうのまち」（国府祭）（二一二号）をとりあげて報告させてもらったが、この「やわたんまち」も、暗闇祭や国府祭に類似したところの多い祭礼である。

　神社が寄合う祭りである「やわたんまち」に参加するのは、次にあげる一一社である。なおこれらの神社では、八幡に参集することを出祭《しゅっさい》とよび慣わしている。

鶴谷八幡神社　館山市八幡（旧八幡村）
安房神社　館山市大神宮（旧大神宮村）
洲宮《すのみや》神社　館山市洲宮（旧洲宮村）
下立松原《したたてまつばら》神社　白浜町滝口（旧滝口村）・
手力雄《たぢからお》神社　館山市大井（旧大井村）
山宮《やまみや》神社　館山市東長田（旧東長田村）
山荻《やもうぎ》神社　館山市山荻（旧山荻村）
莫越山《なごしやま》神社　丸山町沓見（旧沓見村）
木幡《こばた》神社　館山市滝川（旧滝川村）
高皇産霊《たかみむすび》神社　館山市高井（旧高井村）
子安《こやす》神社　館山市湊（旧湊村）

　一一社のうち九社が館山市内に所在する神社であり、市域外では白浜町、丸山町から各一社の出祭がみられるが、この二社も館山近隣の神社であり、安房といっても全域からでなく、館山を中心とする内房に集中してい

鶴谷の神の社のこさ払う
やわたんまちの八幡の氏子
神の集いを明日に控えて

る。ちなみに、出祭各社から鶴谷八幡までの距離を見ると、最も遠いのが安房神社と滝口の下立松原神社で約一二キロであり、次いで沓見の莫越山神社約一〇キロ、洲宮神社九キロ、手力雄神社八キロ、山宮神社七キロ、山荻神社六キロ、木幡神社五キロ、高皇産霊神社一キロとなり、最も近い子安神社はわずか六〇〇メートルほどである。最も離れている安房神社にしても三里であるから、神輿の渡御は一日で充分にできる距離である。現在ではごく近い高皇産霊神社と子安神社以外は、途中は自動車に乗せて渡御、還御を行なうようになっているが、これは昭和三〇年代になってからのことで、昔はどの神社も決まった道筋をかついで来たものであった。

　出祭各社の神輿が比較的小ぶりで軽いのは、昔の細い山道をかついで来たことによるのであろう。その頃は、現在の祭礼に館山の町なかで見られるように、ゆっくりと練り歩いて来るのではなく、どの神輿も掛声いさましく、駆けて来たものであった。安房神社や下立松原神社はかつぎ手の数も多く、三百人くらいが神輿をとりまいて、地ひびきをたてて駆けて来る様は壮観であったという。安房神社では二〇人くらいが神輿に取りつき、いれかわり、たちかわり肩替りをしながら、神社を出発してから一時間あまりで新宿の神明社に着いていたという。下立松原神社の神輿は、出祭一〇社の神輿の中では最も大きく重いといわれているが、ここでも途中での休憩をいれて二時間ほどで八幡に着いていたという。

「やわたんまち」出祭の神輿は道中を威勢よく駆けて来るのが特徴だったようである。一〇社の神輿は九月一四日の朝八時頃にそれぞれの神社を出発するのが例になっているが、これは昔からのことであり、道中は駆けて来るので、比較的早くに鶴谷八幡に参入し、お仮屋に納まっていたという。お仮屋は本殿右手にある広庭の奥に設けられている。安房神社だけは別棟になっており、御旅所と称されているが、他の九社のお仮屋は長屋式の一棟で、長宮と呼ばれている。本殿に近い左側から洲宮、下立松原、手力雄、山宮、山荻、莫越山、木幡、高皇産霊、子安神社という順に並んでいる。着御の際には早く着いた神社からそれぞれのお仮屋に入るのだが、還御の時は安房神社、洲宮、下立松原…という順に出ることになっており、この順序が神事などの際の席次でもある。

　出祭一〇社のうち高皇産霊神社と子安神社は新しく参加するようになったものである。子安神社は八幡に隣接する湊地区の鎮守で、昭和四年から出祭するようになったものであるし、高皇産霊神社の正確な参加年次はわからないが、明治二二年にそれまでそれぞれが独立して一村をなしていた北条、新宿、八幡、高井、湊、上野原、長須賀が合併して北条町になってから後のことであるという。それまでは旧来からの八社以外は出祭は認めないという不文律がずっと守られていたのである。現在ではこのほかに北条、新宿の山車、お船も一五日の午後に行列を組んで参入し、祭りに色どりを添えているが、これが参加するようになったのも明治の後半からであるとい

小振りなれども　木幡のみこし　安房の匠の　心がこもる
出発前日の神輿の手入れ。長老の指図を受けながらも若者も神輿を磨き、飾りつける。9月12日

う。高皇産霊や子安神社の祭礼は、もとから「やわたんまち」と同じ時期に行なわれていたし、同じ北条町に属するということから参加が認められることになったのであろう。その底流には鶴谷八幡神社を総鎮守とする意識が、それらの地区の人々の間に強く流れていたということもあるようだ。

「やわたんまち」は出祭する神社や氏子だけの祭りではなく、広く安房国の総社の祭りであり、自分たちの祭りであるという意識が、この祭りに参集する人たちの間には強かったし、現在もまだ強く残っている。

そういう安房人の意識が長い年月にわたって「やわたんまち」を続け、支えてきた大きな力になっている。

鶴谷八幡は、八幡神社に伝えられている『社記』によると、もとは平群《へぐり》郡東国府村、現在の三芳《みよし》村府中に府内総社として祀られていたものであるが、現在の八幡の地が景行天皇が海路より至って上陸され、行宮《あんぐう》を営んだという由緒のある土地であるということによって、郡司の紀伴人《きのともひと》が、養老元年（七一七）二月に移し、翌二年より幣帛《へいはく》を捧げ、祭祀の式を定めたものだという。この『社記』は、その奥書に大永五年（一五二五）一一月に鶴谷八幡神主酒井右近太夫直英が、寛元二年（一二四四）に記された社伝を補修し、それ以後の事跡を加えて作成されたものである。上総《かずさ》の国のうち、安房、平群《へぐり》、朝夷《あさひな》、長狭《ながさ》の四郡を割いて安房国がおかれたのは養老二年（七一八）五月であるから、養老元年に安房の国府や総社があったとは言えないが、養老二年に総社の祭りが行なわれたということはあってもよいだろう。ただし、安房国は天平一三年（七四一）にいったん廃され、天平宝字元年（七五七）に再びおかれたという経緯があるし、その後も平忠常の乱（一〇二八〜三一）によって大きな被害を受け、安房守であった藤原光業は国衙の印鎰《いつ》を放棄して京都に逃げかえるといった状態になっているから、養老二年に総社の祭りがはじまったとしても、連綿と続いていたわけではないだろう。さきの『社記』には、嘉保二年（一〇九五）に金吾親元が当国守護のために自らこの祭に臨み、養老年間、郡司草創の古例に倣《なら》って幣帛を献じた。それ以来、旧格先規によって毎年、この神事を欠かさず行なってきている、と記されている。

また八幡出祭のはじまりについて、山荻神社では延久年間（一〇六九〜七三）、木幡神社では延久二年、手力雄神社では延久三年にはじまると伝えており、鶴谷八幡の『社記』とは若干の違いがあるが、いずれにしても忠常の乱の後であり、その頃に「やわたんまち」が形を整えて行なわれるようになったであろうことを示している。

『社記』によると祭礼は古くは八月一一日に行なわれたが、後には八月一五日に改められたという。「やわたんまち」が現在のように九月になったのは正確にはわからないが、明治六年、太陽暦に改暦されてから後のことだといわれている。それ以前は八月一四日、一五日に行なわれてきたのである。

一四日には神輿が着御してからは、夜になって行なわれる六所《ろくしょ》祭のほかに神事はないので、神輿に供奉《ぐぶ》して来た人々は宮番以外は宿で休憩する。宿は八幡地区の家が勤めることになっており、それぞれの神社毎に昔から家は決まっている。いま各社の宿をあげてみると、

滝川の氏子は今も14戸。
老いも若きも心をこめて
刷る神札は300余枚

安房神社、屋号サカイ、鈴木家。ただし今は青年会館
　を宿としている。
洲宮神社、屋号カサヤ、山崎家
下立松原神社、鶴賀家（元社家）
手力雄神社、屋号イソベ、山口家
山宮神社、屋号浜田屋、小川家（旅館）
山荻神社、屋号コビイドン　青木家
莫越山神社　佐藤家（元社家）
木幡神社　井上家
高皇産霊神社　酒井家（神主家）
子安神社　近いので宿はない。

宿の門口には神社名のはいった高張提灯が立てられており、もとはかつぎ手たちは家の中に入りきれなくて、庭先に莚《むしろ》を敷いて休んでいたものであったというが、車を利用するようになった現在では神主、総代、宮番のほかは自宅に帰り、宿に泊る人も少なくなった。

夜七時になると各社の神主、総代が鶴谷八幡の客殿に参集する。客殿には出祭各社の御霊代《みたましろ》が祀られており、その神前で六所祭が行なわれるのだが、この神事の詳細は伝えられていない。六所というのは総社と同義、あるいは総社の別称として使われる場合が多いので、「やわたんまち」の場合もこの六所祭が総社の祭りの性格を強く持つものではなかったかと思われるのだが、記録によっても、「夜拙宅神前において、八幡宮御手洗領府中村御手洗井の水を以て供物を焚き、九社へ備へ、（中略）九ヶ所神主一同天下泰平、国家安全、五穀成就、御祈禱の祭祀相勤来候」（天保一五年届書）という程度しかわからない。

鶴谷八幡の神主、酒井氏によると、六所祭は大正一一年までは昔の仕来り通りに行なわれていたのだが、関東大震災によって神主家が倒壊して復興が容易にできない状態になり、中絶した。それを昭和三八年に復活したのだが、四〇年余りの中断期間に神主も代替りしてしまい、伝承が途絶えて完全に再現できない状況になっていたという。それで現在は、三芳村府中の元八幡にある御手洗の井戸から水をいただいて来て供え、八幡神社の神主司祭のもとに祝詞奏上、当番社神主玉串奉奠《たまぐしほうてん》の儀式を行なった後、神社、神事等に関することについての協議を行ない、直会《なおらい》をした後に散会ということになっている。

六所祭は神主家の客殿で行なわれる。これは古くからのことと見てよいようである。鶴谷八幡の拝殿で行なうものではないところに、総社の祭りとしての意味があるように思われる。これまでに見てきた暗闇祭でも相模の「こうのまち」でも、その祭の要《かなめ》となる神事は神社の外で行なわれていたことが思い出される。暗闇祭は、お旅所に八社の神輿が出輿したところに、国造代が参向して行なわれるお旅所神事が要となるものであったし、「こうのまち」では神揃山《かみそり》に集合した五社と柳田明神がおおやばで出会い、国司奉幣が行なわれた。「やわたんまち」では、お旅所やおおやばにあたるものが、神社に隣接する神主家の客殿であると考えることができる。そしてそこは客殿とはいってはいるが、神主家の私的な場であり、関東大震災までは書院があった所である。またあるいは、確証は得られないままではあるのだが、後に触れる一五日のお浜出の神事が行なわれていた八幡浦が、六所祭の本来の場所であったのかもしれない。

神酒を醸し
人を集めて神輿は総社へ

　駅前から商店街に出る。行き交う人の足どりも心なしか浮き浮きと軽く、今日は祭礼なんだという雰囲気がただよっている。交差点の角には紋付羽織に袴を着けた世話役が、立っている。南の通りを見ると、二〇人ほどの白丁《はくちょう》にかつがれた神輿が街路をはすかいに練り歩いている。その後方にも一基見える。いずれもやや小ぶりであるが、均斉のとれた姿の美しい黒塗り方形の神輿である。近づいて見ると、先の神輿は屋根の四面にそれぞれ一六弁の菊花紋が大きく金色で描かれている。側で休んでいた舁《か》き手の若い衆に尋ねると、大神宮の神輿だ、と胸を張って教えてくれた。安房で大神宮といえば一之宮、安房神社のことである。そうすると後に続く、五七の桐の金紋をつけた神輿は洲宮神社だ、ということになる。安房神社と洲宮は渡御の道筋がほぼ同じだということもあるが、昔から新宿の神明社で休み、そこから八幡まで前後しながら巡行し、鶴谷八幡には一緒に参入するのが恒例のことになっている。同様に手力雄神社と子安神社、山荻神社と山宮神社、莫越山神社と高皇産霊神社が途中から合流して、共に参入するのが例になっていたという。道筋が同じだからとか、昔から仲の良い神輿だからという答えしか返ってこなかったが、もっと深い因縁もあるようだ。

　安房神社と洲宮神社が神明社で休息するのは、かつて汐入川の奥まで海がはいり込んで深い湾入になっていた時代、両社の神輿はその湾奥の浜から新宿の船に乗って渡御していたという縁故によるものだと、伝えられている。いまも新宿の人たちは、一三日までに神明社の境内に忌竹を立てシメ縄を張った二社のお仮屋を設け、参道には浜砂を敷いて準備をする。一四日の朝、九時頃の神輿の到着を見計らって総代、世話人などが長須賀との境にある境橋まで迎え、神明社まで先導し、休息の後に八幡への出立の際には南町境まで送るのである。また神輿がお仮屋に着くと、安房神社の神主が籠舎《こもりや》にはいって大幣束一基、小幣束一基を調え、それを神明社の本殿に納めるヒイレの儀式が行なわれる。ヒイレというのは幣入《へいい》れのことであろうという。大幣束は神明社に納められたままであるが、小幣束は一五日、北条の山車が八幡社に参入する際、新宿の船屋台である神明丸の舳先に安置して行かれる。小幣束は三本並立になっており、中央のやや大きいのが安房神社、左が洲宮神社、右が下立松原神社だとされている。これもまた神輿が船で渡御したという故事にちなんだものだという。安房神社、洲宮、それに下立松原神社の三社は鶴谷八幡に出祭する各社の中では南三社と呼ばれている。下立松原神社は現在は神明社に立寄らないが、かつては船渡御を行なっていたのであろうか。

　通りの角に立ってしばらく練り歩く神輿を見ていたが、まだ八幡社に入るには時間が早いせいか、容易に先に進まない。

広庭の　隅に座をしめ神輿みる
安房の国人　顔はればれと
9月14日午後、まだ人出は多くないが、もう参入は始まっている

道中のことは途中から見ていたのではわからないことが多いので、どこか一社でも出立から拝見したいと思って、丸山町沓見の莫越山神社を訪れた。昭和六〇年九月一四日であった。莫越山を選んだのは、この神社では現在も祭礼の際に供える神酒として濁酒を醸していると聞いていたからであった。神事に酒はつきものであり、かつてはどこも自家醸造の濁酒を使っていたと思われるが、明治になって自家醸造が禁止され、殆どのところが止めてしまう。莫越山でも明治一九年に郡長名で禁止命令を受けたが、祭礼に使用する大事な神饌だということで、明治二〇年から特別許可を受け、現在まで続けているのである。年間一石を限度としての許可を受けており、もとは例祭その他の祭りにあわせて年五回醸造していたが、現在、莫越山では神輿渡御祭とよんでいる八幡出祭だけにしているという。例年、このために四斗くらいを神主の斉東氏が醸造にあたる。今年は八月一六日に仕込み、九月一二日にしぼった。神酒として神前に供え、神輿に供奉する人々や参拝にきた人々に振舞うとともに、鶴谷八幡にも神饌として持参するという。

莫越山神社は安房国の式内社、七社のひとつとされている。ちなみに「やわたんまち」に出祭する古くからの八社のうち、式内社だといわれているのは名神大社に列し、安房一之宮とされている安房神社をふくめて洲宮神社、下立松原神社と、この莫越山神社の四社である。厳密にいうと安房神社以外の三社には、それぞれ別に他の社を式内社であるとする論社があって、いずれとも決め難いところがあるようだが、今はあまり気にしなくてよいことであろう。莫越山神社は沓見のこの神社から四、五キロほど離れた丸山町宮下に同名の莫越山神社があり、古くから論社《ろんしゃ》となっている。いずれも丸山川がつくる谷に拓かれた水田を前にして台地上にあり、風格を持った神社である。祭神は手負帆負命《たおきほおいのみこと》と彦狭知命《ひこさしり》の二神を主神としている。この二神は『古語拾遺』などによると番匠、鍛冶など諸職を束ねる棟梁の神とされている。それにちなんで、大工や左官などの工匠に祖神として信仰され、江戸時代からこれらの人々によって祖神講がつくられており、講による参拝がみられる。

莫越山神社に着いたのは七時半頃であった。白丁姿のかつぎ手や紋付を着た世話人らしい人が神社へと田圃道を急いでくる。鳥居をくぐって、六〇数段あるかなり急な階段を上ったところが広庭になっており、本殿及び拝殿は広庭より一段高いところにある。神明造りの社殿である。沓見の神輿と呼ばれる墨塗り方形、屋根に五七の桐の金紋をつけた神輿は昨日のうちに飾りつけを終え、拝殿前に据えられている。すでにかつぎ手は大半が揃っており、拝殿前や広庭のそこここにたむろしている。拝殿では御霊遷《みたまうつ》しの儀が始まっているようで、祝詞の声がきこえる。オーゥという警ひつの声があがり、神主に奉持された御霊代が神輿に遷される。そして、一同揃っての出立ちの酒になる。

莫越山の神輿に供奉するのは氏子である沓見の青年が主であるが、隣の区である加茂の青年もかつぎにくるという。もとはもっと広く、三芳村の府中や山名、館山市亀ヶ原などからもかつぎにきていたという。現在ではどこも戸数が増え、かなりの規模の集落になって、氏子数も多くなっているが、内房のこのあたりは、かつては小さくまとまった集落が一村をなしているところが多かった。そういうところでは神輿のかつぎ手も足りず、他村からの応援が必要であった。古くから鶴谷八幡に出祭を続けてきた村の中で、最も氏子数の少ないのは旧滝川村の木幡神社である。現在、木幡神社の氏子は一四軒。この数は昔と殆ど変っていない。出祭にあたっては、はじめから他村からの助力が必要なところであった。昭和六〇年に木幡神社の輿丁として警察に届けた人数は一三二人であったが、そのうち氏子の青年は二人だけである。残りの一三〇人は近在の薗《その》、広瀬、腰越、国分、山本の青年で、特に中心的な役割を果しているのが山本地区の至誠《しせい》団という青年団であるという。山本地区の人が木幡神社の神輿のかつぎ手の中心になるのは、滝川と隣りあっていて交際が深いということもあるが、明治一〇年頃に滝川村は、大作村、山本村の二村と合併して山本村となり、その後他村と合併して館野村となり、館山市となった後も、山本区としてのまとまりが強いことが大きな理由となっているようである。さきにあげた木幡神社のかつぎ手が出ている五地区は、いずれも旧館野村の範囲である。現在は至誠団以外は有志ということで来るのだが、もとは木幡講が組織されていて、講としてまとまって参加していたという。

14日朝8時、莫越山神社前。輿長の音頭で出立の酒を汲む。
棟梁の神に供えし濁酒　にごれる飲みていざたためやも

木幡講はさきの地域以外に館山市稲《いね》や三芳村府中などにもあり、出祭の際に神輿に供奉するために組織された講というだけではなく、莫越山神社の祖神講と同じように、木幡神社の信仰から生れたものでもあった。

明確にし得なかったけれど、木幡神社に祈願すると、出征兵士などが無事帰還するとされ、戦争中などはかなり遠方から参詣にくる人があったといわれている。滝川村の鎮守という範囲を越えての信仰があったのである。こういう事情は形は違えても他の神社にもあるようだ。木幡神社では昭和二〇年代から三〇年代にかけての一時期、何年間かかつぎ手が集まらずに休祭を余儀なくされたことがあるが、それで出祭を止めてしまうことにならなかったのは、かなり漠然としたものではあるが、信仰による周囲の支えが底流として続いていたからであろう。

さて莫越山神社では、出立の酒を汲みかわしたかつぎ手が、見送りにきた五、六〇人の女衆の見守る中を神輿にとりつき、かつぎあげて広庭に降りて二回、三回と練りまわる。

莫越山神社。でたちの酒をくみかわし　急なきざはし　そろりと降りて　鳥居くぐって　村にゆく

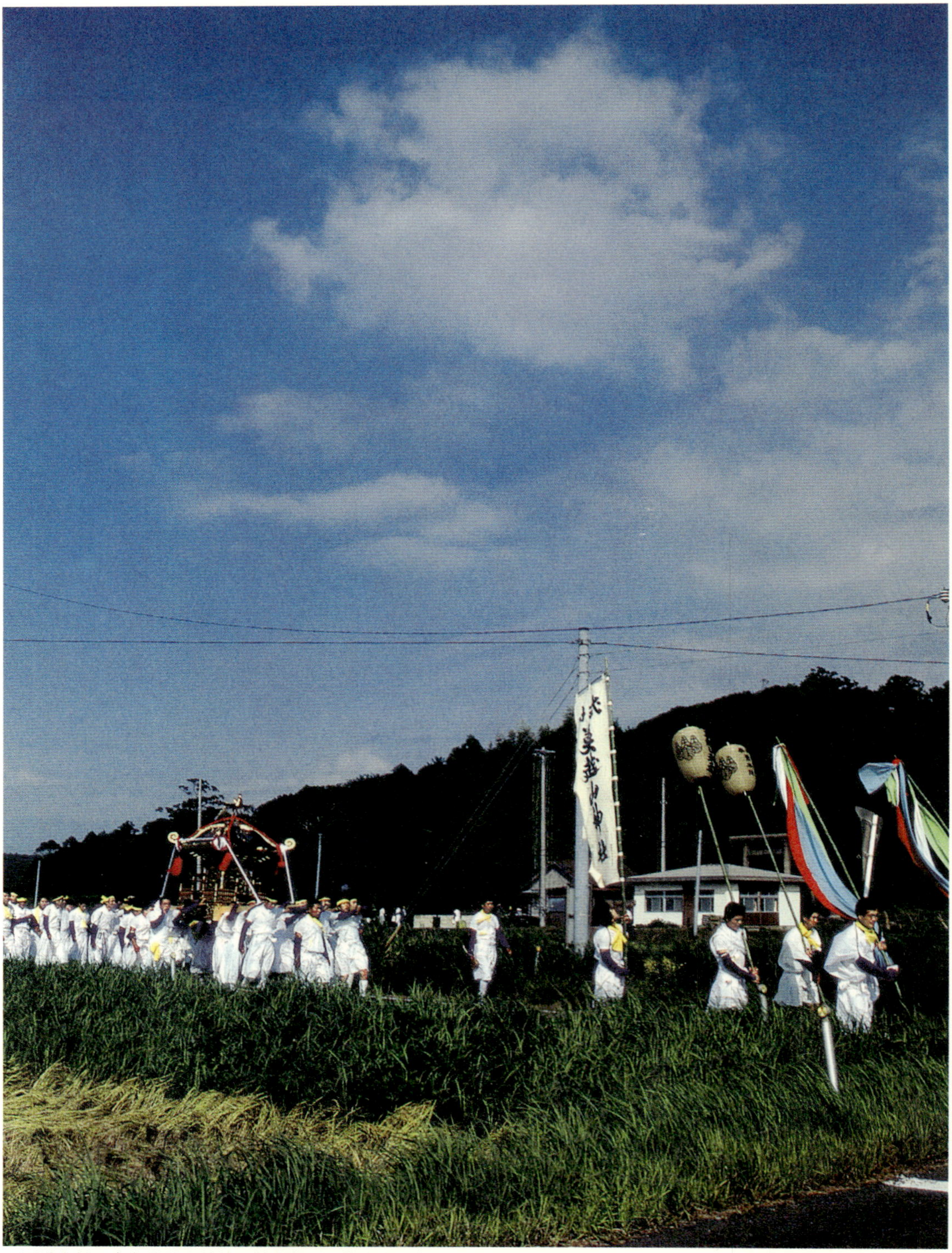

田圃道を村に向う莫越山神社の神輿行列。村中を巡行した後に、車で渡御していく

いにしえは　肩にかつぎし　神輿なり　時もうつろう　人もうつろう。されど守護する心かわらず。竹原に着いた莫越山神輿

竹原にかつて神田ありき、そのゆかりにより出祭の途次、小祭りをなす。古例なり。路上で振舞いを受けるかつぎ手。竹原日枝神社前

ソロタ、ソロターヨ　ワカイシガソロター
イネノ　デホヨリナオソロター

とゆるやかにうたう歌にあわせて、ゆっくりと庭をまわり、ワッショワッショと勇ましい掛声をあげて神輿をゆりあげ、ゆりさげる。

一〇分間ほど広庭で練りまわった後、急な階段を降りる。八時三〇分、鳥居をくぐって前の道に出、やがて村はずれに、道の両側に太い青竹を立てて通路をまたぐように高く張られたシメをくぐり、引き返して田圃の中の道を村に向って行く。神輿の通行を見かけた家々からは御祝儀を持った人が出てくる。待ちうけている人もいる。神輿の後には会計係が二人ついており、御祝儀を受け取る。一人は御神酒を持っていて、振舞う役である。「やわたんまち」では、こういう御祝儀がかなりの金額になるという。

村の方に向った神輿はこれから農協、役場などに寄り、運動会をやっている中学校にも立ち寄った後、国道に出てトラックに乗せ、竹原まで行って、日枝《ひえ》神社に寄って小祭り、休憩をした後、また車に乗って八幡の浜にある海幸苑というホテルまで直行して昼食、休憩する。そして、そこから高皇産霊神社と連れだって鶴谷八幡に参入するという。そこで私は村に向う神輿と途中で別かれ、バスで一足先に竹原に行くことにした。日枝神社に着いたのは九時四五分頃であったが、誰もいないし、何の準備もしていない。しばらくすると竹原区の役員らしき人がやって来て社務所をあけ、床几を出して、階段下の鳥居前に据える。神輿の休み場である。神輿は日枝神社に入るのではないらしい。竹原で行なう小祭りは日枝神社とは関係のないもので、もとは竹原区坂下に莫越山神社の神饌田があり、それを耕作する家があったので、八幡出祭の途中にその家に立寄って小祭りをするのが例になっていた。神饌田は農地改革で解放になり、なくなったのだが、小祭りをすることだけは続いている。もとはその農家で神饌を用意していたが、現在は竹原区で世話をするようになったのである。

一〇時、莫越山の神輿が着く。神輿はダンプカー、かつぎ手はバス、神主、役員はタクシー二台に分乗している。

神輿を降ろして鳥居前で一〇分ほど練り、左右にゆすって床几に据える。迎えに出ていた区の役員が用意した神饌を供え、神主が祝詞奏上、参列している世話人、区の役員が二礼、二拍手、

一礼。かつぎ手は道端に腰をおろして御神酒をいただいている。神職、世話人は区の役員に導かれて社務所に入り簡単な直会をする。車を使わないで出祭していた頃は、神社を出てから加茂を通って竹原に出、竹原から府中に行き、高井の神社（高皇産霊）に寄って、一休みした後、八幡に向っていたという。帰りは往路を逆にとっていたこともあるが、後には高井から亀ヶ原にまわり、三芳村の池之内から御庄を通り、北谷を越えて沓見の根方《ねかた》に出て帰る道筋をとるようにしていたという。現在は八幡から子安神社の前を通り、高井に行く十字路で車に乗り、根方で降ろして沓見青年館で氏子に迎えられて帰るという。

日枝神社の前で再び神輿に別れ、バスで館山に向ったのだが、途中で大井の手力雄神社と木幡神社が渡御しているのを見かけてバスを降りる。木幡神社は帰りは市役所の所からバスに乗るが、往きは昔通りにかついで渡御するのである。そして道中何軒かに寄って神主がお払いをし、お札を授けて御神酒をいただくのが例になっている。昔は上野米店、竹吉酒店、弘電社、嶋屋の四軒に寄るだけであったが、現在は一〇軒くらい寄るようになっている。バスを降りて追いかけて行くと、上野米店に木幡神社の神輿は据えられていた。出発する時には門口で神輿を高く差し上げて出る。斜めに国道を渡って前の店の門口でも神輿を差し上げる。御祝儀をもらった家では神輿を差し上げて祝福するのだという。大井の神輿（手力雄）は竹吉酒店に据えられている。大井が出発したあとに、木幡神社がはいる。これらの家は昔からの資産家であるという。

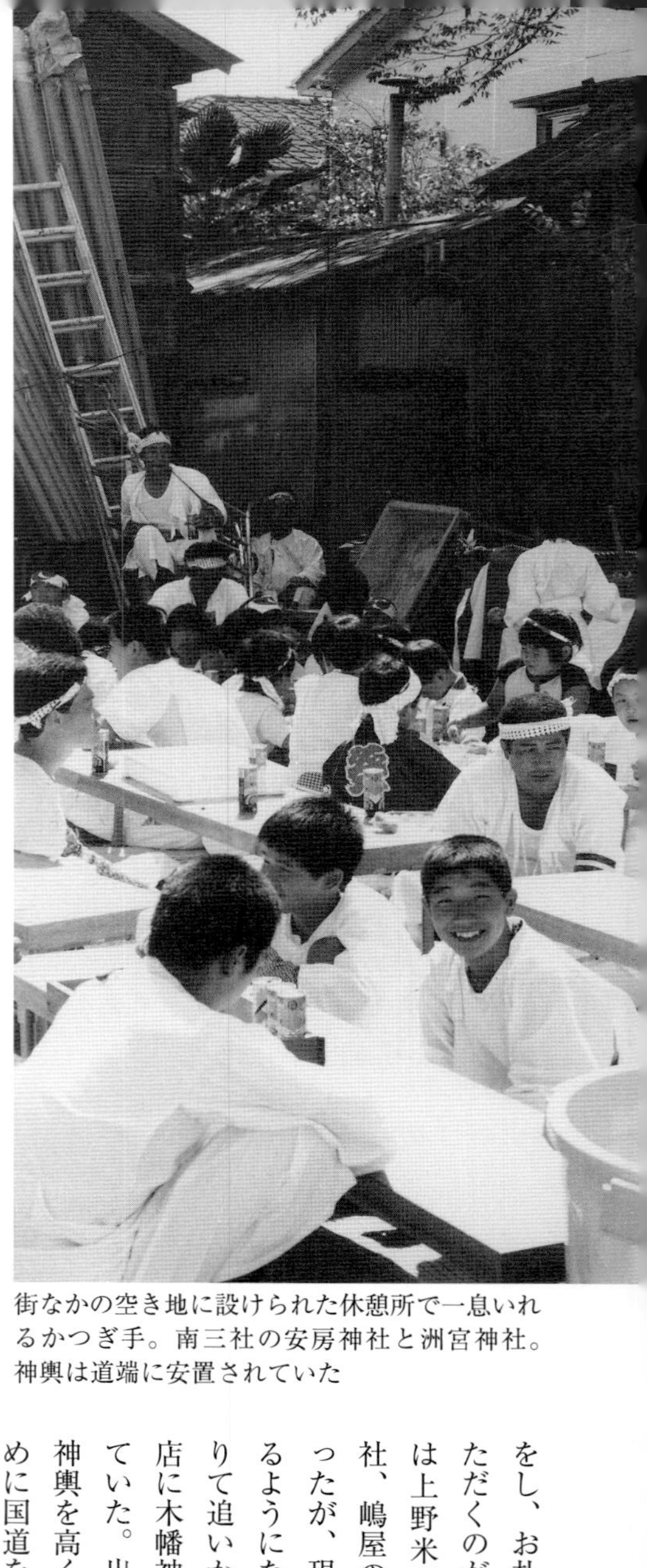
街なかの空き地に設けられた休憩所で一息いれるかつぎ手。南三社の安房神社と洲宮神社。神輿は道端に安置されていた

何らかの関係のある家に立寄ってお札を授け、御祝儀を受けるということは昔からあったことであるが、それが多くなってきたのは近年の傾向であるらしい。

早い神社は午後一時すぎには鶴谷八幡に参入するが、三時か四時頃になる神社もある。

道中では昔のように土煙をあげ、地ひびきをたてて駆けて来るという勇壮な様子は見られなくなっているが、神社に参入の際にはその面影がいくぶん残っている。鳥居をくぐって参道に入った神輿は、勢いよく走って、拝殿にそのまま突っ込むように駆け込み、向拝の下で高く差しあげ、広庭にでて、さらに勢いをつけて、差し上げ、参拝の人垣を突き破らんばかりに駆けまわり、ゆさぶり、勢いあまって神輿を倒すこともしばしばである。二〇分以上も広庭を駆けめぐった末に、神輿は長宮に納まる。そのころには参拝客も増え、参道の両側から境内一円に並んだ出店も活気を帯びてきている。

町内の山車も囃子も集まって妍を競う

この日は八幡に隣接する地区であり、館山の町の中心になる市街でもある北条と新宿でも、山車巡行をメインイベントとする祭礼が行なわれている。

先にも少し触れたように、「やわたんまち」と北条の祭りは本来は別のものであるが、全く関係がないとも言えない。神明社での迎え入れのように、新宿ではかなり深く関わっていたと思われるし、現在では北条四ヵ町の山車も鶴谷八幡に参入することによって一役持ってい

せりあがる山車の神武は南町　やわたのまちに　いでやむかわん

南町の山車。山車の上から眺める幼い眼には、わが町がどのように映っているのであろうか。
やがてこの子らが、やわたんまちを引きついでいく

駈けいりて　庭をせましと　練るみこし　人もやすらげ　国もやすらげ。かつてはこの勢いで道中を駆けてきた

る。それが近代になってからのことであっても、館山や安房の人たちが「やわたんまち」という時には、北条の祭りをも含めているのである。一連のものとして私も簡単に眺めてみたい。

北条の祭りは古くから「やわたんまち」と同じ日に行なわれたといわれているが、正確には確かめていない。

私がいま住んでいる多摩地方では、近接する旧村の鎮守の祭りは、もとは日を違えて行なっていたが、町村合併後はそれぞれに祭礼の日が違うのは不便だから同じにした、という例が比較的多い。しかし、安房の場合はそうではなくて、もとから同じ日に行なっていたという場合が多いようだ。

さて、北条の祭りであるが、これに参加するのは先にも触れたように、北条に属する六軒町、神明町、三軒町、南町の四町内と新宿町である。北条の四町内はそれぞれが山車を持っており、新宿は神明丸と名づけられた地車仕立ての曳船（お船）である。新宿がお船である神明丸を曳くのは、南三社の船渡御に新宿の船を使用したという故事に由来するのだという。

北条四町の山車はいずれも「人形せり出し型」である。車はお船と同じ厚くて小さい地車、前半部分に囃子舞台がしつらえられており、その背後にせり出しやぐらがつけられている。やぐらは二重になっており、中に人形が立てられるようになっている。移動中や僅かな休憩時には人形はやぐらの中に納められたままであるが、集合整列の際や神社に参入した場合には人形はせり上げられて妍《けん》を競う。それぞれの山車が柱の彫刻などに特徴を持っているが、人形も六軒町は楠木正成《くすのきまさしげ》、神明町は神功《じんぐう》皇后、三軒町は武内宿禰《たけのうちのすくね》、南町は神武天皇となっている。これらの山車とお船は一三日までに組立、飾りつけを終えて、一四日には朝八時頃から出発し、午前中はそれぞれの町内を中心に巡行を行なうが、午後は山車、お船が揃って行列をつくり、北条、新宿の区域内を巡行する。

例年午後一時頃、北条海岸に集合することになっていると聞いていたので、安房神社の神輿と別れて海岸通りに出てみる。少しおくれて行ったので、集合を終って出発直前であった。神明丸を先頭にして、六軒町、神明町、三軒町、南町の順に南を向いて並んでいる。お船が先頭で四台の山車が続くという行列の構成は、いかにも海と関わりの深い安房らしいなどと想像をたくましくしていたのだが、これは私の勝手な思い込みで、たまたまこの年は新宿が年番だったからで、行列の順番は変るのである。変るといっても今年の年番が来年は最後につき、ひとつずつ繰り上るだけである。また年番町内からは俗に鉄棒《かなぼう》ひき、または手古舞《てこまい》と呼ばれる露払い役が二人出て、常に行列の先頭に立っている。これは健康な少年か少女が選ばれる。少年の場合は、股引、腹掛に半天という若衆姿、娘の場合はたっつけ袴、片ぬぎになって派手な襦袢を見せた手古舞姿である。背中に花笠を背負い、左手に鉄棒、右手に扇を持っている。

せり上っていた人形がおろされ、囃子方が囃子舞台に上って、先頭から順にひき出されて行く。二〇メートルほどに伸ばされた曳綱に曳き手一〇〇人ほどがとりつく。先頭は祭半天に鉢巻をしめた子供たち、その後に娘、若者がとりついて、海岸通りを出発して、列をなし

お仮屋に納まった神輿（左）と、右はお仮屋に納まった神輿の裏。狭いけれども宮番が交代で休憩する場。また、御祝儀に来た知人との交感の場でもある

て町内の通りを進んで神明町の神明神社に入り、ここで祭典が行なわれる。それほどの距離ではないが、ゆっくり進むので神明神社に入るのは四時をまわっている。神明町の神明神社は「おおじんめいさま」といわれており、北条の総鎮守だとされている。六軒町には諏訪神社、三軒町には稲荷神社、商町には蛭子《えびす》神社がそれぞれ祀られているが、巡行の途中に立寄るということはない。神明神社での祭典を終えた後もまた列をつくって巡行し、新宿の神明社前で解散するというのがこの日の巡路である。そして翌一五日も、午前中はそれぞれの町内をひきまわし、午後一時に宮沢書店前に年番を先頭に集合し、神明町を経て市役所裏通り、農協前を通って三軒町にはいり、鶴谷八幡に順次参入する。鶴谷八幡の社前に山車が参列し終るのは午後四時頃である。

山車が入ってくる頃は参拝の人で参道は埋められており、普段はそれほど狭いとも感じられない拝殿前も、山車が整列するのに方向を変えるのが困難なほどになっている。早く入った山車は人形をせり上げ、囃子方は神前に向って、しちょうめん、やたい、ぴっとこ、さんぎり、かまくら、へぐりばやしなどの囃子を根《こん》かぎり奉納する。神明丸と四基の山車が参入を終え、御祈禱が終ると山車は順次還御し、三軒町通りから銀座通りを通って千葉相互銀行前に整列して解散する。

そして一六日、神明町の神明神社では例祭が行なわれるというのだが、これは見ていない。

山車がすべて退出し、最後の山車が二の鳥居をくぐったところで拝殿の太鼓が打たれる。神輿還御の合図。午後五時頃である。

今年も良い祭りになりそうです。供奉の人びとが引き揚げた後、長宮で交歓する白衣の宮番衆

暗闇をついての祈禱、宵闇につつまれての放生会《ほうじょうえ》

場面は前に戻って、一五日早朝。鶴谷八幡神社広庭、長宮前。早朝というより深夜に近い三時頃。昨日の午後の喧騒が夢のような静寂が支配している。それでも全く人影がないわけではない。朝参りに来た人の玉砂利を踏む音と拍手の音が時折きこえる。その頃から、総代を供にした神主による朝のお勤めがはじまる。朝祈禱という。宮番に守られてお仮屋で一夜を過ごした神輿の神前で、神主が祝詞《のりと》を奏上し、氏子総代と共に拝礼をするのである。まずそれぞれの神前でお勤めしたのち、他社に巡拝する。時間は決っていないが、早い神社では二時半頃からはじめることもあるという。莫越山神社では祝詞に「朝日のとよさかのぼりに云々」とあるので、日の出にあわせてお勤めすることを例としているという。だいたい日の出頃には各社共終っている。

　この時に奏上する祝詞や、御霊遷《みたまうつ》しの時などに唱える祝詞の中に「やわたんまち」のはじまりを暗示するような文言がある。たとえば、手力雄神社の古い祝詞には、

「（前略）当社大明神、神輿出輿の濫觴《はじまり》は、通考《おもんみるに》、延久三ツ己酉より始、例年葉月《にっき》三五の日、放生会の神幸と名づけ、八幡浦に御幸なり、今に怠り無き事は、天下泰平、国家安穏、万民安堵の祭祀為る者也（後略）」（『やわたまちの今昔』石井多計麿）

とあるというし、また、山荻神社の御霊遷しの祝詞には、

「（前略）風の音の遠つ御代、延久と云ふ年より、年毎に安房郡八幡の鶴谷の御仮舎に、此の社の大神等を招奉《おぎまつ》り坐奉《ませまつ》る神事の有し例《ためし》の随《まにま》に（後略）」（「やわたのまち」酒井泰二稿）

とあるという。ちなみに延久三年は辛亥であり、己酉は延久元年である。干支が正しいとすれば「延久壱ツ己酉」であろう。ともあれ祝詞は古くからの伝承を伝えている場合も多いので、「やわたんまち」延久起源説も無視するわけにはいかない。

　朝祈禱を終えた神主は宿に帰り休憩。

　午前九時、鶴谷八幡本殿で大漁祈願祭。

　午前一一時、鶴谷八幡の例大祭。各社神主、氏子総代、輿夫代表、地元有志が参列し、祝詞奏上、玉串奉奠。巫女による浦安の舞などが奉納される。

　そして午後になり、参道を埋めた群衆をかきわけて北条地区の山車が参入してくる。出祭各社は還御の準備をはじめるのだが、その頃、神主家では大屋《おおや》の酒の儀が行なわれる。

　神社に隣接して建てられている神主家の庭に、忌竹四本を立ててシメ縄をめぐらした結界があり、その中に四

あけそめし　やわたのもりの　みかりやに　祝詞奏上　謹上再拝
霧雨の中を朝祈禱に向う神主、総代、輿夫代表

かみつどう　あわのよあけの　あさぎとう

斗樽が二個据えられている。以前には神輿還御の前に各社それぞれがこの酒をいただいて帰ったというが、現在は安房神社、洲宮神社、下立松原神社の南三社だけがこれを行なうようになっている。三社の神主と輿夫の主だった人々が参列する。まず三社の神主が客殿に招じられ、順次神酒をいただいた後、庭前に集まった三社の輿夫が結界の前に整列し、樽の酒をいただいて終る。大屋というのは鶴谷八幡の神主家であり、大屋の酒は神主家からの御苦労振舞いの酒かといわれているが、どうであろうか。

現在は簡単になっているが、昔は難しい作法があったという。天保一五年（一八四四）七月に代官所に出された届書によると、一五日の昼、一二時に八社の神主が鶴谷八幡神主の酒井氏宅に集まり、その案内によって鶴谷八幡神社の祠宮、伊達伊豆守宅に行き、供物を頂載するとある。また、明治三九年に発行された『安房志』には、午後三時に各社の神主が八幡神主宅に集まり、その先導によって大屋に詰め、順次神酒をいただくとある。これらによると、大屋と神主家は別であるといえる。

さて、大屋の酒が終り、山車が退出すると、各社の神輿が安房神社から順次還御することになるのだが、もとは還御の前に放生会の祭りが八幡の浜で行なわれていたのである。現在では鶴谷八幡の神輿が浜に出輿し、用意されているお旅所で簡単にお浜出の儀式を行なうだけになっているが、大正時代の中頃までは出祭各社の神輿が参加していたという。放生会またはお浜出の祭りについて現在では殆どわからないのだが、『安房志』にやや詳しく記されているので、それによってかつての様子をみてゆくことにしたい。

大屋で各社の神主が神酒をいただいたのち、神輿がお仮屋から出発し、席次に従って整列する。その時に神輿前の儀式が行なわれる。それが終ると八幡の浜に神幸し、各社は順次御船に渡御する。「御船に渡御あり」と記されているだけで詳細はわからない。神輿を船に乗せて沖にでたのであろうか。そして汀《みぎわ》に荒莚を敷いて神輿をここに奉戴し、神主祠官等は神輿に向かって座を占める。その席次は八幡神社を中心に左位に安房神社、洲宮神社、下立松原神社等の祠宮、社人。大井（手力雄）神社、長田（山宮）神社、沓見（木幡）神社、滝川神社。右位に八幡社の祠官、社家。山荻神社、安房神社社人隼人が並ぶ。それぞれが席を占めたところで、滝口（下立松原）神社神主が安房神社の社家左近を従えて神輿と神主の間に進み出て八幡神社に向って座を占める。左近が荒莚を取って三つに折り、滝口神主から懐刀を受取ってその一つを切り、残りの二分を敷いて滝口神主の座にする。そして切り取った一分を持って少し退ったところに敷き、自分はその傍に座す。この座が国造の席だという。席が設けられると御祈禱が行なわれ、終ると左方の神輿から順に還御する。これが古来からの仕来りである、と記されている。

浜に神幸し、船渡御を行なった後、浜で神事が行なわれたのである。この神事を放生会といったものであろうが、実際に放生を行なっていたかどうかはわからない。一般にはお浜出と呼ばれることが多い。伝えられている話によると、お浜出をした各社の神輿は鰹船に乗せられて、競争で沖にこぎ出されたものであるという。

14日、各社の神輿が参拝者の中を長宮に収まる。15日は「ほんまち」と呼ばれている。朝のうちから絶えることのない参拝者は、長宮に収まって一夜を過ごした各社の神輿を巡拝する。山車の参入から神輿の渡御が始まる夕方には人出は最高潮に達する

15日、還御の前、南三社のかつぎ手が客殿前に参集、大屋の酒をいただく。大屋とは八幡神社主家のことだというのだが

これだけではよくわからないが、何やら相模の神揃山で行なわれた「こうのまち」「座問答」を思い出させるような神事ではある。神主家の客殿で行なわれる六社祭も、このお浜出も、総社の祭りといわれる「やわたんまち」の最も中心になる神事であったと思われるのだが、その詳細がわからなくなっているのは残念である。しかし、これらの主要な行事が、いずれも鶴谷八幡神社の本殿で行なわれるものではないということが面白い。

鶴谷八幡の神輿は一四日には飾りつけを終えて拝殿に安置されているが、御霊遷しが行なわれるのは一五日、鶴谷八幡の例祭が終った後、午後一時頃である。そして出輿は安房神社が出発し、二の鳥居をくぐってからである。現在の祭式の次第の中では、出祭一〇社が揃ったところで正式に鶴谷八幡と一〇社とが対面する場面はない。

神輿の還御がはじまるのは五時頃から。先の神輿が二の鳥居を出たところで、打ち鳴らされる太鼓を合図に次の神輿が出るのだが、準備をし、満を持して待っていたかつぎ手たちがいっせいに神輿にとりつき、かつぎあげ、差しあげ、広庭をもみ、駆け、まわり、ゆする様は参入の時以上の熱気である。二度、三度と拝殿に駆けいり、向拝の下で差し上げ、別れて参道を去っていく。

安房神社が帰り、鶴谷八幡が出て、洲宮が去る頃にはもう外は暗くなっている。集まった人の群れは神輿の熱気にあおられて、帰りの時間を忘れ、次は大井、今度は長田だ、山荻の神輿だと見守り、見送る。祭りは良いものである。

「まち」は神の集まる祭り、そして人の集まる市

私が初めて「やわたんまち」に行ったのは昭和五七年であった。館山の駅前から国道に出て、真直ぐに三軒町の通りを八幡に向った。白丁を着て、首に手拭いを巻いた人たちが三人、五人と連れだって歩いてくるのに出会ったから、もう早い神社の神輿は長宮に納まっていたのだろう。国道沿いにも綿菓子やお好み焼などの屋台が、点々とではあるが出ていた。神社に近づくにつれて露店の数は多くなる。一の鳥居に着き、神社の方を見ると、参道の両側は出店で埋まっている。振り返って見る海側の道にも、びっしりというほどではないが、かなり露店が出ている。産地直売甲州ぶどうの大安売り、バナナ、金魚すくい、風船屋、子供の玩具、仮面屋など、どこの祭礼、縁日でも見かけられる露店で、さして気にならない風景である。鳥居をくぐって参道に入る。七味唐辛子、そういえば七味が切れていた、辛口に調合してもらって買って帰ろうなどと、余計なことを考えるのも、祭りの雰囲気に同化しかかっているせいだろう。鳥居外の道路端や参道を入ってすぐの所に出ている店は、露店商の自前のものだと思われる屋台や、地面に板を敷き並べているものであるが、少し中に入ると木組みにトタン屋根、壁をトタンで囲った小屋がずっと並んでいる。

参道の両側に出ている店はプラモデル、玩具、仮面、

マスコット、アクセサリー、金魚すくい、タコ焼、イカ焼、カルメ焼、綿菓子、お好み焼、焼そば、ジュース、ラムネ、アンズ飴などなど、例よって例のごとくで、特に珍しい物もない。その中で、私の目についたのは金物屋、鍛冶屋であった。四軒あったのか五軒であったのかも定かではないが、一軒はいわゆる香具師《やし》風の店で、大安売りだの正札の半額だのと墨書き、朱書きの派手な紙札を貼りつけ、並べている品物は仕入品ばかりで特別変ったものはなく、鋸、鋏、包丁など刃物類の多いのが目立つくらいであった。

大国魂《おおくにたま》神社の市を見た時に、以前は店を出していたはずの鍛冶屋が店を出していないので、どうしたのかを聞いてみたら、刃物は危険だというので出店を停められたということであった。そんなことがあったせいか、余計に刃物が目についたのだろうが、この市では金物を扱う店が多かった。

いま一軒の金物屋は「べにや」であった。二の鳥居入口の、境内を横断する道路角に、二軒前の間口をとって店を出している。大工道具、鋸、鎌、包丁、鋏などが並べられている。鍛冶屋ではないから自家製のものではないが、前の金物屋と違うのは、包丁などに紅屋特製と刻印されていることでわかるように、特別に注文して作ったものが多いことである。安房で使われる型のものを、越前の鍛冶屋に打たせたものだという。房州は特色のある漁村が多いせいか、魚包丁などの種類が多く、独特の型のものがある。そういう需要に応えるためには、地元の鍛冶屋から入れるか、特別に注文する以外にはないのである。「べにや」は地元の大店であるが、こういう土地の生活と結びついた品物を扱う店が、数は少なくとも見受けられるところに、この市の特色が感じられた。

鍛冶屋が二軒あった。鍬、鎌などの農具類が主であるが、いずれも房州型のもので、自分で作ったものを主として並べている。見ていると、小型の包丁がよく売れていた。買っているのは、農家の小母さん風の人が多い。聞いてみると、それは本来は漁家で使うアジ切り包丁なのだが、キャベツの芯切りに都合がよく重宝するのだそうで、使っては砥ぎするると年に一本は使いつぶすという。

この時は、もう神輿の参入が次々と行なわれており、初めてのことでもあったから、祭りの方をできるだけ見たいと思って、参道からひとつ裏に入った通りはさっと歩いただけであったが、その通りには桶屋や梯子《はしご》屋などが店を出していて、より興味深かった。

要するに「やわたんまち」の市は、かつては地方の多くの市がそうであったに違いない、農具市の面影を残しているのである。そのことに私は興味をひかれた。

昔の市はもっと盛んであったという。現在の鶴谷八幡の境内は国道に面して立つ一の鳥居から奥であるが、もとは海岸まで続いていたという。参道が浜までのびていたのであり、参道を埋めるように出店が並んだものであった。サーカスやお化屋敷などの見世物も四、五軒は毎年来ていたし、据風呂を何個か並べた風呂屋まで営業していて、なかなか繁盛していたものであった。いまは一五日夜、神輿の還御が終る頃には店仕舞して帰るものが大半で、残っている店も殆ど商いにならないので、片付けるだけであるが、もとは一四日から七日間も店は開いていたという。祭り見物とは別に、買物のために来る人

13日朝、参道に設けられる市小屋の組立が行なわれていた。間口二間、奥行一間が一軒前

仕入品もあるが、自分で鍛えたものが中心だよ。安心して買ってくれ。アジ切り包丁がよく売れる。出荷するキャベツの芯切りに手頃だって

大工道具に日用の刃物、農具、金物なら一通り揃っています。地元の老舗「紅屋」金物店

桶、樽、結い物なら何でもある。昔は桶小屋だけで20軒もあったのだが、今は五軒に減ってしまった

桶小屋の一角に店を出す古宮さんは13日朝、商品を運び込んでいた（右）。やわたんまちでは梯子もよく売れる。古宮さんは一家総出でやってくる。木工品を所狭きまで並べた店の裏手で、奥さんは食事の用意をする（中）。古宮木工所はもと鍬柄専門の棒屋であった。今も鍬の柄はたくさん作っている。鍬の柄の材料と半製品（左）

がそれだけ多かったのである。「やわたんまち」の「まち」は「まつり」を意味する言葉であるが、同時に「いち」とも同義であることを知らせてくれる。

この市は鶴谷八幡の氏子である八幡の人たちが権利を持ち、責任を持って管理、運営していた。責任者として氏子の中から市場係が四人選ばれていた。市場係は小屋の地割、小屋作り、露店商との交渉、小屋代の徴収、境内の後始末など仕事も多く、責任の重い役目であったから、氏子の中の最適任者に頼んだもので、任期といってはなかった。

「やわたんまち」の神輿出祭、その他祭礼運営上の諸問題について協議する例会は、九月一日に出祭各社の神主、氏子総代、山車方の年番役員等が出席して行なわれる。しかし、市場についての会合はこれに先立って八月一五日に開かれる。市場係と神社の責任役員が集まる。もとはこの日を「帳面ごしらい」といって、八月一六日であった。市についての問題を協議し、帳簿を作る日であった。

そして九月八日にはまち小屋の地割が行なわれた。市場係が間数を計って小屋割をする。店を出す商人はすべて集まり、自分の小屋の場所を決めるのだが、例年のことで場所はほぼ決まっており、八幡で世話をしてくれる家があって、その家に店を出すことを通知しておけば必ずしも出席しなくてもよかった。出店する商人はこの家のことを宿といっていた。八幡の各家が五軒、一〇軒と小屋を受け持っており、小屋を作り、商人に貸したのである。

この日は「幟《のぼり》たて」の日でもあった。氏子が境内の掃除をし、参道に幡《はん》や大幟の竿をたて、一の鳥居前に大行灯を組立てた。今は八日に近い日曜日に行なうことになっている。

地割が終ると小屋作りがはじまる。各家が受持ちの場所に丸太で骨組をし、藁で編んだネコモを屋根にかけ、三方にはムシロを張って壁にした。材料は自分持ちであった。小屋作りは一二日までには終らせていた。一三日になると商人が荷物を運び込み、準備をはじめ、その夜から小屋に泊り込む人が多かった。

第二次大戦中から戦後の物資不足の時代に小屋作りの材料にも困り、人手不足にもなって、それまで氏子が持っていたまち小屋の権利はすべて神社に返された。それで現在は神社で資材を買い、小屋を作るようになっている。昭和四〇年頃から藁屋根をトタンにし、壁もトタンにした。六〇年九月一三日午前中に訪れた時には、小屋組立ての最中であったが、植木屋、木工屋などの早い人はもう荷物を運び込んでいた。

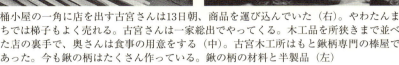

上　茂原の暮れの市に店を出した古宮さんと桶太さん。暮れから五月の市では餅箱、杵などがよく出る。漬物桶は竹タガでないと駄目。
左　編みやしなりの良しあしを充分にたしかめて、農具の買い手は慎重である。小塚の初大師での古宮さんの店頭。箕は仕入れ品。

現在、神社側で作る小屋は一の鳥居から内側の境内だけであるから、大体一五〇軒くらいである。端の方には自前の屋台などの店を出している人もいるし、境外にもかなり出ているから、出店の総数は二〇〇～二五〇軒くらいになると思われる。

さきに「やわたんまち」は農具市の面影を残しているといったが、実際に農具や種子物などが多く売られていて「農具市」と呼ぶ人も多かったし、またしょうがの種を売る店が殊のほか多かったので「しょうが市」とも呼ばれていたという。

現在も中に入ると植木屋は植木屋、花木は花木、桶屋は桶屋で集まっているが、昔はもっと業種別にきちんと別れており、桶小屋通り、金物屋通り、しょうが通り、おもちゃ通りなどと、通り名で呼ばれていたという。こういう市のあり方は「やわたんまち」のことだけでなく、かなり一般的に見られたことではなかったかと思われる。

行くのに思わぬ時間がかかって僅かの時間しか見ることができなかったけれども、今年（六二年）一月一〇日に訪れた横芝（山武郡横芝町）の初金比羅《こんぴら》の市は、業種別の地割の状況を割合よく残していた。「町」の原型になるようなものを、こういう市のありようの中に窺うことができるように思われる。

「やわたんまち」の市店《いちみせ》のかつての姿は、参道に面して店を出している鍛冶屋の中に見ることができたが、その姿をより多くとどめているのは桶屋が並んでいる一角であった。

桶小屋が集まっているのは、一の鳥居から入って参道左手の一本裏側にあたる通りである。入ってすぐの所は今は空いているが、昔はこのあたり一帯まで桶屋や梯子《はしご》屋《や》、棒屋などが出ており、多い時には桶屋だけでも二〇軒ほどは出ていたという。今はそれに比べてずっと少なくなっており、桶屋五軒に梯子屋が二軒である。少なくなったといっても、木道具を売る店がこれほど集まって出る市は、安房には他にない。狭い通路をはさんで右手に三軒、左手に四軒、向きあって店を広げている様は、いささか異様でもあり、壮観でもある。日常生活に必要な木製品は何でもあるといった感じである。

店を出している桶屋は館山市船形一人、丸山町白子二人、南三原一人、鴨川市東江見一人、梯子屋は亀山と三芳からそれぞれ一人ずつであり、いずれもそれほど遠いところから来ているわけではない。

梯子屋というのは、長い梯子を何本も立てかけて売っているので、遠くからでも目立つからそう呼ばれているのであって、梯子だけを作っているわけではない。ここに並べているものを拾いあげてみると、大きなものでは唐箕《とうみ》、涼み台、脚立《きゃたつ》などがあり、梯子は七尺、九尺、二間半、三間、三間半、松葉バシゴなどの種類がある。その他ではカケヤ、杵、踏台、藁叩き槌、肥柄杓《こえびしゃく》、餅箱と蓋、マナ板、カマ蓋、寿司箱と蓋、天秤棒、鍬柄、鎌柄、臼、スリコギ、箕、セイロ、コネ鉢などなど。箕、セイロ、コネ鉢などは他からの仕入れ品であるが、他は殆ど自家製である。梯子がたくさん立っているのを外から見た時にも驚いたが、店頭に立って唐箕や涼み台が置かれているのに、こんな物まで売っているのかと、また驚かされた。

唐箕は一台、三芳から来ている古宮《こみや》さんの店にあるだけであったが、もうこのあたりでは古宮さんだけしか作れる人がいなくなったせいもあるが、こうして出しておくと売れるのだという。年に二、三台は出るらしい。

古宮さんのところでは唐箕も作るが、もともとは棒屋が主であった。棒というのは鍬・鎌の柄のことである。今は少なくなってしまったが、昔は需要が多かったためにどの地方にも棒屋はかなりたくさんあったものである。

鍬の柄といっても一種類だけではなくて、土地によっても鍬の種類によっても、柄の長さや握りの太さ、材質までもがそれぞれに違うのである。従って市に出すには何種類もの柄を揃えておかなければならない。もとは唐箕屋、棒屋であったから、それを主にしていたのだが、まち（市）歩きをするためには、それだけでなく前にあげたような多種類のものを手がけなければならない。昔のように木製品の同業者が多ければ専門化もでき、それなりに商いもできたのだが、今のように減ってくると、より多くの種類を揃えなければならなくなって、逆にそれに対応できない人は止めていくということになるのであろう。

古宮さんのところでは鍬柄だけでも、房州型（館山型）、保田《ほだ》型、君津《きみつ》型、久留里《くるり》型、千葉・市原型、九十九里型などの種類を作ることができるという。それは、それだけ広くを歩いているということでもあろう。聞いてみると、年間に房総の各地の三〇ヵ所以上もの市に出ているという。その中で最も力を入れているのが「やわたんまち」である。他の市は当主と父の二人でトラックかバン一台で運ぶくらいであるが、ここはトラック二台にバン二台ぐらいは運びこみ、家の女衆も親戚の人も加わって、総出で商いをする。商品の種類も暮れから正月にかけての市では餅箱や餅板、杵などを主に限られたものになるが、ここへは全商品を持ってくるといってよいほどの意気ごみである。そして、それらの品物をそろえるために、「やわたんまち」に先立つ数週間は、夜なべ仕事の連続であるという。

市歩きを主にしているという点では、この市に来ている五軒の桶屋さんも同じである。

その一人である白子の桶太《おけた》さんの話を簡単に紹介することにしよう。明治四二年生れ、七八歳である。

店に卸すこともはしたけれども、今は止めてしまった。注文を受けて作ることは今でもあるが、それほど多くはない。海女《あま》の使う浮樽、見突《みつき》漁に使う目鏡、磯目鏡などで、勝浦《かつうら》、白浜《しらはま》などから注文がくる。その他に、時にまとまってくる注文品では、祝儀の引物に使うということで餅箱、飯台などで、大量に注文されることはあるが、不定期である。その点、市は長年の勘もあるが、出る品物の量などに見当がつけられるし、現金で入るのがいい。

小塚の初大師に店を出す富山町の鍛冶屋さん。「やわたんまち」にも出てました。
まち歩きをする同業者も、めっきり少なくなりました

桶太さんが店を出す市を、聞いたままでざっとあげてみると、一月は三日に興津《おきつ》の初市。四日は興津の在《ざい》の上野、七日に勝浦、一二日が小塚の初大師。これは大神宮の近くにある小塚大師の市で、近在からの参詣人が多いので、それにあわせて桶屋、鍛冶屋、金物屋、花屋、植木屋、香具師仲間などの出店も多く、とても賑わう。二月、三月はない。四月は一日に上総大原の市、六日七日と勝浦、一二、一三日は鴨川の市で、一五日は入定市《にゅうじょうまち》。これはもとは旧の三月一八日であった。移動市で、南千倉の浜から初めて、白間津《しらまず》を経て、白浜の入定塚へと移動して行く。花屋や植木屋なども出るし、近くの農家の人が梅干しや味噌漬け、草餅などを持ってくる。昔は荷車かリヤカーで売りながら行ったもので、入定塚まで行くともう夕方だった。今は車で動く。二一、二二日は大貫のメイコウ。五月は出ず、六月三〇日と七月一日は御宿《おんじゅく》の浅間《せんげん》様で、二日は御宿の朝市になる。お盆の頃の市はなくて、九月は一四、一五日の「やわたんまち」。一一月は一一、一二日に小湊《こみなと》の誕生寺の市、二五日は千倉《ちくら》の八幡様。この日は高家《たかべ》神社の祭りもある。一二月に入って、一一、一二日が小松原の御会式《おえしき》、二五日が上総湊《かずさみなと》の暮市、二六日が佐貫《さぬき》の暮市、そして二七日に上総湊の在での暮市ということになる。

一六歳で弟子入りして、年期五年に礼奉公二年の修業をして、独立して桶屋になったのが昭和七、八年頃である。桶屋にも得手不得手があって、大きいものを手がける人もいるが、自分は小物専門でやってきた。お櫃《ひつ》、お鉢、漬物桶などが主だったが、飯台や祝いの餅などを入れるエイゴウ（ホカイともいう）、大きなものでは風呂桶も作った。

昔はお櫃が市ではよく売れたものだが、今は家庭で使わないから出ない。今は飯台や漬物桶。一生使えるものだから、どの家でも買ってしまうと、そうは売れない。そうかといって、使えないものを作れば売れないし。手桶などは一時は殆ど売れなくなっていたが、最近また売れるようになった。

「やわたんまち」は間口二間、奥行六尺が一軒分の小屋で、もとは宿が決っていて、宿で小屋を作ってもらっていた。今は神社側で小屋を作るようになったが、小屋代や電気代など、結構経費がかかるので、儲けは少ない。宿に泊るということはなく、風呂を御馳走になりに行ったり、足りない道具を借りたりしたし、御馳走を作って持ってきてくれたり、いろいろ世話になるので、桶などをお礼に持っていった。

宿があったのは「やわたんまち」と大貫だけで、他では市日が短いのでなかった。大貫の宿は今も続いている。

独立後の二、三年は荷車に積んで、前日の朝早くから

大国魂神社の晦日市。ここも昔は農具がたくさん並んでいたが、今は隅の方に何軒かそれらしきものが見られるだけになった

曳いて行った。その後は自転車でリヤカーを曳いたが、随分と楽になった。勝浦や大貫など遠くへ出る時には、馬車屋を頼んで運んだものだが、仲間と組んで運送屋のトラックを頼むことも、確か終戦前からあったように思う。

毎年来て、同じ場所に店を出すので顔馴染になっている人が多く、新しいものを買うだけでなく、修理などを頼まれることもある。今は持ち帰って修理がすむと車で届けることが多いが、昔は次の年に持っていくということになる。

修理を頼まれるのは桶屋だけではない。鍛冶屋でも減った鍬先のつぎ足しをする「先がけ」などを頼まれることがよくある。「やわたんまち」では、そういう光景は見ていないが、九十九里の市で鍛冶屋が先がけをした鍬を渡しているのを見たことがある。修理だけでなく、自分の欲しい物がない時には、注文しておいて翌年に持ってきてもらうということは、こういう店の場合には普通のことであった。

武蔵府中でお年寄から話を聞いた時に、一枚の鍋を買うのに三年かかったということを聞いて、ひどく感心したことがあった。自分の欲しい大きさの鍋がなかったので、頼んで翌年に持ってきてもらったが、考えていたものではなかった。三年目に思い通りの鍋を手に入れることができたというのである。呑気な時代であったとかいうことではない。市立商人と祭りに行く人との間にある、暖味あふれた信頼関係に感心したのであった。

「やわたんまち」の桶小屋の通りでは、店の人が顔見知りを呼びとめて、茶椀酒をすすめる光景に出会う。「お祭りじゃないですか。お神酒ですよ」と。他所者で、話を聞くだけで品物を買う気遣いのない私にも、同じようにすすめてくれる。一家総出の店では、子供たちも「やわたんまち」を生活の場として、すっかり楽しんでいる。

ここに店を出している七軒の人たちと、そこに顔を出す人の間には、単に買う人と売る人といった関係以上に、ある種の仲間意識ともいえる感情が流れていることを感じとることができる。

今年も出ている、元気そうで安心した、などと、ひとしきり噂話をして帰る。買わなくてもよいのである。立寄ってくれたということで安心する。そういう関係の人たちが、ここにはたくさん集まる。それが独特の雰囲気をつくっている。今はそういう場が点としてしか存在しなくなっているが、昔はもっと多かったに違いないし、「やわたんまち」全体の雰囲気となっていたのである。

そういうものが、多くの人の足を今年も来年も「やわたんまち」に向けさせる、大きな要因になっていたのではあるまいか。

「まち」は「まつり」であると共に「いち」でもあるが、「やわたんまち」は神々が寄合う「まつり」であると共に、近在の人々が寄合う「いち」でもあることを、桶小屋の通りを歩いている人々のふるまいによって、ごく自然に理解することができたのである。

写真-1　榑葺き石置き屋根の民家。民家は床がない土間造り。左側の板倉には味噌や普段は使用しない家具、衣類をしまう（安曇村番所）　撮影・昭和40年

宮本常一が撮った写真は語る

長野県安曇村・奈川村

「日本は狭いし、どこへ行っても同じようなものじゃないか…」

　こんな話を耳にすることがある。寂しい話である。日本は確かに国土が狭いという印象がある。しかし、日本の国土面積はドイツやポーランド、イギリスよりも広い、世界二三二ヵ国中第六二位である。狭いようで広い。私たちが日本を狭いと思うのは、日頃見慣れた世界地図にあるのだろう。現在普及している世界地図は、メルカトル図法で描かれたものがほとんどである。この図法は北へ行くほど実際よりも面積が拡大されるという性質がある。そのため日本列島の頭上に広大なシベリア東部がのしかかり、日本はより小さく見える。日本の領域は東西二五〇〇キロ、南北三三〇〇キロ、二〇〇海里の排他的経済水域も世界第七位。これは決して狭くはない。どこへ行っても同じはずがない、というのが実際なのである。

　同じように見せているのは、商品、チェーン店、ハウスメーカーの建て売り住宅など、社会的に商業主義を基礎とする流通網に覆われているためではなかろうか。

　日本中が同じように見えだしたのは、太平洋戦争後の高度経済成長期からバブル期へと移行していった時期であろう。地域性を色濃く留めていた民家や漁村の船などが、ハウスメーカーの躍進とプラスチックボートの普及によって斉一化される傾向となったこと。山林もスギやヒノキなどの針葉樹が拡大造林によって広大な面積に植林され、地域的な景観というものが薄れてゆく要因となったかもしれない。

　しかし、まだまだ日本は地域性というものが色濃く残存しているお国柄である。

かつて日本観光文化研究所があった頃、「写真を読む」という研究会が行われていて、実に面白い時間を過ごした記憶がある。特定の地域の写真を三枚から五枚選んで

写真-2　安曇村の白骨温泉。明治時代に建てられた木造三階建ての温泉宿　撮影・昭和40年

研究所の先輩たちに配布する。そして、その写真が撮られた場所を推定するというまるでクイズのような形式の研究会であった。写真の中の民家、船、石垣、民具、耕地の在り方、樹種や森林の様子、地形などから大凡の場所を推定し、「ここだ！」と突き止めるまでのプロセスが実に刺激的な研究会であった。なぜ、その写真から地域や場所が推定、特定できるのか。それは地域性の濃さであり、地域の生き方や考え方というものが、眼に見えるものとして写真の中に探すことが出来たからである。「写真を読む」研究会で私が出題者となって扱った地域は七ヵ所。そのすべてがあっという間に特定されてしまった。正直、私は空いた口がふさがらなかった。先輩諸氏が日本を歩いているとはいっても、すべてを見ること、歩くことは不可能である。しかし、彼らは数人いればその写真が何県何郡何村あたりと答えてくる。驚いたのは集落まで分かってしまうこともあったことである。写真を配り、眺め始めて、議論がはじまり、場所が特定されるまでに、たった二分ということもあった。

　では彼らは、どのように数枚の写真を見ていたのだろうか。そこに宮本常一流のまなざしがあった。ちなみに私は、日本観光文化研究所の出身ではあるが、直接宮本常一先生の謦咳に接していない。先輩たちを通して、宮本常一なる人物の大きさを思い知った人間である。

「この船は漁船番号から見て滋賀県でしょうから、琵琶湖ですね」とさりげなく言われる。SGは滋賀県の漁船番号の頭の記号で、都道府県の頭文字になる。では佐賀県もSGかというと佐賀はSAである。当時、私はそれを知らなかった。つまり漁船の写真を撮るときには漁船

写真-3　背負子で畑に堆肥を運ぶ奈川村古宿の農婦。帰りに蚕用の桑を摘むのか、蚕が小さい頃に用いる桑つみ籠を手にしている（奈川村大宿）　撮影・昭和40年

番号を入れておけば、後日どこで撮影したかの大凡のめども立つことになる。

土地の特定のヒントは写真の中にあった。先輩たちは写真の中の景観や事物からその土地の生業や生き方をも読み取っていたのだ。昭和三〇年代から四〇年代の地方の暮らしぶりは地方色を良く現していた。なかでも民家は地域性を色濃く出す具体物であった。また集落の規模と周辺の耕地の拓かれ方から、耕地への依存度が見えてきたり、作物が写っていればそれもヒントとなる。集落規模と森林規模、林業のむらなら集落周辺に広大な植林地が写っている。その植林の規模を見れば個人による植林か、国有林かの目安が付く。そして植林規模と河川の関係。河川は材木の搬出に用いられることが多かったため、林業地帯には流送が可能な河川が存在するし、またその水量が保証される雨量、積雪量があることになる。写真を読む作業とは、このような写されたものの中から自然環境と人々の生き方や暮らしの建て方を結びつけながら多角的に読み取る作業でもある。つまり同じ林業や漁業でも、それを補完する副業的なものの組み合わせが異なる。その組み合わせの中に地域毎の人々の努力と思考が見えるのである。

写真―1は、宮本常一が撮影した榑《くれ》葺《ぶ》きの石置き屋根の民家である。榑葺きは板状に割ったクリを屋根葺き材として用いたものである。榑葺きでは板材が浮かないように押さえ木を置き、その上に角のある川石を重石として並べた。檜皮葺きの石置き屋根と違って榑木は表面が滑らかなので写真に撮った場合それと分かる。また新潟県の湯沢周辺にもこのような石置き屋根が見られたが、屋根に乗せられる石が川原の玉石であり、数も多く乗せられることが多い。どうように群馬県から長野県佐久地方にも板葺きの石置き屋根が見られたが同じクリ材を用いていても屋根に乗る石の数が圧倒的に多い。さらに屋根の傾斜が緩やかな平屋に中二階部分があり下屋の上に戸口がある。このような平入の民家は岐阜県の山間部から飛騨地方、

写真-4　藪原駅（長野県木曽郡）のホーム。D51の反対側のホームに貨車に積む間伐材が置かれている　撮影・昭和40年

松本盆地にかけての養蚕家屋に良く見られる形式である。撮影された場所は、松本と上高地の間の山間部、安曇村・奈川村である。宮本が昭和四〇（一九六五）年六月から七月にかけて金融林業調査会でこの地域を歩いた時のスナップである。

写真-2は、同じ榑葺きの石置き屋根であるが三階作りであり、一見して通常の民家ではない。写真を撮ったのはこの建物の駐車場からであろう。駐車場には当時の高級車、初代の日産セドリック・プリンス・グロリアが止まっている。つまりこれは湯治場である。この写真も同時期に宮本が撮影したものである。

これ以外にも写真-3では朝鮮型の背負子に堆肥らしきものを背負った婦人が写されていたり、写真-4では駅のホームにたたずむ森林労働者か木材加工場で働いているとおぼしき男性、また蒸気機関車のデコイチが入ってきている様子が写されている。

宮本はモノ的な世界と人々がどのように生きているか、暮らしを立てているのかというコト的な世界に執拗にカメラを向けている。またそれは地域性が読み取れる対象に対して関心を示していることが分かる。宮本が撮影した膨大な写真には、地域性が浮かび上がる具体へのまなざしが良く写されている。「写真を読む」研究会で、先輩諸氏が数枚の写真から場所を割り出す事が出来たシャーロック・ホームズばりの推理眼は、このような宮本の薫陶を受けてきたからこそなのであろう。

（田口洋美）

宮本写真提供・周防大島文化交流センター

関東の平地林

―農の風景

文・写真・図 犬井 正

平地林内に絨毯を敷きつめたようにつもった落ち葉。
やがては掻き集められて堆肥に利用される

平地にある身近な林

珍しい平野の森林

わが国には欧米でみられるような広大な構造平野は存在しない。あるのは、いずれも河川によって作られた小さな沖積《ちゅうせき》平野だけである。国土のおよそ四分の三は山地が占め、平野はわずかに残り四分の一にすぎない。

その貴重な平野は古くから人間の居住地として開発が進められ、集落や耕地となってきた。さらにできうるかぎりの努力と犠牲を払って灌漑用水を引き、水田を開いて、稲作を行なってきた。日本の古代律令国家の美称として知られる「豊葦原瑞穂《とよあしはらみずほ》の国」という表現は、沖積平野にアシ原や水田が広がる国土の様子をよくいいあらわしている。

そのため森林は山地の土地利用となって、欧米なら農村にかぎらず都市の中でも見ることができる平野の森林、つまり平地林がわが国ではいたって少ない。

とくにこの傾向は開発の古い畿内《きない》の平野で強く、現在畿内の平野で見られる平地林は春日大社などの「鎮守の森」だけになってしまったといってもよいくらいである。

関東の身近な平地林、クヌギとコナラの林

ところが関東平野では、都市化が進んだ現在でもクヌギ・コナラ林やアカマツ林からなる平地林がまだかなり残っており、近郊の住宅地のなかでさえ珍しくない。

いや、一時代前の関東に育ち暮らした人にとっては、春の新緑、夏の緑陰、秋の紅葉、冬の落葉と四季折々に趣のある姿を見せるこの林は、生活や土地の記憶と分かちがたく結びついた、あまりにもあたりまえの風景であろう。私も子供の頃ランドセルを置くのももどかしく、木登りをしたり、友だちと樹上に小屋を掛けたりして得意になって遊んだ記憶を持っている。私にとってこの林は自然そのものであり、長いあいだその存在に疑問を持つこともなかった。

しかし関東の平地林はいま大きく変わっている。いつの間にか姿を消して家並みに変わり、残っているものも荒廃が目立つようになった。

そうなってやっと私はこの平地林が関東平野の土地利用の大きな特色のひとつになっていることに気づき、それがまさに関東平野の台地に生きる畑作農民の知恵の体系の表象であり、また人と樹木の共生へのひとつの提案であることを知った。

私は、今を逃すと誰にも全貌は分からなくなってしまうのではないかという不安を抱きつつ、変わりゆく平地林の姿を追って関東平野を歩いている。

記されざる林

平地林の全容をつかむことは思いの他むつかしい。

私が専門としている地理学の分野でも報告は少なく、後に述べるような理由で直接統計書を利用して量を知ることもできない。最近では国土数値情報や農林業センサス等の資料を組合せてコンピュータで残存量を求めることを試みているが、過去の様子や変化となると、年代の異なる地図や航空写真を手がかりに、膨大な塗りわけ作業をするほかないのである。

日本にはそもそも平地林を区別した基礎資料がない。全国の市町村の税務課や法務局にある土地台帳には、その土地が平地であっても森林に覆われていれば地目名はすべて「山林」と記されている。

唯一の例外は明治二〇年代の「府県統計書」で、そこには森林が山林と平地の森林、草山に分けて記載されており、その時代だけはかろうじて数量が分かる。しかしなぜか数年後には森林はすべて山林と記されるようになり、以後、現在の農林業センサスにいたるまで、わが国の全ての統計類から平地林という項目は消えてしまった。

この唯一の資料を知ったのもほとんど偶然のことであった。現在の統計書にはのっていなくても、もしかしたら古い統計書にはあるかもしれないという淡い期待から、総理府統計局の資料室の書庫のなかで、明治初年以来のおびただしい府県統計書を一冊ずつ読んでいたときである。半分あきらめながら明治二〇年代の茨城県統計書にたどりついたとき、「平地の森林」という文字が目に飛び込んできた。身震いするほどうれしかったのを今でも鮮明に覚えている。

残念ながらこの統計書の様式をさだめた法令をみても、何を山林とし、何を平地の森林と区別したかは分からなかったが、現在の四七都道府県のうち平地の森林の記載がないのは八県しかなく、関東分の合計は二五万ヘクタールにおよぶ。

「雑木林《ぞうきばやし》」

東京の人にとって「山林」よりももっとなじんだ言葉は「雑木林」である。武蔵野の平地林、とりわけクヌギ・コナラ林は雑木林として都市の住民に親しみ深い。

足田輝一は『雑木林の博物誌』のなかで、武蔵野の平地林の美しさを広く市民に知らしめたのは、明治二〇年代からツルゲーネフなどのロシア文学の影響をつよく受けた自然主義文学者の文芸作品であったという、国木田独歩の『武蔵野』や徳富蘆花《とくとみろか》の『自然と人生』は「落葉林」「雑木林」として平地林を生きいきと描写した。

それまでの日本では「美林」ということばに象徴されるように、用材生産を目的にして近世から山地で育林されてきたスギやヒノキが尊ばれていたが、この新しい美意識と東京の膨張によって市民が平地林と接触する機会も増え、身近な自然として愛好する人が多くなった。

「雑木林」という呼び方も、新しさと親しみを感じさせるものであったのであろう。以後雑木林ということばは、今日にいたるまで各方面であまり意識せずに使われている。

「ヤマ」

しかし雑木林というのは、所有者である農民たちの呼び名ではない。武蔵野をはじめ関東平野の農民はこの平地林を「ヤマ」と呼び、雑木林と呼ぶことはない。なぜならこの落葉広葉樹の林のなかのほとんどの木は、彼らが意識的に選抜し育てた樹木であって、けっして雑木ではないからである。

平地林をヤマと呼ぶのは関東平野にかぎらない。鹿児島県のシラス台地でも、北海道の石狩平野でも同じである。ヤマというのは地形を指すことばではなくて、森林を意味することばといえよう。

「お爺さんは山に柴《しば》刈りに、お婆さんは川に洗濯に……」子供の頃にだれでも一度は聞いた「桃太郎さん」の「山」も、もちろん山地ではなく森林を指している。「柴」は枝葉《しば》のことで、主として樹木の春に芽吹いた新梢葉をさし、もちろん芝生《しばふ》のことではない。「刈り敷き」とか「カッチキ」などといって、水田や畑に緑肥としてすき込んだり踏み込んだりするのに用いたものであった。

畑作が作った風景

照葉樹で覆われたはずの土地

さて、この関東平野の特徴的な風景をつくってきたクヌギやコナラなどの落葉広葉樹の雑木林やアカマツの林は、関西の鎮守の森と違って本来の自然植生ではない。

関東平野の自然植生の大部分は、現在、照葉樹《しょうようじゅ》ともいわれる常緑広葉樹のヤブツバキクラス域に属しているというのが生態学者たちの認識である。つまり人が影響を与えないままに放置しておけば、シラカシやスダジイなどの照葉樹を中心とした暗い森林が代表的な景色となるはずの土地である。

このことは土中に埋もれた花粉の分析などによっても裏付けられ、往古には河川敷や低湿地などを除くほとんどの土地がシラカシなどの常緑樹に覆われていたと考えられている。

一面の草原

それがどのような過程をへて現在の平地林が形成されてきたのであろうか。残念ながら自然科学的な方法によってその変遷の過程を描けるだけの研究はできていないが、古代・中世には水がかりのよいところにはいくつもの集落が形成され、その周辺は常畑《じょうはた》として拓かれていたことは分かっている。

そしてそれ以外の広大な台地面は焼畑や放牧地、入会《いりあい》秣場《まぐさば》、あるいは狩り場として利用されていたと考えられている。

武蔵野は月の入るべき嶺もなし
尾花が末にかかる白雲

（続古今和歌集・源通方）

この古歌は一三世紀の頃の武蔵野が一面のススキ（尾花）野原であったことを示している。焼畑耕作や採草などのために毎年野火が放たれ、シラカシの森林も多くは

クヌギとコナラ林になる前の関東の台地の景観

すでに灌木のまじったススキなどの草原に遷移していたのであろう。その詳細をいうことはまだ誰にもできないようだが、いずれにせよわれわれの知る平地林と畑の織りなす風景とはほど遠い。

畑作地域に固有の林

　ではこの草原からどのようにして、今ある平地林の風景が生まれることになったのであろうか。私は平地林の分布に目をとめ、古い陸地測量部の二万分の一の地図や現在の二万五千分の一の地形図から詳細な分布図をつくってみた。

　その作業をすすめてみると、水田稲作が卓越している荒川、多摩川、利根川などの河川の沖積低地にはほとんど平地林がないことに気づく。

　平地林の分布は相模原《さがみはら》、武蔵野、大宮、下総《しもうさ》、常陸《ひたち》、那須野原などの洪積台地や丘陵の畑作地域と見事に一致しているのである。

　水田となっている沖積低地の土壌は有機質が多く、地力が豊かである。そのうえ水田稲作は灌漑水からも肥料分の天然供給を受けられる。また稲藁という多量の副産物があるので、平地林に依存せずに地力を維持することができる。

　それに対して台地や丘陵は洪積層の礫や砂の上に火山灰土壌の関東ロームが厚く堆積して、水も乏しい。だから古い村は水の湧き出る段丘崖や扇状地の扇端部にあって、台地の上はそれらの村々の焼畑耕作地や入会秣場《いりあいまぐさば》として利用されるにとどまっていたわけである。

水のない痩せた土

いいかえると台地の上の耕地や集落はみな比較的新しいことになる。実際にその開発の歴史を調べてみると、本格的な開発は江戸時代の新田開発期以降のことで、那須野原などは明治になってからようやく開拓が始まっている。

新田の拓かれた土地は、大きな川がなく地下水位も低い土地であるから、新田といっても水田ではなく畑であった。

しかしけっして畑作に適した土ではない。表面の黒ボク土は関東ロームが母材であるが、酸性で、活性アルミニウムに富んでいるため燐酸《りんさん》分や腐植《ふしょく》が欠乏する。また細かく粒のそろった軽い土なので、冬には霜柱が立ち、雨が降ればぬかるみ、乾けば土ほこりとなって飛んでいく。容易には手に負えない土なのである。

長く秣場や焼畑の形でしか利用できなかったのは、むしろ当然のことであったといえよう。

この土壌で常畑によって再生産を維持するには、多量の有機質を入れつづけることが不可欠となる。『西那須野町史』には、開墾した畑の地力を落ち葉を投入して高めなければどんな作物も収穫はできなかったと記している。

新田が拓かれていったのは、平地林を育て、その落ち葉で堆肥や厩肥をつくることなしには農業を営むことのできない土地であり、その技術と努力が可能にした開発なのであった。

まず林を育てる

こうして江戸時代になって新田開発が進むにつれて、台地の上からは草原や藪の生い茂る風景が次第に姿を消し、しっかりしたアカマツやクヌギ・コナラなどの二次林と畑が覆うようになっていったと考えられる。

古くからの村の場合は、ヤマは入会の形で利用していたが、新田村落の農民は、堆肥をつくる落ち葉や燃料の薪を得るために各戸で平地林を育成した。境には簡単に移動ができないように根の張りが強く、誤って伐り倒しても後でわかるように萌芽《ほうが》力の強いカマツカ(ウシコロシ)を植えた。

おそらく、クヌギ・コナラ林への自然の遷移を待ち、有用樹種を選抜して残すだけでなく、播種《はしゅ》をし、苗木を植えて、積極的に平地林を育成したものであろう。そして絶えず手を加え、利用することで使いやすい林として維持してきた。現在残る平地林が、クヌギ・コナラやアカマツなどの陽樹で構成されているのも、こうした歴史的過程の反映であるはずだ。

残念ながらそうした詳細を知る記録をまだ見つけだすことはできないが、遅れて明治時代になってから「大農場方式」で開拓が始められた那須野原では、その辺の事情が資料的に明らかになっている。

『西那須野町史』によれば、開墾前の那須野原はそれまでの火入れ慣行によって灌木が散在するに過ぎない草原で、地力がきわめて低い土地であった。そのためどの農場もまず平地林を育成することに全力を注いだ。先に書いたように平地林が生産する落ち葉なしにはどんな作物も収穫できなかったからである。

たとえば最大規模の農場の那須開墾社では、開拓を始めた明治一四年から明治二六年までの一二年間に松苗木二七万六千本、クヌギ種子一二三石五斗八升（約七五四リットル）を播きつけ、いまも残る西那須野町千本松地区の広大な平地林を育成したという。

武蔵野の新田村落において平地林が短冊型地割りのなかに屋敷地や畑地と一緒に配列されていたのも、武蔵野の農家にとって農用林野が不可欠のものであったからにほかならない。

農用林野

農家がヤマを必要としたのは、もちろん落ち葉のためだけではない。平地林からは燃料になる薪やそだ（粗朶）、屋根葺《ふ》き材料のカヤ（ススキなど）が入手できたし、食料のきのこや野草なども採れた。ヤマはまた強烈な颪《おろし》として有名な関東平野の冬のからっ風から畑地の土や屋敷を守り、台地や丘陵に降った雨を直ちに流し去らないようにする保水機能も有していた。

　つまり、平地林は農業の再生産や、農家の生活を維持するための林野で、建築用材の生産を目的とする育林地帯のスギやヒノキの山林とは樹種も役割も異なっているのである。このような林は一般に

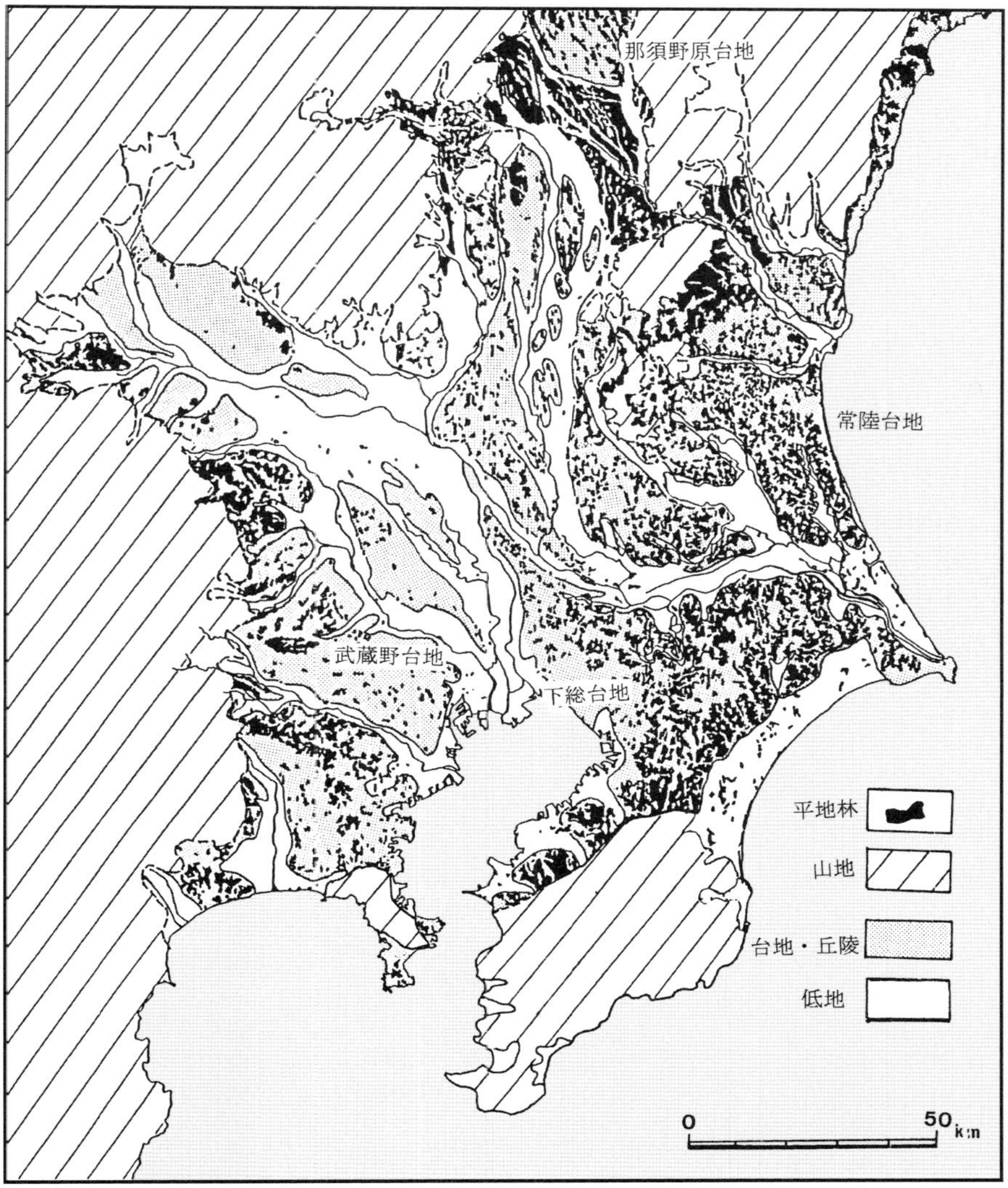

●関東の平地林の分布　関東ロームが厚く堆積している台地での畑作には、多量の有機質肥料が不可欠である。農民は長い間、平地林を育成し落ち葉を採取して堆肥を作ってきた。河川流域の沖積低地の水田地帯では稲藁が、九十九里の海岸平野では海藻や干鰯などの有機質が入手できるため、平地林は少ない（1982年）

屋敷の前に畑をつくり、背後に落ち葉採取用の平地林を育ててきた台地の畑作農村の景観

地力が低い台地の土地では、落ち葉でつくった堆肥や、木灰、小糠を撒布しないと作物が良く育たない。畑作農家は土づくりを常に心がけている

近郊農村の畑では、ほうれん草、大根、人参などの蔬菜は有機質を常に補給しないと連作障害が発生する。台地に生きる畑作農民にとって、堆肥材料の落ち葉を集める平地林と畑とは一体化した生産の場である

農用林野と呼ばれている。

もっとも関東平野の中にも、千葉県の山武郡《さんぶ》を中心とした山武林業地のように、スギの育林業が江戸時代の一八世紀中頃から現在まで続いている地域もある。また、今では「杉並区」の地名に名残を感じることしかできないが、江戸時代には、現在の東京都杉並区や世田谷区にかけて杉丸太の生産を目的とした四谷《よつや》林業が成立していた。

しかし、これらは局部的で特殊な育林業の事例で、関東平野の平地林は大部分がクヌギ・コナラ林やアカマツ林を主体とした農用林野なのである。

だから第二次世界大戦前までの関東平野の台地や丘陵上の畑作地域では、分家を出す場合や小作地には、畑地と平地林を必ずセットにして分けていた。戦後の農地改革の時にも、地主から畑地とともに平地林の解放も勝ち取ったところが少なくない。

こうした事実を見ても、この地域の農民にとって平地林がいかに重要な生産手段であったかを理解することができる。

林と人と農のサイクル

芽吹きの頃

関東の畑作地帯の農民と平地林とのつきあいは長い。武蔵野の農民は子供の頃からヤマとともに育ち、ヤマからの恵みを受け、さまざまな生活の知恵を育《はぐく》まれてきた。ここでは武蔵野の農民の生活とヤマのサイクルを見ていきたい。


ヤマのなかを木枯らしがゴーゴーと音をたてて吹き抜けるあいだも、木々は冬芽を膨らませて、春がくるのを待っている。

春、ヤマで最初に芽が出る樹木はヤマハンノキとソロの異名を持つアカシデ、イヌシデなどのシデ類である。それと同時に下草も生え、褐色が支配していたヤマも次第に緑を増してくる。

それが三月の初旬頃で、農民はヤマの芽吹きを目印にして農作業を始めた。落ち葉を踏み込んで甘藷（さつまいも）の苗床を作ったり、馬鈴薯（じゃがいも）を植えつける農作業などをいよいよ始めなければならない時である。

新緑とコブシの花の頃

四月下旬から五月上旬にかけては新緑と開花の季節だ。コブシの白いあでやかな花とは対照的に、クヌギやコナラも目立たぬ花を咲かせる。

コブシの白い花が咲くと、里芋の植えつけの時期になる。

同時に農民はヤマのコブシの花の咲き方や屋敷林のケヤキの芽吹きの状態を観察して、一番警戒する晩霜の有無を判断していた。晩霜があると、桑や農作物の葉が損傷して大きな被害を受けてしまう。コブシの花が木の高い枝も、低い枝も一斉に開花すれば晩霜の心配がない年だ。先に低い枝の花だけ開花してしまう年には「今年は遅れ霜があるぞ」と警戒した。

林床の下草の中にはすみれの紫色の可憐な花や紅色のボケが咲いている。いまではめったに見つけることができなくなってしまったが、清楚なピンク色の花をつけるカタクリも群落をなして咲いていた。

戦前まではわらびやタラノキの芽もずいぶん採れた。タラの芽はおひたしや精進揚げに、わらびはあくを抜いてからおひたしや、里芋との煮つけにしたりして、この時期の食卓を賑わせた。

ヤマで一番遅く芽吹くのがネムノキ（合歓木）で、ネムノキが芽吹けば「八十八夜の別れ霜」の心配ももうなくなる。

エゴと山栗の花

五月上旬ごろになると、ヤマのエゴノキや畑の境界木のウツギ（卯木）が純白の美しい花を咲かせる。エゴの花は一週間ほどで終わってしまうが、「エゴが咲いたらさつま床の苗を切る」といい、いよいよ甘藷の苗挿しの時期到来である。

エゴノキのすぐ後には山栗と桐の花が咲く。農民はこれを茶摘み時の目安にしていた。茶の木はウツギと同様に畑の境と防風をかねて畦《あぜ》に植えてあるが、自家用のお茶はこの畦畔《けいはん》茶で充分間に合った。梅雨に備えての畑の作物の消毒もそろそろ始める時である。芽吹きとともに開花も一番遅いのがネムノキである。あの何ともいえない怪しげで美しいネムの花が咲けば、もう梅雨も終わりに近い。

ヤマの夏

七—八月になるとヤマの木々は夕立の雨も抜けないほどに葉を密に茂らす。その中は別世界のように涼しく、焼けつくような炎天下の畑作業のときの休みの合言葉は「ヤマへ入るべー」であった。

七月の下旬頃には木々の根元にベニタケ科のチチタケや、キシメジ科のカヤタケが顔を見せる。子供たちはヤマ遊びをしていてチチタケを見つけると生のまま食べた。すると白い乳のような汁のほろ苦さが口の中いっぱいに広がった。

チチタケやカヤタケは茄子《なす》と一緒に醤油で味付けをして、昼食のそうめんの「かて（付け合わせ）」として食卓にものぼった。きのこは茄子を一緒に用いると「きの

クヌギの雌花の穂

ホップに似たクマシデ

明るさに満ちた春の林内の木々

褐色で寒々とした林内も3月の末になると、日一日と緑の世界へと変化していく。木々の梢や林床の下生えも、柔らかい若葉を芽吹かせ、林の中は静かな生命力に包まれる。この美しい林は、農民が日々の暮らしや農耕のために作り上げてきた自然の芸術品であり、生きた文化財である

こあたり（中毒）しない」と信じられていた。

夏の午後にはヤマではいろいろな蝉が暑さを増すように鳴く。それまで夕方に鳴いていたひぐらしが朝早く鳴くようになるともう一年の折返し点が近くなる。その頃から日が日一日と短くなって、夜、ヤマから聞こえて来る虫の音もだんだん大きくなってくる。

エゴの実

八月下旬にはエゴノキに小さな鈴のような実がなる。エゴの実を集めて果皮を割り、水の中に入れてかき回すとたちまち白く泡立つ。だから子供たちはエゴの木を「しゃぼんの木」とか「あぶくの木」と呼んでいた。

男の子はこの白い泡立った水を小川に流して魚を取った。果皮に有毒なサポニンを含み、えぐみがあるためエゴノキという名になったという。

サポニンは界面活性剤の働きをするのでよく泡が立つ。実際石鹸が手に入らなかった頃は洗濯にエゴの実を使ったという。

このようにサポニンを多く含む実をつける木は、他にも東北地方のサイカチや、九州や沖縄のムクロジがあり、いずれもかつて石鹸の代用として使われたことで知られている。

女の子は熟したエゴの実の果皮がはじけて林床に落ちた茶色の硬い種子を拾い集めて、お手玉の中にいれて遊んだ。カチャカチャと、とても心地のよい音がする。

秋の実り

夏のきのこが終わってから林床に目をやると、センブリが白い小さな花を咲かせているのに気づく。採取して持ちかえり、軒下に吊るして乾燥させてから保存しておいた。煎じて飲むと大変苦いが、胃病にはよく効く薬である。

コナラやクヌギもどんぐりの実をたくさんつける。コナラはスマートな砲弾型で、クヌギは丸くずんぐりしている。コナラは春に花が咲いてその年の秋には実をつけるが、クヌギは年の内には実らず、翌年の秋になってからようやくどんぐりをつける。

九月下旬には山栗のいがが落ちて、栗が採れる。山栗の実は小さいが、焼いてもゆでても甘くて、とてもおいしい。

それからハツタケやシメジなどの秋のきのこのシーズンになる。「きのこが出たらさつま掘り」だ。忙しい甘藷の収穫期が始まる。とくに霜で山の木々が紅葉しはじめてくると甘藷や里芋の掘りあげも終盤戦で、どの家も猫の手を借りたいほど忙しい。

芋《いも》（薯、藷）は一霜でもかかると日もちがしない。だから霜に当たらないうちに急いで掘りあげて、庭や屋敷畑に掘った地下の室《むろ》に貯蔵しなければならない。また、昔は裏作に麦をつくっていたから、甘藷を掘りあげたあとにはすぐに麦を播く。遅れると麦が「たっぺ」（霜柱）による凍上の被害を受けるので、さつま掘りは遅くとも十月いっぱいで終了させねばならなかった。

蜂の子とり

十月はまた蜂の子とりの季節である。那須野原の平地林では蜂の子とりが盛んに行われていた。クロスズメバチなどの蜂の子とりは、一度やると楽しくてとりこになるものが多いという。

十月になると花火や鎌、弁当などを入れた蜂とり篭を背負って、早朝ヤマに入る。朝の冷気を破って蜂が盛んに飛びかっているのに出会ったら、その近くの地面を注意深く見ると、蜂の巣の出入口を必ず見つけることができる。

蜂に刺されないように手拭いで頬かぶりしてから、花火に点火して巣の出入口に突っ込む。花火の煙で蜂の動きが鈍くなったところで、鎌を使って手早く巣を掘り出し、親蜂を払い落として篭に入れて持ち帰る。一つの巣からおよそ二キログラム弱もの蜂の子がとれるという。

大正末期にはついに特産品として蜂の子の甘露煮をつくる会社が西那須野町にできて、以後蜂の子とりは農民の現金収入源となった。いまでも長野・岐阜両県とともに、那須野原を中心とした栃木県は蜂の子の三大特産地として知られている。

ヤマ仕事の季節

十二月中旬頃「大根引き（収穫）」が終って一息つく。すると「明日からヤマにはいんべえや」という一家の主人のかけ声で「カヤ刈り」や、「落ち葉掃き」、「薪採り」などのヤマ仕事が始まる。北関東では「ヤマ掃除」といっているが、呼び名が違っても関東平野の台地の畑作農民にとって、冬のもっとも重要な仕事のひとつであった。

ヤマ仕事は月遅れの正月（二月一日）の前まで毎日続いた。多くの農家がヤマ仕事に精を出していた昭和三〇年代までの武蔵野の農村では、このために正月は旧で迎えていたのである。

このように、昔は人と農と平地林が一体化したサイクルで動いていたのである。つぎにヤマ仕事をとおして、平地林の役割をもう少し具体的にみていこう。

林の利用と山仕事

カヤ刈り

ヤマ仕事は関東平野の台地の畑作農民にとって、冬の最も重要な仕事の一つであった。

ヤマ仕事は、最初にカヤ刈りから始めた。カヤはススキやチガヤ等の総称で、屋根葺きの大切な材料である。入会山があるような古い村なら専用のカヤ場があったし、新田の各家のヤマでもカヤの生える場所を大事に管理していた。

カヤ刈りは早朝の仕事である。まだ露や霜で湿っているときにまるけ（束ね）ないとバラバラになって後で使いものにならなくなる。そして他の下草と混ざらないように、先に刈りとって家の中に運んでおいた。

屋根葺材料としては小麦稈《こむぎから》や稲藁《いなわら》も使ったが、小麦稈は五、六年、稲藁は二、三年しかもたないのに対し、カヤで葺くと南面では三〇年、北面でも二〇年はもつ。一軒の家の屋根全体を葺くカヤの量は膨大なものであるが、このように南面と北面、また部位によっていたみかたが違うので、実際には毎年のカヤを蓄えておいて、何年かおきに少しずつ葺きかえていくことになった。

それ以外にもカヤは稲藁をもたない武蔵野台地の畑作農家にはなじみの深い素材であっただろう。民芸品の逸品として知られる雑司《ぞうし》ヶ谷《や》鬼子母神《きしもじん》のススキミミズクなどはいかにも武蔵野の農民の生みだしたものだ。三富《さんとめ》史蹟保存会の編纂した『三富開拓誌』（昭和四年刊行）に「武蔵野の茅湯《かやゆ》」という話が出てくる。詳しいことはわからないが、一七世紀末の新田開発当初には水が乏しくて農民は入浴などできず、刈り取ったカヤを日陰で干して、これで体を拭って入浴に代えていたという。

武蔵野では第二次世界大戦中にカヤを馬糧《ばかて》として軍に供出した。この時あまりにせっせと刈ったので、その後カヤの出が悪くなって困ったと古老はいう。しかしそれも昭和三〇年代までで、昭和四〇年代になると農家の新築や改築ブームとなり、屋根もトタンやスレート葺きに変わってカヤを刈る農家も見られなくなった。

枯れ枝

カヤ刈りが終わると、落ち葉を掻き集めやすいように林の掃除と手入れをする。まず枯れ枝を落とし、立ち枯れた木を倒す。

自分のヤマをもたない農家も他人のヤマに入って枯れ枝を取った。「カリッコカキ」といって、長い竹の棒に草刈り鎌を縛りつけた道具で落として歩いた。枯れ枝に限っては他人のヤマから採取することが黙認されていたのである。ヤマ持ちの農家が自分の家でくず掃きを始めようとするときには、枯れ枝はすっかり下ろされていて、すでにきれいになくなっていたという。

間伐とバヤ刈り

樹木の密なところは木の生長をうながすために間伐をする。間伐はなるべく「かた木」と呼ばれるコナラ・クヌギを残すようにして、「雑《ぞう》」と呼ばれるハンノキ、ネムノキ、エゴノキなどを伐る。くどいようだが、農民が雑木とみなしているのは売り物の薪として価値の低い樹木だけである。

それから下刈りにかかる。刃の厚い丈夫な「なた鎌」で林床の低木類や、草本類を刈り払う。いまなら発動機付きのブッシュクリーナーを使うのであっという間に終わってしまうが、手作業の頃は腰の痛む重労働であった。

武蔵野では林床の低木類やカヤ以外の草本類を「バヤ」とか「ボサ」とか呼び、下刈作業を「バヤ刈り」、「ボサ刈り」と呼んでいる。間伐した木や刈り取られたバヤは、束ねて家で焚くために持って帰った。自家用の燃料はこうしたバヤ類だけでなく、「物殻《ものがら》」といって麦稈、小豆殻、雑穀殻とか、蚕に葉を食べさせた後の桑の枝など、燃せるものなら何でも焚いていたのである。

落ち葉の採取

この作業が終わると、いよいよ落ち葉採取である。熊手で落ち葉をかき集め、武蔵野台地では「八本ばさみ」と呼ぶ大きな竹籠《たけかご》につめて持って帰った。那須野原では竹籠のかわりに細い縄で編んで作った「木の葉網」を使った。網を広げてその上に落ち葉をのせ、海苔巻のように円筒状にくるんで結束した。

木の葉網の大きさは一・二×一・八メートル（四尺×六尺）で、長辺の両側に竹の棒がついていて、その竹の棒をもって結束する。一荷《いっか》として束ねられる量は、八本ばさみも木の葉網もほぼ同じで、五〇〜六〇キログラムである。

　落ち葉の採取作業は場所によっていろいろな呼び方がある。武蔵野では「クズ掃き」とか「ヤマ掃き」といい、那須野原では「木の葉さらい」、常陸台地では「ガシャッ葉さらい」などと呼んでいる。

　いずれにせよ関東ではこの時期が乾燥期であることが幸いしている。雪は落ち葉採取の大敵で、雪に埋もれてしまわないまでも、雪にあえば落ち葉は湿ってぐずぐずになり、作業がとてもやりにくくなる。関東でも旧正月以降は雪の降ることが多くなるので、落ち葉掻きは何としてもそれまでに終えなければならなかった。

農民はクヌギやコナラを定期的に伐採し、萌芽更新させて林を再生させてきた

　詳しい話は次章にゆずるが、平地林からは平均すると一〇アール（一反）当り四五〇キロ（一二〇貫）の落ち葉を採取することができ、採取した落ち葉の大部分は、堆厩肥《たいきゅうひ》の材料や苗床の醸熱材に用いられた。

萌芽更新による再生

　落ち葉の採取が終わると、伐期にはいった林を伐る。クヌギやコナラは二五年以上も経つと虫にやられて木がブクブクになり、やがては立ち枯れてしまうものが多くなる。したがって農民は定期的に林を伐って更新させた。

　木を伐ると切り株から新しい芽（萌芽、または孫生《ひこば》えという）をだしてそのまま生長していく樹種がある。新しく植林する必要がないうえに、もとの木の根は大きく張ったままなので、この芽は育つのが大変早い。これを利用した林の再生は萌芽更新と呼ばれ、萌芽を出さないアカマツではできないが、萌芽を出す力のつよいクヌギやコナラは簡単に林の更新ができた。

　伐る時期は林地の地形や土壌などによって異なるが、一五〜二〇年周期が一般的であった。繰り返しているうちに次第に萌芽が出にくくなるから、一方で新しい実生《みしょう》の若木を育てていくことは必要であるが、萌芽だけで四、五代は更新させることができた。

　中には土壌の条件がよくて、わずか七年ぐらいで伐れ

武蔵野三富新田（埼玉県）にのこる平地林。街道に面して屋敷と屋敷林、その背後に畑、末端が雑木林。短冊状の土地割の中につらなっている　撮影・香月洋一郎

るほど生長の早いヤマもあり、このような林は七五三の帯解《おびと》きの祝いになぞらえて「帯解きヤマ」と呼ばれて喜ばれた。

ただ、萌芽更新をさせるためには木を伐る時期が大切になる。伐ってよい時期は樹木の生長休止期に当たる十一月から翌年の二月下旬頃までで、三月に入ってしまうと樹木の萌芽力が低下する。だから伐採は必ずそれまでに終えなければならない。

萌芽更新によって再生した林はちょっと見ただけでそれと分かる。根元からまっすぐ一本の幹で立っているものはなく、根元で数本がくっつき、ときにはそれが輪生して株立ちしている。

また、木の太さも高さもそろっていた。定期的に伐っていた頃の平地林なら、樹高もせいぜい一〇メートルぐらいのものであった。それが昭和四〇年代にはいって「燃料革命」が進行し、農村にまでプロパンガスや石油などが普及してくると、萌芽更新のために平地林を伐る人もまれになり、樹高が以前と比べてずいぶん高くなった。

人間の社会だけでなく、平地林にも高齢化の波が押し寄せているのである。

かた木の薪

平地林を所有する農家は、この萌芽更新の時に自家用の薪を作った。かた（堅）木のクヌギやコナラは割裂性が高く、輪切りにしてなたをふるうと気持ちよい音を立てて割れる。

しかしこれは何年かに一度しか伐れないので、かた木の太い薪はやたらに燃すことはできなかった。お正月とか冠婚葬祭などの「人寄せ」の時のために大事に使い、次に伐り出せる時まで持ちつなげるように、軒下に積んで乾燥させておいた。

茨城県林業経営指導所が行った昭和三三年の調査によると、常陸台地の農家が一年に使う薪の量は一七八束（一束一〇キログラム）で、そだが五五段（一段六〇キログラム）であったという。

広いヤマを持っている農家なら、自家用の薪を作るだけでなく、「山師」と呼ばれた薪炭《しんたん》商に木を売った。山師はヤマの木の生え方を見て、「このヤマは木足が遠いから坪二杷半か三杷だな」などと坪当たりの薪の量を見積もり、面積と樹種に合わせて値段をつける。農家は立木のままで売ってしまうので、手間がかからずにかなりの現金収入になった。

火持ちのよい「かた木」が多いヤマは高く売れた。そのために農民はどんぐりから発芽したコナラやクヌギの幼樹（実生）を見つけると、わざわざ掘りとって植えなおし、次第に「楢《なら》山」や「椚《くぬぎ》山」と呼ばれる純林に仕立てていったのである。

切替畑

そういう萌芽更新による持続的な利用の他に、地域によっては焼畑の伝統をついだ平地林更新のやり方もあった。常陸台地で第二次世界大戦前まで行われていた「切替畑《きりかえばた》」がそれで、平地林を開墾して畑地を作り、そこで数年間陸稲《おかぼ》や豆類などを輪作した後に、地力が低下するとふたたびアカマツを植えて林にした。二〇年ぐらいで伐採して薪炭材として売り、また畑に切り替える。

農家に若い労働力が多い時には畑とし、少なくなればアカマツ林にしておくといったように、労働力にあわせて経営面積を調節することもできたのである。

たて松と二段林

アカマツは武蔵野にもけっこう多い。農家が納屋を建てたり、ちょっとした改築などをするときには自分の家のヤマからアカマツを伐り出して用材にしたからである。

そういう用途に備えて、萌芽更新のためにヤマを伐る時、まっすぐ伸びた姿のよいアカマツは伐らずに残しておく。これを「たて松」と呼び、平地林一〇アール当り一〇～一五本の割合で残しておいた。

常陸台地や下総台地では一五～二〇年生のアカマツの平地林の中に、スギ・ヒノキを樹下植栽して育林する二段林という施業方法があった。関東ロームに覆われて水が乏しく、地下水の低い台地上は、元来スギやヒノキの生育には必ずしも適していないので、アカマツを保護樹としてスギ・ヒノキを仕立てたわけである。農民の知恵であった。

そして何代もの時間をかけて育てた。冠婚葬祭など不意に多額の出費が必要なときにこれを伐りだして売った。大径木でも、平地であるため「だし（伐採・搬出費）」がかからず、大きな現金収入になったという。

山繭

落ち葉でなく茂っている青葉も巧みに利用された。いまではもう見ることはできないが、下総台地や常陸台地の平地林では第二次世界大戦前まで天蚕《てんさん》や柞蚕《さくさん》の飼育が行われていた。

天蚕は日本原産、柞蚕は中国原産の野生の蚕である。天蚕はライトグリーンの、柞蚕はセピア色の美しい繭を作る。屋内で桑の葉を食べさせて飼う家蚕《かさん》とは違い、野外のクヌギやコナラの立木で飼うもので、「野蚕《のっこ》」とか「山蚕《やまこ》」などと呼ばれていた。

五月中旬に山付けといって、蚕種のついた紙を平地林のクヌギやコナラの木に結びつける。やがて孵化《ふか》した稚蚕《ちさん》は木の葉を食べて成長し、七月下旬から八月上旬には葉の間に繭をつくる。子供たちも総動員で木に登って繭かき（収繭）をした。

山繭の値段は、家蚕にくらべてずっと高い。

しかし戸外で飼育するために鳥や蛇・蟻などの天敵が多く、また雨の多い年にはとくに病気にかかりやすくて、収量が少なく不安定であった。そのため「山繭と味噌汁は当たったためしがない」といわれて、広く普及はしなかった。

野蚕から採れる糸は、普通の家蚕の生糸と違って染料に染まらない。そのため普通の生糸と交織してから後染めすると、その部分だけ白く浮きでた織布が織れる。茨城県の結城《ゆうき》地方ではかつて周辺の平地林から野蚕を集めて、独特の味わいのある結城紬の反物を織っていた。

天蚕の方が柞蚕より不染性が一段と強く、光沢が良くてよく伸びる。したがって天蚕糸は「繊維のダイヤ」とまでいわれ、現在では家蚕糸の一五～二五倍の高値で取り引きされている。

台地の畑作農村の冬の風物詩—落ち葉掻き

安定した収穫の難しい野蚕の飼育はいまではわずかに長野県安曇野《あずみの》の有明《ありあけ》地区で小規模に続けられているだけとなった。しかし有明天作蚕試験地を訪ね、改良された現在の飼育法を見ていると、この飼育の復活が未利用のまま放置されている関東の「平地林起こし」にもつながるのではないかという気がした。

落ち葉という循環

有機質肥料を求める土と作物

こうした平地林の恵みのなかでいまも重要な意味を持ちつづけているのは落ち葉である。平地林と関東の台地上の畑作との切り放せない関係を、落ち葉の利用を通してもう少し見ておこう。

第二次世界大戦後までの関東平野の台地・丘陵上の畑作農村では一般的に麦類、雑穀、陸稲、甘藷等の芋類、豆類などの栽培を中心として畑作をいとなんできた。北関東ではさらに、たばこ、かんぴょう、大麻などの工芸作物の栽培が加わる。

堆厩肥《たいきゅうひ》はこの腐植が少なく酸性で地力が低い土地にはぴったりの肥料である。そしていまのべた作物はいずれも堆肥・厩肥の施用効果の極めて高い作物であった。

堆厩肥はそれ自体すでに適当な割合の肥料成分や微量要素を含んでいる。同時に有機物の分解を担うバクテリアなどもたくさん含んでいるので、肥料分を持続的に供給する効果があった。

さらに堆厩肥をやることは腐植を供給することであるから、根の活動に不可欠な土壌の通気性を良くし、保水力を高め、土中の乾燥・過湿を緩和して土壌の団粒構造を発達させる。ひいては冬季の「空っ風」による風食害も少なくなるのである。

堆肥

武蔵野の農民は堆肥のことを「ツクテ」と呼ぶ。平地林から採取してきた落ち葉は「ツクテッパ」と呼ばれる堆肥置き場に野積みにされる。それから四月までの毎朝、溜めておいた風呂や台所の流し水をかけて腐熟させた。これを「ドブカケ」という。途中「ツクテトッケエシ」といって切り返しを数回行って完熟させる。

堆肥はクヌギ、コナラ等の広葉樹の落ち葉だけで作ったものよりは、アカマツの落ち葉が適度に混じった方がよいという。アカマツの葉はリグニンの含有量が多く、樹脂も多いので広葉樹の落ち葉より分解の速度が遅い。したがってアカマツの落ち葉を適度に混ぜると堆肥の熟成の度合をほどよく調節できるのだという。

完熟した堆肥は「ツクテ切り」と呼ぶなぎなた状の農具で切り崩し、作物に応じ木灰や小糠を「スクイ板」で混ぜ合わせてから畑に撒いた。甘藷用の堆肥は特に「さつま肥《ごい》」といって、地中の芋に酸素を多く供給できるように粒子の荒い堆肥や松葉を多く含んだものを使った。

堆肥を撒くときも、さつま肥は苗を挿すところにだけ堆肥を埋め、全面に撒くことはしない。麦播きのときも同様である。

敷料と厩肥

落ち葉は豚、馬、牛などの家畜の敷料にも用いられ

生ごみや落ち葉などを材料にした堆肥づくり

た。畑作地帯での敷料には、家畜の清潔さを保ちやすいことから通常麦稈が用いられたが、落ち葉が豊富な冬や春には代わりに落ち葉が使われた。第二次世界大戦前まで馬産地として知られていた那須野原では採取してきた落ち葉を「木の葉小屋」と呼ぶ納屋に一旦入れておき、必要に応じて取りだして馬小屋に敷きこんでいた。一〇日ほど敷かせたら取りだして厩肥とする。

子馬の肥育は農家の現金収入源としてももちろん大切であったが、この厩肥もまた大きな目的であった。とくに那須野原のように冷涼な土地では馬の厩肥が適している。馬の厩肥は牛のものに比べて醗酵温度が高いので、肥効が高まるうえに低い地温を温めるのにも役立っていた。

落ち葉の庭

落ち葉の一部はまた違った経路で堆肥になる。

関東の農家はどこの家もケヤキや杉などの屋敷林と生け垣に囲まれて建っている。この生け垣にある屋敷地への出入口を武蔵野では「じょう口」といって、そこから入った庭が農産物の脱穀、穀物の干し場などの農作業の広場として使われていた。

冬の霜柱が立つ時期になると、この庭も昼間は霜柱が溶けてぐちゃぐちゃにぬかるんでしまう。ここに落ち葉を敷き詰めておくと、霜柱が立たないだけでなく、落ち葉の上を歩くとガサッゴソッと音がして、夜間の防犯上も都合が良かったという。

庭に敷き詰められた落ち葉も春の彼岸ごろには再び掻き集め、堆肥置き場に積み込まれて堆肥となった。

種芋の床伏せ。お彼岸の前に始める

落ち葉の消費量

さて、このようにして堆肥や厩肥の形で消費される落ち葉の量はどのくらいあったのだろう。

高度経済成長期前まで、つまり化学肥料の使用が普及するまでは、一〇アールの陸稲《おかぼ》、小麦、大麦、芋類などを作付けるのに一トン前後（二〇〇～三〇〇貫）の堆肥・厩肥が必要であった。

平地林一〇アール当り平均四五〇キロの落ち葉が採取できるから、一〇アールの作付けにはその倍前後、つまり二〇アール余りの広さの平地林が必要になる。

たばこ栽培には一〇アール当り一・五トン（四〇〇貫）前後の優良堆厩肥を必要としたので、麦類等に比べるとさらに広い三〇アール強の平地林がいることになる。

それに加えてたばこや甘藷の苗の温床用にも多量の落ち葉が醸熱材として必要であった。たばこは「苗七分作」、甘藷は「苗半作」などといわれ、苗床で健苗をいかに作るかが収量の多少を左右する。苗づくりは職人芸的な勘と技術と手間を必要とする作業だが、落ち葉を醸熱材として踏みこむと最も良い苗を育成することができた。一〇アール分の苗について通常約一トン必要である。ただしこれは堆肥として再利用される。

結局、畑地は平地林とセットになってはじめて農地として機能したのである。そして一〇アールの作付けに必要な落ち葉を採取するためには、少なくとも二〇～三〇アール、畑の面積の二、三倍の平地林が必要であったことになる。

しかし現実には畑を拓く必要にせまられて、そこまでの平地林を残しているところは少ない。大抵のところでは畑よりも平地林の方が狭くなっており、そのことがそこで作れる作物を左右することにもなっていった。

ヤマを借りる

したがって関東平野の台地上の畑作農民にとってヤマは畑の一部である。やむなくヤマを持たずに分家した農民も、何とか最低限の落ち葉を確保するために、親戚や知人を頼ってヤマを借りた。ヤマの借料は現金によることは少なく、ヤマの管理をしたり農繁期に手伝いにいくといったいわば労働地代による支払いの方が多かった。

だから関東の台地では第二次世界大戦後の農地改革の際にも、地主から畑地だけでなく平地林も一緒に解放させた地域が多かったし、那須野原ではヤマを持たない農民が「生草・落葉利用組合」を結成して地主と交渉し、従来通り落ち葉採取が継続できるようにしている。

マツゴクと灰

落ち葉は、またかまどや囲炉裏《いろり》の燃料にもなった。とくにアカマツの松葉である。武蔵野ではこれを「マツゴク」と呼び、屋内の土間の籠に入れておいた。必要に応じてそこから出してくべるのであるが、「マツゴクは女衆泣かせだ」といわれたように、ほとんどつきっきりで継ぎ足さないとすぐに火が消えてしまった。

そしてたくさんの灰がたまった。

灰には有機質や窒素分こそ無くなっているけれども、カリウムやリンなどの無機質養分は濃縮されてたっぷり含んでいる。だから松葉にかぎらず、囲炉裏やかまどでできる木灰《きばい》は蓄えておいて堆肥と一緒に畑地に撒布された。暖をとるとともに、炊事や家族団らんの場としていつも農家の中心的な存在であった囲炉裏も、実はこうした無機肥料の生産の場であった。

平地林が生産した有機物のほとんどは結局畑の土に入るという仕組みができていたのである。また、灰は肥料にするだけでなく、ワラビなどを食べるときのあく抜きにも欠かせないものであった。

岐路に立つ平地林

切れた関係

関東平野におけるこうした平地林と農民との密接な関係は、昭和三〇年代の半ばからの高度経済成長期になると次第に切り離されていった。東京を中心として神奈川、埼玉、千葉などの都市近郊に人口が集中し、都市化が急速に拡大していったからである。

最初に切れた関係は、ヤマからの生活資材採取の面である。昭和四〇年代に全国的に燃料革命が進み、農村にもプロパンガスや石油が普及して、ヤマから薪炭材を取ることはほとんどなくなった。カヤで葺く屋根はなくなり、薬草のセンブリ、食料のきのこなどの採取もほとんど行われなくなってしまった。

また、都市近郊化が進むにつれて営農形態が変化する一方、化学肥料をはじめとした購入肥料が普及して、とくに兼業化が進んだ地域では手間のかかる落ち葉の採取をしなくなった。

土石置き場へ転用された近郊の平地林

陸田造成時に掘り上げた礫

消滅

こうしてヤマが必要不可欠な存在ではなくなると、農家は屋敷の新築や改築などの大きな出費をきっかけとして次第にヤマを手放していく。平地林は畑地に先駆けて住宅地や工場用地などに急激に転換されていった。

実はその転換は武蔵野ではすでに第二次世界大戦の時に始まっていた。平地林が軍需産業の工場や軍事施設の用地などに接収されていったのである。

そして戦後は二十三区に近い郊外の住宅地化が急速に進み、狭山丘陵の南部の地域の平地林はずいぶん減った。とくに昭和四五年の「新都市計画法」によって市街化区域とされた地域では、地価が高騰して宅地化が進み、今や公園や社寺林以外の平地林はまったく見ることができないまでになっている。

野に帰る林

これに対してこのとき市街化調整区域に指定された近郊の畑作地帯には、いまも意外と多くの平地林が残っている。

とはいえ、そのほとんどはかつての美しい平地林とはまったく様相を異にしている。利用もされず、他の用途に転用されることもないままに荒廃している姿が目につく。

下刈りなどもなされないままになっているので、ヒサカキやシラカシ、アズマネザサなどが繁茂して、ジャングルのようになってしまっている。夏季には見通しが悪くなり、防犯上大きな問題になっているし、冬季の乾燥期には採取されぬままに堆積した多量の落ち葉からの出火の危険性も大きい。

このまま置いておくと、やがてはクヌギ・コナラ林からシラカシなどの照葉樹の森林に遷移していくのであろう。「美しい雑木林」は、けして自然な森林の姿ではないからである。

それは萌芽更新や、植栽、下刈り、落ち葉採取などの作業を通して、常に農民の管理下にあった人工の二次林であり、森林を遷移の途中のある段階に人為的に足踏みさせている姿であった。だとすれば荒廃というのは長年飼いならされた林が、いま野に帰ろうとするあがきだともいえる。

近郊農業の土台

しかしすべての平地林が荒廃しているわけではない。農業振興地域の指定を受けた平地林では、同じように都心の市街地に近接した近郊地帯でありながら、いまも落ち葉採取が行われており、かつての美しさがいまだに保たれているところが珍しくない。

　このように美しい平地林を残す地域の畑を見ると、にんじん、だいこん、はくさい、きゃべつ、ほうれんそう等の商品蔬菜《そさい》の露地栽培が盛んである。これら蔬菜類は栽適期が長く、しかも一回の栽培期間が短くて、年間に何回かの栽培と収穫が可能である。

　経営耕地が狭くて耕地を休閑させる余裕がないこととあいまって、連作につぐ連作をしている。すなわち、地価が高く労賃も高い近郊地帯の農民は、高収益が期待できる限られた蔬菜を連作することによって、生産所得を上げる努力をしているのである。

　そしてこのような連作で化学肥料だけに依存していると、忌地《いやち》現象や病虫害の発生といった連作障害の発生が避けられず、連作障害を防ぐためには、畑地に有機質肥料を多量に入れることが不可欠となる。

　蔬菜だけでなく、古くからの作物が新しい時代に生きのびた地域でも落ち葉の役目は失われていない。武蔵野台地の北西部を占める埼玉県川越市福原地区や三芳町上富地区は、銘産「川越いも」の紅赤《べにあか》と言う甘藷の産地であるが、その地位は落ち葉を醸熱材として踏み込み、落ち葉堆肥を用いることで確立された。

　現在も必要がヤマを美しく保っているのである。

相続という破壊

　しかし近年はこの地域の平地林の中にも、ある日突然「ミニ富士山」が出現したりする。土石類の材料置き場である。他にもよく見ると廃棄物処理場や倉庫などといった施設がところどころにできている。いずれも市街化調整区域内で転用が法的に認められている施設であるという。

　この転用のほとんどは、農家に相続が発生した時、平地林にかかる相続税が高額なために手放さざるをえなくなった結果である。

　現行の農地法では平地林は農地の範疇に入っていないので、農業資産相続特別法による納税猶予などの適用が受けられず、高額な相続税を支払わなければ相続できない。川越市福原地区の市街化調整区域内の一ヘクタールの平地林の相続税の評価見積額は、なんと一億三、六〇〇万円である。これが畑地であるなら、この地区は農業振興地域に指定されているので、一ヘクタールの評価額は四、六〇〇万円。猶予農地として申請すると、六分の一の七七〇万円に減額される。同じ市街化調整区域の一ヘクタールの土地でも、平地林と畑地では相続税にこのような大きな開きがある。

　平地林を農用林野として実質的に利用している福原地区の平地林所有農家のアンケート調査によると、約四割の農家が「将来相続が発生したら平地林を売却せざるをえない」と答えている。まさに近郊地帯の平地林は、今や消失の岐路に立たされているのである。そして平地林を失う農家もまた岐路に立たされている。

　福原地区や上富地区のように平地林を現在も農業の重要な生産手段として活用している近郊地域では、行政が平地林を農用地として認識することがぜひとも必要である。そうでなければこの地域での農業の可能性自体を見捨てることになる。

林の中の田

東京近郊よりさらに外縁部に位置する関東平野周辺部の平地林はどうであろうか。近郊地帯よりは多く残っているが、やはり病める姿が多く目につく。

高度経済成長期以降、那須野原や常陸台地をはじめとした北関東の農家では、従来の畑作から陸田《りくでん》化や酪農化などが進み、営農形態が大きく変化した。

陸田と言うのは新しいタイプの田である。畑地や平地林をブルドーザーなどで掘り下げて平らにし、キャタピラーで底を固めてから耕土を入れ、周囲に畦畔を築いて水を入れる。水は地下水をモーターポンプで汲み揚げて用いている。陸田に揚水された水は自然浸透をするので、ポンプで繰り返し揚水しつづける。

それまでは地表水が乏しいうえに、地下に礫がごろごろしていて、人力による開田はなかなか困難であった。それがブルドーザーや、ボーリングマシーン、ポンプ等の機械力によってたちまち広い田が造成できたのだから、陸田は乏水地の農民にとって一種の福音であった。その結果、農家は今までの落ち葉に依存していた重労働のたばこ作などから、瞬く間に米作中心の農業に変えてしまった。

稲と牧草の風景

しかし米の「減反政策」が始まると、新たな陸田を拓くことが規制され、稲の作付けも制限されるようになった。

■武蔵野台地における平地林の変化　武蔵野台地では、都市化の拡大に伴って平地林が加速度的に減少してきた。都心に近い東部や、交通の便の良い南部では、農の風景としての平地林の姿は、今や遠い存在である
A＝1880年代　B＝1940年代　C＝1970年代

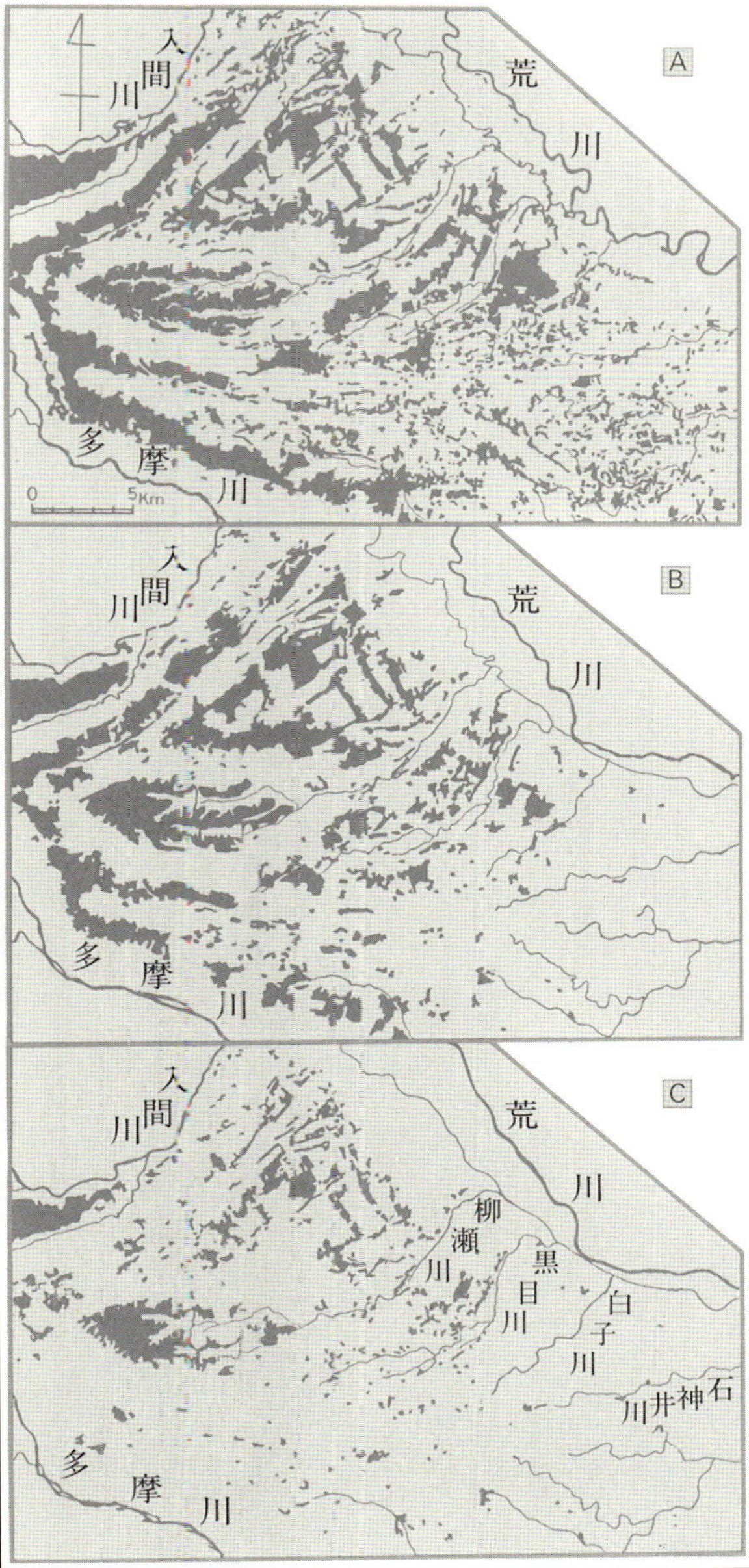

■三芳町上富二区の土地利用

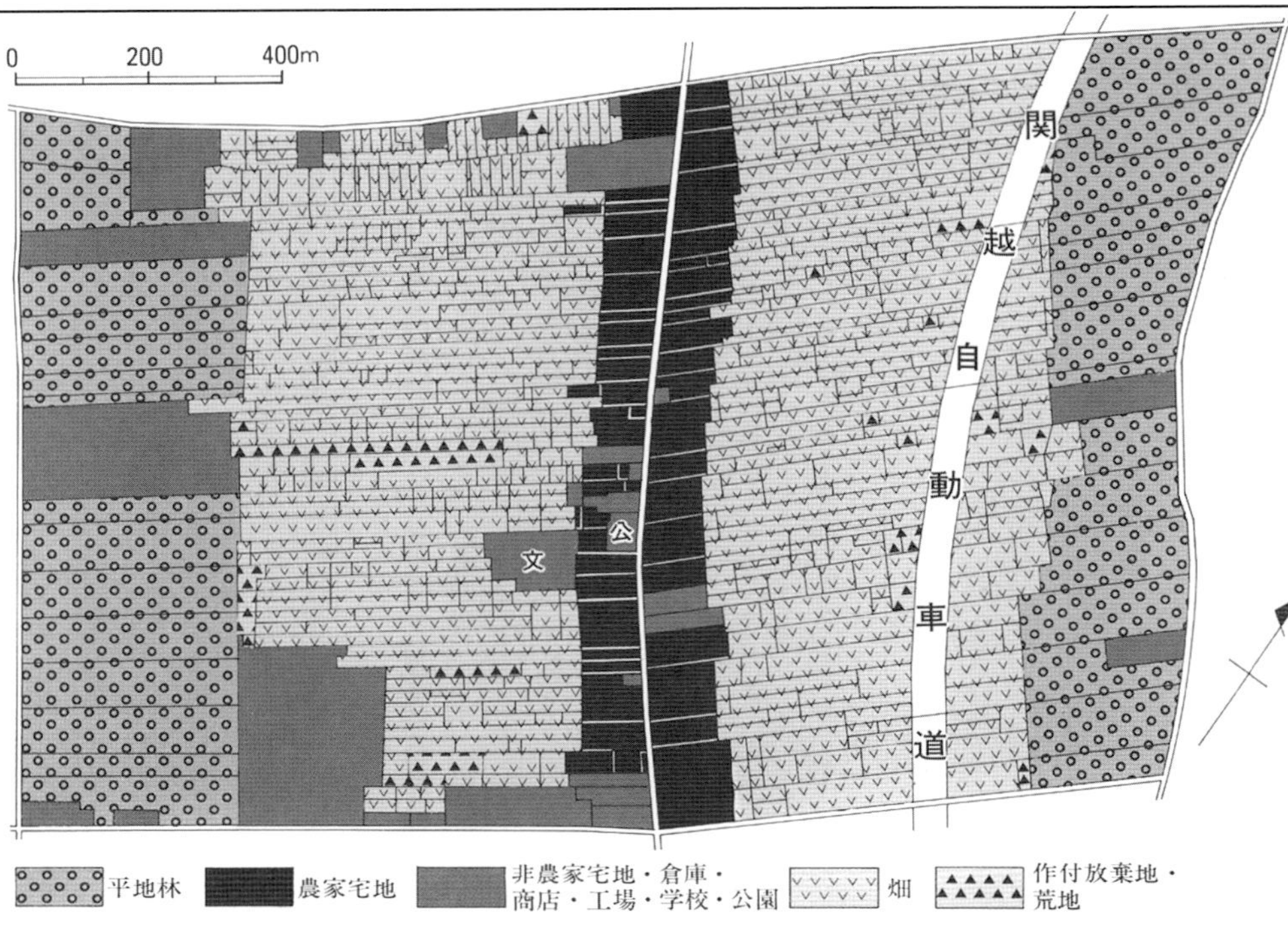

■接骨木の土地利用

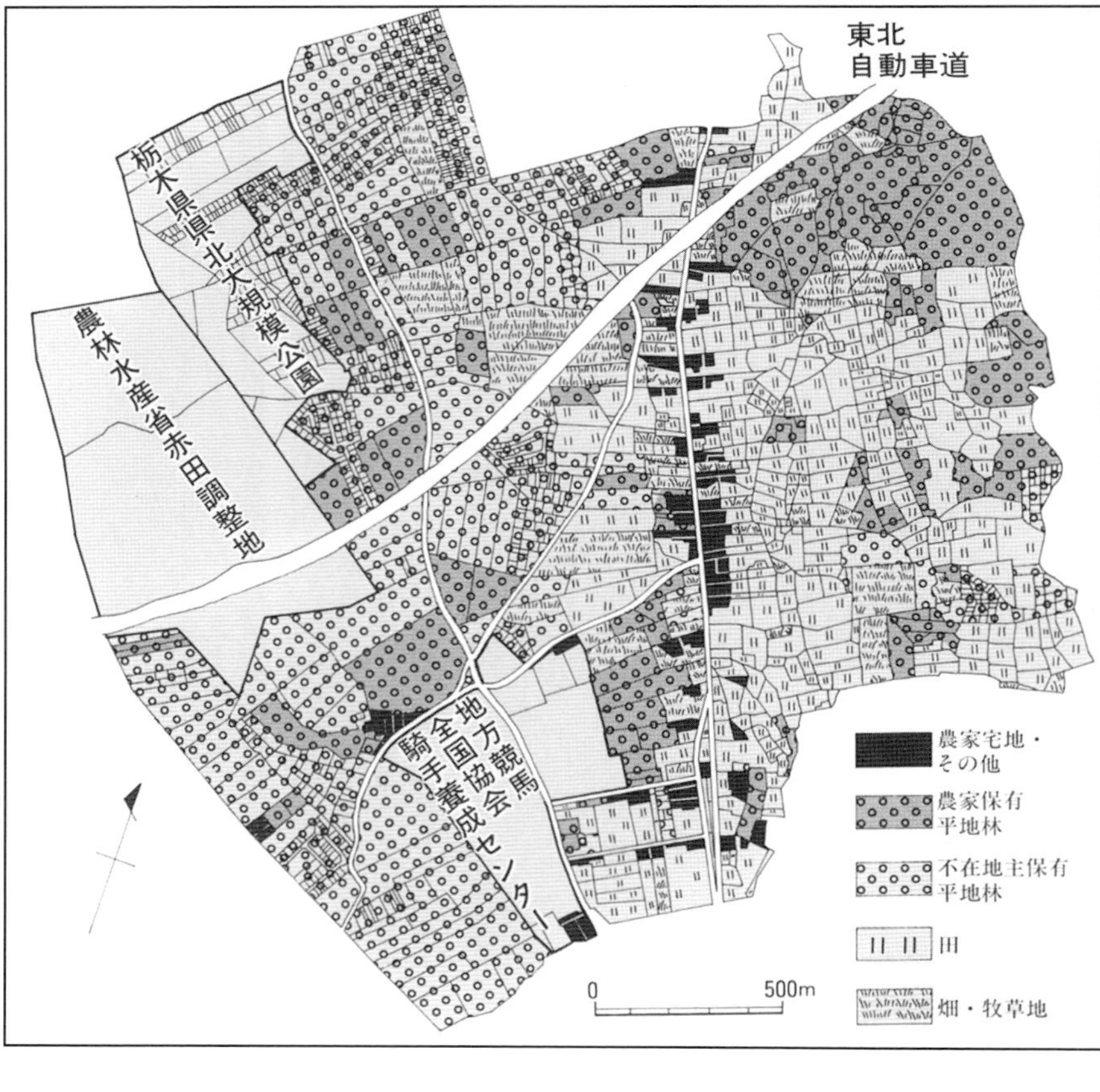

■三芳町上富二区の土地利用

宅地や畑地とともに、平地林を一枚の短冊状にレイアウトした地割は、新田村落での平地林の重要性を物語っている。開発当初、畑地と平地林の面積比は2対1であったが、次第に平地林が縮小し、今や虫食い的に転用も進んでいる（1980年9月17〜25日）

■接骨木の土地利用

平地林に抱かれたかつてのたばこ作の集落の変遷。平地林は開かれ、陸田と牧草地がまたたく間に増加した。また公共用地や別荘地等へ転用された平地林も多く、地元の農民が保有するのはわずかになった（1986年実態調査・土地評価名寄簿・地籍図より作成）

こうなると、いきおい通勤兼業の農家が増大する。そして大部分の農家が米作と酪農、あるいは肉牛の子取り飼育との複合経営を行うようになった。それとともにたばこ畑と広大な平地林に囲まれた農村景観が、稲穂の垂れた陸田と、永年牧草地や牧場へと変化したのである。

水田は畑ほど堆肥を要求しない。しかも水田自体が稲藁という有機質肥料の材料を生みだすし、それが牛の飼育と組合わさると牛糞という新たな有機質肥料が入手できる。兼業化が進むとともに農民は手間のかかる落ち葉採取をやらなくなった。那須野原の「生草・落葉利用組合」も、陸田化の進行とともに落ち葉採取者が激減して、ついに解散した。

栗林への転換

古くから栗栽培を行っていた常陸《ひたち》台地では、平地林を開いて栗園を拡大する農家が増加した。今や、霞ヶ浦北西部の茨城県新治《にいはり》郡千代田村を中心とした地域は、日本最大の栗の産地になっている。

栗の栽培はあまり労働力を必要としないので、経営規模の大きな農家には格好の作目となった。所有している平地林を次々に栗園に変えて、一四ヘクタールもの栗園を経営している農家もある。

放棄

このように陸田や牧草地、栗園などの農用地に転換された他に、不用になって売却されてしまった平地林も多い。大きな農家だけは家格維持のために平地林を備蓄財としてある程度所有している。しかしそれとても以前のような利用はまったくしていない。外材の輸入によって国内林業が低迷の底にある状況下では、農民もスギやヒノキといった針葉樹を造林する意欲もわかず、平地林は荒れるにまかされている。

大規模開発の矛先

こうして農用林野としての役割を失った平地林は、土地として評価されることになる。

那須野原扇状地の扇央部に位置する栃木県塩原町の接骨木《にわとこ》は、かつてたばこの栽培を主体とした農家戸数四四戸、総面積四九〇ヘクタールの集落であるが、いまや地区内の農家が保有する平地林面積はわずかに地区面積の二割にも満たない。

まず県の大規模公園や、国の那須野原総合農地開発事業の一環である農業用水調整池などの建設で、地区面積の約二割を占める広大な平地林が買収された。

平地林は一般に耕地に比較すると地価が安く、一筆当たりの土地区画の面積も広い。転用の法的規制も弱いし代替地も原則的に不要なために、一度に広大な面積の転用が可能となる。だから接骨木の例と同じように、筑波研究学園都市、成田の東京新国際空港、多摩ニュータウン、筑波科学万博など国家的規模の大型プロジェクト事業はいずれも平地林の多かったところに建設されている。

接骨木ではみられないが、昭和四〇年代にブームとなった北関東のゴルフ場も大部分は平地林の転用によるものである。

一六五八人の不在地主

また、近郊農村のように市街化調整区域指定といった土地利用上の規制がほとんどない地域であるから、接骨木の平地林は不動産業者によっても次々と買収されていった。

その結果は地区面積の約四分の一を占める平地林が一六五八人もの不在地主の手に渡ってしまうこととなった。細分化と転売は現在も進んでおり、不在地主は東京だけでなく全国に広がって、その実態は地元でもつかみきれないという。

これらの不在地主の大部分は不動産業者が平地林を細分化して別荘地として売り出したものを購入した都市住民である。しかも投機が目的であるから実際に別荘が建てられたことはほとんどない。

そのため土地は平地林のままであるが、ヒサカキやアズマネザサ、それにクズをはじめとする草生植物が繁茂している。防犯・防火上の問題だけでなく、不用の土石類や廃材、粗大ごみ、危険物等を夜間トラックで不法に捨てにくる者が増加するなど環境保全上の問題も深刻化している。

反乱

平地林の荒廃に拍車をかけたのは、昭和五三年以降の「松食い虫」被害の激増である。中でもアカマツの平地林が多い茨城県は、未曾有の被害を受けた。昭和五三、五四年の二ヵ年で、県全体の蓄積量の二五パーセントに当たる約一四五万立方メートルのアカマツが枯れた。

松食い虫にやられてもアカマツが全滅することはない。少なくともごく若い松は残るし、それがとくに痩せて乾いた土地なら、時間とともにふたたびアカマツが卓越していく。しかし多くの場合、松食い虫は平地林の遷移のステップを確実に一歩進める。

松食い虫被害の直接の原因は、マツノマダラカミキリというカミキリ虫が運ぶマツノザイセンチュウが松の樹脂道の中で大繁殖して樹液の流動を止めてしまい、枯死させてしまうことにあるという。

しかし、これが大被害を招くことになったことについては、落ち葉採取などの山掃除をしなくなり、枯れ枝や枯死した木を放置したことで、カミキリ虫の好適な産卵場所や最適の生息環境を与えてしまったという要因を見逃すわけにいかない。

人間が常時手をかけつづけることで成立してきた森林の、人間の関心を失ったことに対する当然の反乱であったといえよう。

椎茸

このように平地林の荒廃が拡大している関東平野の外縁部で、最近平地林の経済価値を見直させることになったのが椎茸《しいたけ》栽培の原木生産である。とくに昭和四〇年代から群馬県や茨城県が首都圏向けの生椎茸生産で全国一位、二位の生産量を誇るようになってから、ホダ木の原木不足が深刻になってきた。

ホダ木には平地林に多いクヌギ・コナラが最適である。また平地林は当然のことながら原木の伐り出しや搬出条件などが山地より優れている。茨城県の林業試験場の試算によれば、平地林ではスギ・ヒノキの造林よりも、椎茸原木用に一五年伐期の萌芽更新によるクヌギ・コナラを造林した方が短期間で高い収益が上がるという。

原木の生産だけではない。これまで主として山村で栽培されていた椎茸が、近年施設を用いることで平地でも周年栽培、周年出荷が可能になってきた。商品野菜の一つとして生椎茸の栽培が農家に注目されるようになってきたのである。放置したままの平地林も椎茸原木生産や椎茸の栽培によって「平地林起こし」が行われるのかもしれない。

クヌギ、コナラの林。農民が利用してきたので林床がきれいに整理されている

農の風景

以上が私の報告である。

関東の平地林は、関東の農民たちが作りあげ、長い時間をかけて維持・管理してきた「農の風景」であった。それが今、さまざまな条件の変化によって必然的に姿を変え、あるいは消えていこうとしている。

昔ながらの姿で農業とともに都市近郊に残っている平地林は、都市住民にとっても無縁ではなく、近郊緑地として大きな意義を持っているが、これもすでに消失の宿命を背負っている。

もしその親しみやすい美しさを惜しむとするなら、その保全は都市住民にも課せられた国民的な課題である。これまでのように農民だけに大きな負担をさせて「緑の効用」をただで享受することはできない。なぜならそれを可能にする仕組みを農民はもはや持っていないからである。

そして関東平野周辺部の荒廃してしまった平地林に何とか農用林野としての役割を回復させることが大切であろう。人のつくった森林は、人がその価値を見つけていかないかぎり、そのまま生きつづけることはできないのだから。

著者あとがき

人が自然を置いてゆく

田口洋美

長野県下水内郡栄村の秋山郷のむらむらを初めて訪ねたのは、一九八五年四月一〇日のことであった。あれから二六年の歳月が過ぎたが、現在でも秋山郷に通いつづけている。秋山のむらむらは私にとって第二のふるさとといって良い、愛《いと》おしささえ覚えるむらとなった。

先日、私が初めて秋山郷を歩きはじめた当時、一歳の誕生日を迎えた赤ちゃんが、今年嫁に行くのだという連絡が届いた。とても嬉しい反面、あの子が結婚をする年齢にまで成長したのかと思うと、何やら気恥ずかしい気持ちすら起こってくる。他所からときおりやってくるけったいなおじさんとして、私も彼女が成長して行く姿を傍らで見てきた。秋山郷の中学校を卒業して飯山市の高校へ進学した。親元を離れ、町中の下宿に暮らし、そして高校を卒業すると埼玉県へ就職していった。彼女の両親やおじいちゃん、おばあちゃんとは身内同然のお付き合いをつづけているが、この間におじいちゃんが他界された。そして、近く彼女はお嫁にゆく。私がはじめてその家族に出会ったときには産まれたばかりの子を含めて五人家族であった。その後、二人目の女の子が産まれ六人家族となった。そして家の中に暮らす家族が、離ればなれになり、またお爺ちゃんが他界される。その家族の歴史を傍らで見ながら、秋山郷の過去と現在、そして未来を考えようとしてきた。

秋山郷で生まれた子供たちは、高校生から下宿生活になる。そして多くの子供たちが都会へと出て行くことになる。そうした子供たちの話を聞き、姿を見るたびに宮本常一先生の『日本の中央と地方』（著作集第2巻）を思い出していた。その著作にはじめて触れたとき、強烈な稲妻のようなものが私を捉えた。そして現在のような仕事、私の道を歩みはじめるきっかけの一つともなった。どうして、地域に生まれ育った子供たちが中央の都市へと向かうようになったのか、その歴史社会的な動向がそこには書かれていたのである。宮本先生が「日本列島にみる中央と地方」を書かれたのは昭和三九（一九六四）年のことであるが、以来今日までおよそ五〇年間、この構造はまったく変わっていない。否、変えようとする動きすら起こってはいない。そして、まるで伝統的踏襲、時代や世界の動向の変化にはまったく目もくれず、そして何ら疑うこともなく、この構造は継承されつづけている。何故、ここまで私たちは過去を引きずりたがり、変化することを嫌うのであろうか。その保守性とは一体何ものなのであろう。そして今もなお、地域で産まれ、地域で育った若者たちは、なぜ執拗に都会へ出ることを求めつづけているのだろうか。

すでに首都圏では、労働力の再生産は可能であり、地方にそれを求める差し迫った状況にはない。にもかかわらず、何故、高度経済成長期の習わしを踏襲しつづけるのだろう。戦後の経済復興期の集団就職のように、個々人が都市を目指す思考の轍《わだち》にはまりつづけている。轍は深まるばかりだ。

私もまた、茨城県の海浜のむらから都市を目指した若者の一人だった。当時、自分は何を考えていたのか。思い返せば、これといって明確な考えなど持っていなかった自分に気付かされる。東京へ出れば、何か面白いことがありそうな気がする。親から離れて自由になれる。誰でもが答えるような安易さの中で東京へと出て行った。しかし、私の場合は、東京へ出てみるとふるさとが際立ってきた。自分が生まれ育ったむらがいかに他の地域と異なっていたか。一九歳の若造に過ぎなかったが、無性に自分のふるさとのことが知りたくなった。結局私は、ふるさとを離れて三〇年、都市に暮らしつづけたが、その大半は旅に割かれる日々を生きるようになっていた。多い年には年間二五〇日、少ない年でも一二〇日以上は国内や海外を歩いていた。その多くの時間は、山間のむらむらや海浜のむらむら、そして海外に出ても先住民族や少数民族と称される人々の暮らすむらむらを歩くことに費やされた。そのようなむらむらには若者は少なかった。国内であれ、ロシアであれ、北米であれ、若者たちの元気な姿を見かけるのは、その地域の中心的なローカル・タウンであった。

もとより私の旅の目的は、秋山郷や、それ以前の新潟県岩船郡朝日村三面《みおもて》集落との出会いからマタギや狩猟採集民、漁民や牧畜狩猟民の生活と文化、自然と人間の関係を学ぶための旅であったから、都市には縁遠いものであった。しかし、それにしても若者の姿が乏しかった。ここ一六年通いつづけている極東ロシアの先住民族のむらでは、通いはじめた当時四二人いた猟師が、現在では二二人となった。福島県に匹敵するような広大な面積のタイガを猟場としながら、そのタイガで猟を展開する猟師が二二人しか存在しない。むらの人口もこの一六年で三〇％も減少している。

一九九一年、ソビエト社会主義共和国連邦が崩壊し、独立国家共同体（CIS）を経てロシア連邦となって以降、市場経済化が急激に進行して、地方の寒村では現金収入が得られないことから、若者を中心にむらを去ってゆく人々が後をたたない。日本でかつて起きた過疎化が、極東ロシアのむらむらで現在進行しているのである。世界はどこへ向かうのであろう。轍は何処まで穿たれるのであろう。そして、自然と共に、自然が自然として存在することで、生きてゆくことができた人々が急激に減少していっているこの現実から、どのような未来が見えてくるだろうか。

今年三月一一日、東日本大震災が起こった。私はふるさとのむらで地震を体験した。父母が世を去り、後を継いだ。帰っていたふるさとの家で震度六を体験した。言葉はない。ただ哀しいのは、震災から半年が経過した九月六日の時点で、死者一万五七六九名、行方不明者四二二七名。その後、台風一二号、一四号による集中豪雨によって紀伊半島西部を中心とする災害が発生した。そしてまた命が奪われた。自然が自然であってくれることで生きる糧をうることができる人々は、自然が自然であるがための試練を受ける。生きるための、生かされるための自然との向き合い方を知りえる人々が少数派となり、都市生活者が圧倒的多数派となった。想定外は、想定という想像の産物が裏切られたという言い訳に過ぎない。自然は怖い、でも素晴らしい。その自然と共に歩もうとする人々の跡継ぎがいない。洋の東西を違わず、人類という名の生き物は何処へ行こうというのだろうか。

秋山郷で産まれた女の子は、結婚後首都圏で暮らしてゆく。何はともあれ、めでたい。幸せをえて欲しい。でも、ふるさとを忘れ、自然を頭の中で飼い慣らすことだけは止めて欲しい。

著者・写真撮影者略歴（掲載順）

宮本常一（みやもと　つねいち）
一九〇七年山口県周防大島の農家に生まれる。大阪府立天王寺師範学校卒。柳田國男の『旅と伝説』を手にしたことから民俗学への道を歩み始め、一九三九年に上京し、渋沢敬三の主宰するアチック・ミューゼアムに入る。戦前、戦後の日本の農山漁村を訪ね歩き、民衆の歴史や文化を膨大な記録、著書にまとめるだけでなく、地域の未来を拓くため住民たちと語りあい、その振興策を説いた。一九六五年武蔵野美術大学教授に就任。一九六六年、後進の育成のため近畿日本ツーリスト（株）・日本観光文化研究所を設立し、翌年より月刊雑誌「あるくみるきく」を発刊。一九八一年没。著書『忘れられた日本人』（岩波書店）、『日本の離島』、『宮本常一著作集』（共に未來社）など。

須藤　功（すとう　いさを）
一九三八年秋田県横手市生まれ。川口市立県陽高校卒。民俗学写真家。一九六六年より日本観光文化研究所所員となり、全国各地を歩き庶民の暮らしや祭り、民俗芸能の研究、写真撮影に当たる。日本地名研究所より第八回「風土研究賞」を受賞。著書に『西浦のまつり』（未來社）、『花祭りのむら』（福音館書店）、『写真ものがたり　昭和の暮らし』全一〇巻、『大絵馬ものがたり』全五巻（共に農文協）など。

谷沢　明（たにざわ　あきら）
一九五〇年静岡県生まれ。法政大学大学院修士課程修了。博士（工学）。日本観光文化研究所所員を経て、現在、愛知淑徳大学交流文化学部教授。著書に『瀬戸内の町並み―港町形成の研究』（未來社）、『楢川村史』（共著）、『瀬戸田町史』（共著）、『東城町史』（共著）など。

榊原貴士（さかきばら　たかし）
一九五〇年東京都生まれ。「あむかす探検学校」への参加を契機に観文研の所員となる。マチの民俗研究プロジェクトで、日本の古いマチを歩き、また『あるくみるきく』の編集・執筆に従事した。放送大学元非常勤講師。著作（私家版）に『評伝　鳥居龍藏・甲野勇・八幡一郎・鹿野忠雄・国分直一・宮本常一』、『日本映画にみる庶民生活史（暮らしと生活用品を中心として）』などがある。

賀曽利　隆（かそり　たかし）
一九四七年東京都生まれ。バイクライダー・ライター。二十歳でアフリカを一周してから六度の日本一周をはじめ、一三三ヵ国、一三〇万キロを走破。生涯旅人をモットーに、パリダカ参戦、サハラ砂漠横断、シルクロード横断など、バイクにまたがり世界各地の土地・人・文化に出会う旅をつづけている。著書に『三〇〇日三〇〇〇湯めぐり』上・下巻（昭文社）、『世界を駆けるぞ！』全四巻（フィールド出版）など。

田口洋美（たぐち　ひろみ）
一九五七年茨城県生まれ。東京大学大学院研究科博士課程修了。博士（環境学）東北芸術工科大学芸術学部教授。民族文化映像研究所、グループ現代の映画製作スタッフ、日本観光文化研究所所員を経て、狩猟文化研究所を設立。主著・共著に『越後三面山人記』（農文協）、『マタギ―森と狩人の記録―』（慶友社）、『ロシア極東の民族考古学』（六一書房）などがある。

田村真知子（たむら　まちこ）
一九四一年東京都生まれ。早稲田大学文学部卒。東洋史専攻。一九六七年以来ネパール王国の調査研究を行う。ネパール協会会員。著書・訳書に『親と子のネパール探検』（コンパニオン出版）、『秋山郷　山田清蔵日誌』（筆談日本観光文化研究所）、D／B／ビスタ著『ネパールの人々』（古今書院）他がある。一九九五年四月苗場山裏谷で滑落、死去。

田村善次郎
本巻監修者。監修者略歴に記載。

西山昭宣（にしやま　あきのり）
一九四三年台湾生まれ。新潟県で育つ。元都立高校教諭。早稲田大学第一文学部卒業後、日本観光文化研究所に参画し、宮本千晴と共に『あるくみるきく』の企画・編集に携わる。後に都立高校教諭として転出するが、研究所閉鎖時まで同誌の企画・編集を行なった。

須藤　護（すどう　まもる）
一九四五年千葉県生まれ。武蔵野美術大学建築学科卒。龍谷大学国際文化学部教授（民俗学）。著書に『暮らしの中の木器』（ぎょうせい）『東和町史各論編4―集落と住居』（東和町教育委員会）、『木の文化の形成―日本の山野利用と木器の文化』（未來社）などがある。

小林　稔（こばやし　みのる）
一九六〇年東京都生まれ。成城大学大学院文学研究科日本常民文化博士課程前期終了後、日本観光文化研究所所員。千葉県立房総のむら、国立歴史民俗博物館勤務等を経て、現在は千葉県教育庁教育振興部文化財課に勤務。

犬井　正（いぬい　ただし）
一九四七年東京都生まれ。東京学芸大学大学院教育学研究科修士課程修了。一九九〇年、理学博士（筑波大学）。東京都立清瀬高校教諭、日本観光文化研究所所員を経て、現在は獨協大学経済学部教授、経済学部長。環境共生研究所所長。著書に『関東平野の平地林』（古今書院）、『里山と人の履歴』（新思索社）、『人と緑の文化史』（三芳町教育委員会）、『森を知り森に学ぶ―森と親しむために―』（二宮書店）、『都市近郊のむら』（小峰書店）ほか。

監修者略歴

田村善次郎（たむら　ぜんじろう）

一九三四年、福岡県生まれ。一九五九年東京農業大学大学院農学研究科農業経済学専攻修士課程修了。一九八〇年武蔵野美術大学造形学部教授。武蔵野美術大学名誉教授。文化人類学・民俗学。

大学院時代より宮本常一氏の薫陶を受け、国内、海外のさまざまな民俗調査に従事。『宮本常一著作集』（未來社）の編集に当たる。著書に『ネパール周遊紀行』（武蔵野美術大学出版局）、『棚田の謎』（農文協）ほか。

宮本千晴（みやもと　ちはる）

一九三七年、宮本常一の長男として大阪府堺市鳳に生まれる。小・中・高校は常一の郷里周防大島で育つ。東京都立大学人文学部人文科学科卒。山岳部に在籍し、卒業後ネパールヒマラヤで探検の世界に目を開かれる。一九六六年より近畿日本ツーリスト・日本観光文化研究所（観文研）の事務局長兼『あるくみるきく』編集長として、所員の育成・指導に専念。

一九七九年江本嘉伸らと地平線会議設立。一九八二年観文研を辞して、向後元彦が取り組んでいた「（株）砂漠に緑を」に参加し、サウジアラビア・UAE・パキスタンなどをベースにマングローブについて学び、砂漠海岸での植林技術を開発する。一九九二年向後らとNGO「マングローブ植林行動計画」（ACTMANG）を設立し、サウジアラビアのマングローブ保護と修復、ベトナムの植林事業等に従事。現在も高齢登山を楽しむ。

あるくみるきく双書
宮本常一とあるいた昭和の日本 13 関東甲信越 3

2011年12月25日第1刷発行

監修者　田村善次郎・宮本千晴
編　者　森本　孝

発行所　社団法人　農山漁村文化協会
郵便番号　107－8668　東京都港区赤坂7丁目6番1号
電話　03（3585）1141（営業）　03（3585）1147（編集）
FAX　03（3585）3668
振替　00120（3）144478
URL　http://www.ruralnet.or.jp/

ISBN978－4－540－10213－4
〈検印廃止〉

印刷・製本　（株）東京印書館

郷土の歴史・文化・資源を生かし内発的地域振興策を考える農文協の本
＜関東甲信越＞

写真で綴る 昭和30年代農山村の暮らし
武藤盈／写真　須藤功／文
AB判　336頁　6190円＋税
信州富士見町の百姓・武藤盈が、彼の故郷と農閑期に鋸行商に歩いた秩父の人々のありのままの暮らしを写した370点の記録写真。民俗学写真家の須藤功が、その知恵や思いを聞き書きし、わかりやすく解説。

人間選書133
霞ヶ浦の風土と食
森田美比著
B6判　192頁　1300円＋税
茨城県霞ヶ浦とその周辺の風土と農漁業、食文化のかかわりを水と人間・土と人間の関係を軸に描写。山と田と畑と湖に生きる人々の暮らしと生産の息づかい。

巨大都市江戸が和食をつくった
渡辺善次郎著
B6判　280頁　1305円＋税
豊穣な江戸前の海と近郊農業に支えられた江戸・東京の食事形成史。すし、てんぷら、佃煮などに代表される江戸の味覚が東京の自然と調理術の向上によって一大食文化をつくった。

人間選書235
越後三面山人記—マタギの自然観に習う
田口洋美著
B6判　326頁　1857円＋税
ダムに沈む前の三面マタギ集落に移り住み、山に生かされた山人の心象と技と四季の生活を克明に聞き書きし、生き生きと描く。「山の力（野生）」と「人の力（人為）」とが対峙し重層的に織りなす山の空間構造を俯瞰。

伝統写真館 日本の食文化3 北関東
農文協編
A5判　126頁　1238円＋税
古代の理想郷を食べものの世界に再現した茨城の食、三つの文化の足跡と伝統行事にひそむ栃木の食の饗宴、天下一のおっかあたちが築いた粉もの王国・群馬の食。豊田泰光・加賀美幸子らの食べものエッセイを収録。

伝統写真館 日本の食文化4 首都圏
農文協編
A5判　178頁　1338円＋税
関八州の中心地・埼玉が育てたふるさとの味、常夏の海と陸がもたらす房総・千葉の豊かな食、海や農山村とのつながりを失わなかった大都市・東京の食、相模野の恵みから浜っ子のハイカラ料理まで多彩な神奈川の食。

伝統写真館 日本の食文化5 関東甲信越
農文協編
A5判　128頁　1238円＋税
雪国の苛烈さと豊饒、稲作王国・新潟の食、健康・長寿の知恵を満載した山梨の食、山と川、四つの平らの恵みを生かす長野の食。姫田忠義「マタギの村の食事」、小松恒夫「安曇野の一角の年末年始」などエッセイも収録

江戸東京野菜 物語編
大竹道茂著
A5判　208頁　定価1600円＋税
江戸庶民や東京市民の食卓を支えてきた江戸東京野菜。その個性ある野菜達を復活させた仕掛人が、江戸東京野菜とは何か、江戸100万人の食卓を支えたその歴史と現代の東京の地産地消を綴る。

シリーズ 地域の再生 全21巻（刊行中）
各巻2600円＋税　揃価54600円＋税
地域の資源や文化を生かした内発的地域再生策を、21のテーマに分け、各地の先駆的実践に学んだ、全巻書き下ろしの提言・実践集。
[1]地元学からの出発　[2]共同体の基礎理論　3自治と自給と地域主権　[4]食料主権のグランドデザイン　[5]地域農業の担い手群像　[6]自治の再生と地域間連携　[7]進化する集落営農　8地域をひらく多様な経営体　[9]地域農業の再生と農地制度　10農協は地域になにができるか　11家族・集落・女性の力　[12]場の教育　13遊び・祭り・祈りの力　14農村の福祉力　15地域を創る直売所　[16]水田活用新時代　[17]里山・遊休農地を生かす　18林業—林業を超える生業の創出　19海業—漁業を超える生業の創出　20有機農業の技術論　[21]百姓学宣言
（[ ]巻は平成二三年一二月現在既刊）